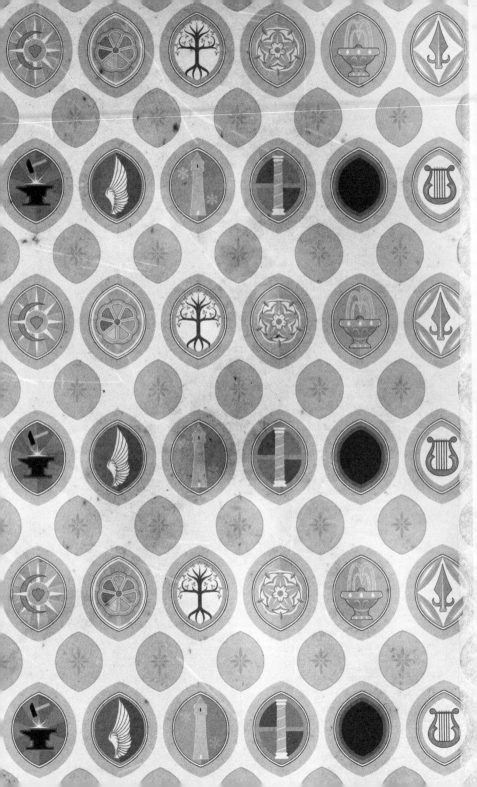

A QUEDA DE GONDOLIN

J.R.R. TOLKIEN

Editado por CHRISTOPHER TOLKIEN

A QUEDA DE GONDOLIN

Tradução de
REINALDO JOSÉ LOPES

Com ilustrações de
ALAN LEE

Rio de Janeiro, 2022

Título original: *The Fall of Gondolin*
Todos os textos e materiais por J.R.R. Tolkien © The Tolkien Estate, 2018
Prefácio, Notas e todos os outros materiais © C.R. Tolkien, 2018
Ilustrações © Alan Lee, 2018
Edição original por HarperCollins *Publishers*. Todos os direitos reservados.
Copyright de tradução © Casa dos Livros Editora LTDA., 2018.

Os pontos de vista desta obra são de responsabilidade de seus autores, não refletindo necessariamente a posição da HarperCollins Brasil, da HarperCollins *Publishers* ou de sua equipe editorial.

®*, TOLKIEN* e THE FALL OF GONDOLIN* são marcas registradas de The Tolkien Estate Limited.

Publisher	*Omar de Souza*
Gerente editorial	*Samuel Coto*
Editor	*André Lodos Tangerino*
Produção editorial	*Brunna Castanheira Prado*
Produção gráfica	*Lúcio Nötlich Pimentel*
Preparação de texto	*Tania Lopes*
Revisão	*Daniela Vilarinho e Gabriel Oliva Brum*
Projeto gráfico	*Alexandre Azevedo*
Diagramação	*Sonia Peticov*
Adaptação de capa	*Rafael Brum*

CIP—BRASIL. CATALOGAÇÃO NA FONTE
SINDICATO NACIONAL DOS EDITORES DE LIVROS, RJ

T589q
Tolkien, J. R. R.
 A queda de Gondolin / J. R. R. Tolkien ; [organização] Cristopher Tolkien ; ilustração Alan Lee ; tradução Reinaldo José Lopes. - 1. ed. - Rio de Janeiro : HarperCollins, 2018.
 288 p. : il.

Tradução de: *The Fall of Gondolin*
ISBN 978-85-9508-365-3

 1. Ficção britânica. I. Tolkien, Cristopher. II. Lee, Alan. III. Lopes, Reinaldo José. IV. Título.

18-51367
CDD: 823
CDU: 82-3(420)

Vanessa Mafra Xavier Salgado - Bibliotecária - CRB-7/6644

HarperCollins Brasil é uma marca licenciada à Casa dos Livros Editora LTDA.
Todos os direitos reservados à Casa dos Livros Editora LTDA
Rua da Quitanda, 86, sala 218 — Centro
Rio de Janeiro — RJ — CEP 20091-005
Tel.: (21) 3175-1030
www.harpercollins.com.br

Para minha família.

Sumário

Gravuras	9
Ilustrações	11
Prefácio	13
Prólogo	23
O Conto Original	41
O Texto Mais Antigo	109
Turlin e os Exilados de Gondolin	111
A História Contada no *Esboço da Mitologia*	117
A História Contada no *Quenta Noldorinwa*	125
A Última Versão	141
A Evolução da História	195
Conclusão	225
A Conclusão do *Esboço da Mitologia*	227
A Conclusão do *Quenta Noldorinwa*	233
Lista de Nomes	247
Notas Adicionais	269
Glossário	281
Os Príncipes dos Noldor	284
A Casa de Bëor	285

Gravuras

Porto-cisne   33
"Tentam tomar os navios-cisnes em Porto-cisne, ao que se segue uma luta" (p. 32)

Turgon fortalece a vigilância   65
"Ele ordenou que a vigia e a guarda ganhassem força triplicada em todos os pontos" (p. 63)

A Torre do Rei cai   93
"A torre foi lambida pelas chamas e, em uma explosão de fogo, veio abaixo" (p. 92)

Glorfindel e o Balrog   105
"O Balrog que estava com o inimigo na retaguarda saltou com grande força sobre certas rochas elevadas" (p. 102-103)

A Fenda do Arco-Íris   133
"Ulmo fez com que ele fosse levado a um curso de rio que fluía debaixo da terra, [...] através do qual uma água turbulenta corria enfim para o mar do oeste" (p. 131)

Monte Taras   155
"Viu uma linha de grandes morros que lhe barravam o caminho, estendendo-se para oeste até terminarem em uma alta montanha" (p. 153)

Ulmo aparece diante de Tuor   163
"Então ouviu-se um estrondo de trovão, e raios iluminaram o mar" (p. 161)

Orfalch Echor   187
"Tuor viu que o caminho estava barrado por um grande muro construído de lado a lado da ravina" (p. 186)

Lista de Ilustrações

Tuor faz soar uma nota em sua harpa	23
Tuor desce até o rio escondido	41
Isfin e Eöl	109
Lago Mithrim	111
As montanhas e o mar	115
Águias voam acima das montanhas circundantes	117
O delta do Rio Sirion	125
Figura de proa entalhada de Glorfindel na frente dos navios élficos	140
Rían vasculha o Monte dos Mortos	141
A entrada da casa do Rei	194
Tuor segue os cisnes até Vinyamar	195
Gondolin em meio à neve	224
O Palácio de Ecthelion	225
Elwing recebe os sobreviventes de Gondolin	227
Símbolo heráldico de Eärendel acima do mar	233

No fim do livro pode-se encontrar um mapa, e genealogias da Casa de Bëor e dos príncipes dos Noldor. Foram retirados de *Os Filhos de Húrin*, com algumas alterações menores.

Prefácio

Em meu prefácio para *Beren e Lúthien*, comentei que "no meu nonagésimo terceiro ano de vida, este é (presumivelmente) meu último livro na longa série de edições dos escritos de meu pai". Usei a palavra "presumivelmente" porque, naquela época, eu pensava vagamente em dar um tratamento similar ao de *Beren e Lúthien* ao terceiro dos "Grandes Contos" de meu pai, *A Queda de Gondolin*. Mas achei que isso seria muito improvável e "presumi", portanto, que *Beren e Lúthien* seria minha última edição. Entretanto, eu estava errado, mas devo agora dizer que, "aos meus 94 anos de idade, a *Queda de Gondolin* é (indubitavelmente) meu último trabalho de editor".

Neste livro pode-se ver, a partir da narrativa complexa de muitas tramas em vários textos, como a Terra-média se encaminhou para o fim da Primeira Era, e como a percepção de meu pai sobre essa história que ele tinha concebido se desenrolou através de longos anos até que, por fim, no que seria sua forma mais bonita, acabou naufragando.

A história da Terra-média nos Dias Antigos sempre foi uma estrutura cambiante. Minha *História* daquela era, longa e complexa como é, deve sua extensão e complexidade a esse borbulhar infindo: um novo retrato, um novo motivo, um novo nome, acima de tudo novas associações. Meu pai, como o Criador, considera o conjunto da história e, conforme escreve, fica ciente de um novo elemento que entrou na narrativa. Ilustrarei isso com um exemplo muito breve, mas notável, que pode valer por muitos. Um traço essencial da história da Queda de Gondolin é a jornada que o Homem, Tuor, empreende com seu companheiro Voronwë para achar a Cidade Élfica Oculta de

PREFÁCIO

Gondolin. Meu pai contou isso muito brevemente no "Conto Original", sem nenhum evento digno de nota — aliás, sem evento nenhum; mas, na versão final, na qual a jornada era muito mais elaborada, certa manhã, nos ermos, eles ouviram um grito nos bosques. Quase poderíamos dizer: "ele" ouviu um grito nos bosques, repentino e inesperado.[1] Um homem alto, vestido de preto e segurando uma espada longa e negra, apareceu então e veio na direção deles, chamando um nome, como se estivesse buscando alguém que se perdera. Mas, sem dizer palavra, passou por eles.

Tuor e Voronwë não sabiam de nada que pudesse explicar essa visão extraordinária: mas o Criador da história sabia muito bem quem era aquele. Era ninguém menos que o afamado Túrin Turambar, primo de primeiro grau de Tuor, e ele estava fugindo da ruína — desconhecida de Tuor e Voronwë — da cidade de Nargothrond. Eis um átimo de uma das grandes histórias da Terra-média. A fuga de Túrin é contada em *Os Filhos de Húrin* (editado por mim), mas sem nenhuma menção a esse encontro, desconhecido de ambos aqueles parentes e nunca repetido.

Para ilustrar as transformações que tiveram lugar conforme o tempo passava, nada é mais impressionante do que o retrato do deus Ulmo como ele foi visto originalmente, sentado entre os caniços e fazendo música no crepúsculo à beira do rio Sirion, mas, muitos anos mais tarde, o senhor de todas as águas do mundo surge do meio da grande tempestade marinha em Vinyamar. Ulmo, de fato, posta-se no centro do grande mito. Com Valinor em grande parte opondo-se a ele, o grande Deus, mesmo assim, misteriosamente alcança sua meta.

---

[1] Para mostrar que essa ideia não é algo inventado, em sua carta para mim de 6 de maio de 1944, meu pai escreveu: "Um novo personagem entrou em cena (tenho certeza de que não o inventei, eu nem mesmo o queria, embora goste dele, mas ele veio caminhando para os bosques de Ithilien): Faramir, o irmão de Boromir." [N. E.]

Reexaminando meu trabalho, agora concluído depois de cerca de quarenta anos, creio que meu propósito subjacente foi, ao menos em parte, tentar dar mais proeminência à natureza de "O Silmarillion" e sua existência vital em relação a *O Senhor dos Anéis* — pensando nele mais como a *Primeira Era* do mundo de meu pai, que engloba a Terra-média e Valinor.

Havia, de fato, *O Silmarillion* que eu publiquei em 1977, mas esse livro foi composto, alguém poderia mesmo dizer "moldado", para produzir coerência narrativa, muitos anos depois de *O Senhor dos Anéis*. Poderia parecer "isolada", por assim dizer, essa grande obra em estilo elevado, supostamente legada de um passado muito remoto, com pouco da força e proximidade de *O Senhor dos Anéis*. Isso era, sem dúvida, algo inescapável, da maneira como conduzi as coisas, pois a narrativa da Primeira Era tinha uma natureza literária e imaginativa radicalmente diferente. Mesmo assim, eu sabia que, muito antes, quando *O Senhor dos Anéis* estava concluído, mas bem antes de sua publicação, meu pai tinha expressado profundos desejo e convicção de que a Primeira Era e a Terceira Era (o mundo de *O Senhor dos Anéis*) deveriam ser tratadas, *e publicadas*, como elementos, ou partes, *da mesma obra*.

Em um dos capítulos deste livro, "A Evolução da História", reimprimo trechos de uma carta comprida e muito reveladora que ele escreveu para seu editor, Sir Stanley Unwin, em fevereiro de 1950, logo depois que a escrita propriamente dita de *O Senhor dos Anéis* tinha chegado ao fim, na qual ele tirou um peso de sua cabeça sobre esse tema. Naquela época, ele se retratava, com autoironia, como alguém horrorizado ao contemplar "esse monstro impraticável de umas seiscentas mil palavras" — e mais ainda quando os editores estavam esperando o que tinham exigido, uma continuação de *O Hobbit*, enquanto esse novo livro (dizia ele) era "na verdade uma continuação de *O Silmarillion*".

Ele nunca modificou essa opinião. Escreveu até mesmo que *O Silmarillion* e *O Senhor dos Anéis* eram "uma única grande Saga das Joias e dos Anéis". Lutou contra a publicação separada de *qualquer uma das obras* com base nisso. Mas, no fim, foi

PREFÁCIO

derrotado, como se verá em "A Evolução da História", reconhecendo que não havia esperança de que seu desejo fosse concedido: e ele consentiu na publicação isolada de *O Senhor dos Anéis*. Depois da publicação de *O Silmarillion*, voltei-me para uma investigação, que durou muitos anos, da coleção inteira de manuscritos que ele me deixara. Em *A História da Terra-média*, limitei-me, como princípio geral, a "guiar os cavalos juntos", por assim dizer: não analisando história por história através dos anos pelos caminhos delas, mas antes o todo do movimento narrativo conforme ele evoluía através dos anos. Como observei no prefácio do primeiro volume da *História*:

> a visão do autor sobre sua própria visão passou por modificações, exclusões e ampliações contínuas e lentas: só em *O Hobbit* e em *O Senhor dos Anéis* partes dela emergiram para se tornar fixas em forma impressa, durante o próprio tempo de vida dele. Assim, o estudo da Terra-média e de Valinor é complexo, pois o objeto de estudo não era estável, mas existia, digamos, "longitudinalmente" no tempo (o da vida do autor), e não apenas "transversalmente" no tempo, como um livro impresso que não passa por mais nenhuma mudança essencial.

Assim, acaba ocorrendo que, pela natureza do trabalho, a *História* muitas vezes é difícil de acompanhar. Quando tinha chegado a hora, conforme eu supunha, de encerrar enfim essa longa série de edições, ocorreu-me tentar, da melhor maneira que conseguisse, um método diferente: acompanhar, usando textos publicados previamente, uma única narrativa em particular, desde sua forma existente mais antiga e através de seu desenvolvimento posterior: daí *Beren e Lúthien*. Em minha edição de *Os Filhos de Húrin*, de fato, descrevi em um apêndice as principais alterações da narrativa em versões sucessivas, mas, em *Beren e Lúthien*, realmente citei textos mais antigos na íntegra, começando com a forma mais antiga dos *Contos Perdidos*. Agora que é certo que o presente livro será o último, adotei a mesma forma curiosa em *A Queda de Gondolin*.

Seguindo esse esquema, vêm à luz passagens, ou mesmo concepções completas, que mais tarde foram abandonadas; assim, em *Beren e Lúthien*, temos a marcante, ainda que breve, entrada em cena de Tevildo, Príncipe dos Gatos. *A Queda de Gondolin* é única nesse aspecto. Na versão original do Conto, o ataque avassalador a Gondolin, com suas novas armas inimagináveis, é visto com tal clareza e em tais detalhes que aparecem até os nomes dos lugares da cidade onde as construções foram incendiadas ou onde guerreiros célebres morreram. Nas versões posteriores, a destruição e a luta ficam reduzidas a um parágrafo.

Que as Eras da Terra-média são uma unidade é algo que fica claro da maneira mais imediata com o reaparecimento — em suas pessoas, e não meramente como memórias — das figuras dos Dias Antigos em *O Senhor dos Anéis*. Velhíssimo, de fato, era o Ent Barbárvore; os Ents eram o povo mais antigo a sobreviver na Terceira Era. Conforme carregava Meriadoc e Peregrin pela floresta de Fangorn, ele cantou para eles:

> Em meio aos salgueiros de Tasarinan caminhei na Primavera.
> Ah! A visão e o aroma da Primavera em Nan-tasarion!

Demorou de fato muito tempo antes que Barbárvore cantasse para os hobbits em Fangorn sobre como Ulmo, Senhor das Águas, veio à Terra-média para falar com Tuor em Tasarinan, a Terra dos Salgueiros. Ou, de novo, no fim da história lemos sobre Elrond e Elros, filhos de Eärendil, em uma época posterior o mestre de Valfenda e o primeiro rei de Númenor: aqui eles são muito jovens, postos sob a proteção de um filho de Fëanor.

Mas aqui apresentarei, como emblema das Eras, a figura de Círdan, o Armador. Ele era o portador de Narya, o Anel de Fogo, um dos Três Anéis dos Elfos, até que o entregou a Gandalf; dele se diz que "via mais longe e mais profundo do que qualquer outro na Terra-média". Na Primeira Era ele foi

PREFÁCIO

o senhor dos portos de Brithombar e Eglarest nas costas de Beleriand e, quando foram destruídos por Morgoth depois da Batalha das Lágrimas Inumeráveis, ele escapou com um remanescente de seu povo para a Ilha de Balar. Lá e nas fozes do Sirion ele voltou a construir navios e, a pedido do Rei Turgon de Gondolin, construiu sete. Esses navios navegaram para o Oeste, mas nenhuma mensagem de qualquer um deles jamais chegou, até o último. Naquele navio estava Voronwë, enviado de Gondolin, que sobreviveu ao naufrágio e se tornou o guia e companheiro de Tuor na grande jornada deles para a Cidade Oculta.

A Gandalf Círdan declarou muito depois, quando deu ao mago o Anel de Fogo: "Mas quanto a mim, meu coração está com o Mar, e habitarei pelas costas cinzentas, guardando os Portos até o último navio içar velas." Então Círdan aparece pela última vez no último dia da Terceira Era. Quando Elrond e Galadriel, com Bilbo e Frodo, cavalgam até os portões dos Portos Cinzentos, onde Gandalf os aguardava,

> Círdan, o Armador, veio saudá-los. Muito alto era ele, e sua barba era longa, e ele era grisalho e idoso, salvo em seus olhos, intensos como estrelas, e olhou para eles e se curvou e disse: "Tudo está agora pronto." Então Círdan os levou para os Portos, e havia uma nau branca atracada...

Depois que os adeuses foram ditos, aqueles que estavam partindo subiram a bordo:

> e as velas foram içadas, e o vento soprou, e lentamente o navio deslizou pelo longo estreito cinzento, e a luz do vidro de Galadriel que Frodo trazia bruxuleou e se perdeu. E o navio entrou no Alto Mar e passou-se para o Oeste...

seguindo assim o caminho de Tuor e Idril conforme o fim da Primeira Era se aproximava, eles que "velejaram para o pôr do sol e o Oeste, e não aparecem mais em nenhum conto ou canção".

A QUEDA DE GONDOLIN

O conto d'*A Queda de Gondolin* reúne, conforme avança, muitas referências de passagem a outras histórias, outros lugares e outras épocas: a eventos no passado que regem ações e pressupostos no tempo presente do conto. O impulso, em tais casos, de oferecer explicações, ou ao menos alguma iluminação, é forte, mas, tendo em mente o propósito do livro, não salpiquei os textos com pequenos números sobrepostos que levariam a notas. O que tentei fazer foi providenciar alguma ajuda dessa natureza em formas que podem ser facilmente deixadas de lado se desejado.

Em primeiro lugar, no "Prólogo" eu introduzi uma citação do *Esboço da Mitologia* escrito por meu pai em 1926, como forma de trazer um retrato, nas palavras dele, do Mundo desde seu princípio até os eventos que finalmente levaram à fundação de Gondolin. Além disso, usei a Lista de Nomes em muitos casos para trazer informações bem mais completas do que o nome indica e também incluí, depois da Lista de Nomes, certo número de notas separadas sobre tópicos bastante variados, que vão da criação do Mundo ao significado do nome Eärendil e à Profecia de Mandos.

Muito complicada, claro, é a maneira de abordar das mudanças de nomes, ou de formas dos nomes. Isso é ainda mais complexo porque uma forma particular de modo algum é necessariamente uma indicação da data relativa do texto onde ocorre. Meu pai tinha o hábito de fazer a mesma mudança em um texto em momentos bem diferentes, quando notava a necessidade disso. Não tentei ser consistente em todo o livro: isto é, nem escolhendo uma única forma o tempo todo, nem seguindo aquela no manuscrito em todos os casos, mas permitindo a variação que parecesse melhor. Assim, mantive *Ylmir* quando o termo é usado para *Ulmo*, já que se trata de uma ocorrência regular de natureza linguística, mas uso sempre *Thorondor* no lugar de *Thorndor*, "Rei das Águias", já que meu pai claramente pretendia fazer essa troca em todos os textos.

Finalmente, organizei o conteúdo do livro de uma maneira distinta daquela em *Beren e Lúthien*. Os textos do Conto aparecem primeiro, em sucessão e com pouco ou nenhum comentário. Segue-se então um relato da evolução da história, com uma discussão sobre o abandono profundamente entristecedor da última versão do Conto no momento em que Tuor atravessa o Último Portão de Gondolin.

Concluo repetindo o que escrevi quase quarenta anos atrás.

É um fato notável que o único relato completo que meu pai jamais escreveu da história da vida de Tuor em Gondolin, de sua união com Idril Celebrindal, do nascimento de Eärendil, da traição de Maeglin, do saque da cidade e da fuga dos fugitivos — uma história que era um elemento central em sua imaginação da Primeira Era — foi a narrativa composta na juventude dele.

Gondolin e Nargothrond foram criadas uma vez, e não recriadas. Continuaram a ser fontes e imagens poderosas — ainda mais poderosas, talvez, porque nunca recriadas, e nunca recriadas, talvez, por serem tão poderosas.

Embora ele tenha se posto a recriar Gondolin, nunca alcançou a cidade de novo: depois de escalar a encosta interminável de Orfalch Echor e atravessar a longa linha de portões heráldicos, ele fez uma pausa com Tuor à vista de Gondolin em meio à planície e nunca cruzou Tumladen de novo.

A publicação "em sua própria história" do terceiro e último dos Grandes Contos é uma boa ocasião para que eu escreva algumas palavras em honra ao trabalho de Alan Lee, que ilustrou cada um dos Contos. Ele trouxe a essa tarefa uma percepção profunda da natureza interna das cenas e dos eventos que escolheu da ampla gama dos Dias Antigos. Assim, em *Os Filhos de Húrin*, conseguiu enxergar — e mostrar — a figura de Húrin cativo, acorrentado a um assento de pedra nas Thangorodrim, ouvindo a terrível maldição de Morgoth. Em *Beren e Lúthien*, ele observou os últimos dos filhos de Fëanor, sentados imóveis em seus cavalos, observando a nova estrela no céu do oeste, a Silmaril pela qual tantas vidas foram perdidas. E, em *A Queda de Gondolin*, ele esteve ao lado de Tuor e com ele se maravilhou à vista da Cidade Oculta, em busca da qual viajara tão longe. Finalmente, sou muito grato a Chris Smith, da HarperCollins, pela ajuda excepcional que me deu na preparação dos detalhes do livro, especialmente por sua precisão assídua e seu conhecimento das exigências da publicação e da natureza do livro. Também agradeço a minha esposa, Baillie: sem seu apoio inabalável durante o longo tempo em que o livro foi preparado, ele nunca teria sido completado. Também agradeço àqueles que generosamente me escreveram quando parecia que *Beren e Lúthien* seria meu último livro.

Prólogo

Começo este livro voltando à citação que usei na abertura de *Beren e Lúthien*: uma carta escrita por meu pai em 1964, na qual ele disse que "da minha cabeça" ele escreveu *A Queda de Gondolin* "durante uma licença médica do exército em 1917", bem como a versão original de *Beren e Lúthien* naquele mesmo ano.

No entanto, restam dúvidas sobre o ano exato, advindas de outras menções feitas por meu pai. Em uma carta de junho de 1955, ele escreveu: "*A Queda de Gondolin* (e o nascimento de Eärendil) foi escrita no hospital e durante uma licença depois de eu ter sobrevivido à Batalha do Somme em 1916." E, em uma carta para W. H. Auden escrita no mesmo ano, ele atribuiu a história à "licença médica no fim de 1916". A referência mais antiga de que tenho conhecimento está em uma carta para mim, de 30 de abril de 1944, na qual meu pai se compadecia de minhas experiências daquela época. "Comecei", explica ele, "a escrever a História dos

PRÓLOGO

Gnomos[2] em barracas do exército, lotadas, cheias de barulho de gramofones." Isso não soa muito como licença médica, mas pode ser que ele tenha começado a escrever antes de sair de licença.

Muito importante, entretanto, no contexto desse livro, foi o que ele disse sobre *A Queda de Gondolin* em sua carta de 1955 a W. H. Auden: foi "a primeira história verdadeira desse mundo imaginário".

O tratamento dado por meu pai ao texto original de *A Queda de Gondolin* foi diferente do que vemos em *O Conto de Tinúviel*, no qual ele apagou o primeiro manuscrito, feito a lápis, e escreveu uma nova versão no lugar dele. No presente caso, ele de fato revisou extensamente o primeiro rascunho do Conto, mas, em vez de apagá-lo, escreveu um texto revisado a tinta sobre o original a lápis, aumentando a multiplicidade das mudanças conforme progredia. Pode-se ver, a partir das passagens nas quais o texto subjacente ainda é legível, que ele estava seguindo de perto a primeira versão.

Com base nisso, minha mãe passou a história a limpo, de modo notavelmente exato em vista das dificuldades que o texto ora apresentava. Mais tarde, meu pai fez muitas mudanças nessa cópia, e de modo algum todas foram feitas ao mesmo tempo. Já que não é meu propósito neste livro adentrar as complexidades textuais que quase invariavelmente acompanham o estudo das obras dele, o texto que apresento aqui é o copiado por minha mãe, incluindo as mudanças que foram feitas nele.

Em relação a isso, é preciso mencionar, no entanto, que muitas das mudanças no texto original tinham sido feitas antes que meu pai, na primavera de 1920, lesse o Conto

---

[2]Para o uso do termo *Gnomos* como designação para o povo dos Elfos mais conhecido como Noldor (ou, em versões anteriores, Noldoli), ver *Beren e Lúthien*. [N. E.]

para o Clube de Ensaios do Exeter College, em Oxford. Em suas palavras introdutórias, à guisa de desculpa, explicando sua escolha dessa obra no lugar de um "ensaio", ele disse sobre a história: "É claro que ela nunca viu a luz do dia antes. Um ciclo completo de eventos numa Elfinesse de minha própria imaginação vem crescendo já faz algum tempo (ou melhor, vem sendo construído) na minha mente. Alguns dos episódios já foram rabiscados. Esse conto não é o melhor deles, mas é o único que até agora chegou a ser revisado e que eu, por mais insuficiente que tenha sido essa revisão, ouso ler em voz alta."

O título original do conto era *Tuor e os Exilados de Gondolin*, mas posteriormente meu pai sempre o chamava de *A Queda de Gondolin*, e tenho feito o mesmo. No manuscrito, o título é seguido pelas palavras "que traz em seguida o Grande Conto de Eärendel". O contador do conto na Ilha Solitária (a respeito disso, ver *Beren e Lúthien*) é Coração-Pequeno (Ilfiniol), filho daquele Bronweg (Voronwë) que desempenha um importante papel no Conto.

É da natureza deste, o terceiro dos "Grandes Contos" dos Dias Antigos, que a mudança maciça no mundo de Deuses e Elfos que havia ocorrido antes tenha impacto sobre a narrativa imediata da Queda de Gondolin — e seja, de fato, parte dela. Um breve relato desses eventos é necessário; e, em vez de escrevê-lo eu mesmo, acho muito melhor usar a própria obra condensada, e muito característica, de meu pai. Podemos encontrá-la em *O Silmarillion* original (também dito *Um Esboço da Mitologia*), como ele mesmo o chamava, que pode ser datado de 1926 e foi revisado subsequentemente. Usei essa obra em *Beren e Lúthien*, e o faço de novo neste livro, como um elemento da evolução do conto de *A Queda de Gondolin*; mas também a uso aqui com o propósito de oferecer um relato conciso da história antes que Gondolin viesse a existir; além de haver a vantagem de ela própria derivar de um período muito inicial.

Em vista do propósito da inclusão desse texto aqui, omiti passagens que agora não são relevantes e, em um ponto ou outro, fiz outras modificações menores e acréscimos em favor da clareza. Minha versão do texto principia no momento em que o *Esboço* original começa.

Depois dos Nove Valar serem enviados para a governança do mundo, Morgoth (Demônio do Escuro) rebela-se contra a suserania de Manwë, derruba as lamparinas erigidas para iluminar o mundo e inunda a ilha de Almaren, onde os Valar (ou Deuses) habitam. Ele fortifica um palácio de masmorras no Norte. Os Valar mudam-se para o extremo Oeste, cujas fronteiras são os Mares de Fora e a Muralha final e, a leste, as altaneiras Montanhas de Valinor que os Deuses erigiram. Em Valinor, eles reúnem toda luz e todas as coisas belas e constroem suas mansões, jardins e cidade, mas Manwë e sua esposa, Varda, têm salões sobre a mais alta montanha (Taniquetil), de onde podem ver o mundo todo até o Leste escuro. Yavanna Palúrien planta as Duas Árvores em meio à planície de Valinor, fora dos portões da cidade de Valmar. Elas crescem sob suas canções; uma tem folhas verde-escuras com prata brilhante na parte inferior, e flores brancas como as da cerejeira, das quais um orvalho de luz prateada cai; a outra tem folhas de um verde jovem, como o de uma jovem faia, com bordas douradas, e flores como as flores pendentes do laburno, que dão calor e luz ofuscante. Cada árvore cresce em luz por sete horas até sua glória plena e então míngua por sete horas; duas vezes por dia, portanto, chega um momento de luz mais suave no qual cada árvore brilha tênue e a luz delas se mescla.

As Terras de Fora [Terra-média] estão na escuridão. O crescimento das coisas foi interrompido quando Morgoth apagou as lamparinas. Há florestas de escuridão, de teixo e abeto e hera. Nelas Oromë às vezes caça, mas, no Norte, Morgoth e suas crias demoníacas (Balrogs) e os Orques (Gobelins, também chamados de *Glamhoth* ou povo do ódio) dominam.

Varda olha para a escuridão e se comove e, tomando toda a luz entesourada de Silpion, a Árvore Branca, cria e espalha as estrelas.

Com a criação das estrelas os filhos da Terra despertam — os Eldar (ou Elfos). São encontrados por Oromë habitando próximo à lagoa iluminada pelas estrelas, Cuiviénen, Água do Despertar, no Leste. Ele cavalga para Valinor tomado pela beleza deles e conta as novas aos Valar, que recordam seu dever quanto à Terra, já que eles foram para lá sabendo que sua função era governá-la para as duas raças da Terra que deveriam vir depois, cada uma em seu tempo designado. Segue-se, pois, uma expedição à fortaleza do Norte (Angband, Inferno-de-Ferro), mas essa agora é forte demais para ser destruída. Morgoth, mesmo assim, é feito cativo e confinado nos salões de Mandos, que habitava o Norte de Valinor.

Os Eldalië (povo dos Elfos) são convidados a ir para Valinor porque se temia os seres malévolos de Morgoth que ainda vagavam no escuro. Começa uma grande marcha dos Eldar vindos do Leste, liderada por Oromë em seu cavalo branco. Os Eldar se dividem em três hostes: uma, cujo líder é Ingwë, que depois é chamada de Quendi (Elfos-da-luz), uma que depois é chamada de Noldoli (Gnomos ou Elfos-profundos), uma que depois é chamada de Teleri (Elfos-do-mar). Muitos deles se perdem durante a marcha e vagueiam pelos bosques do mundo; transformando-se nas várias hostes dos Ilkorindi (Elfos que nunca habitaram Kôr, em Valinor). O principal entre esses é Thingol, que ouviu Melian e seus rouxinóis cantando e caiu sob encanto e adormeceu durante toda uma era. Melian era uma das donzelas divinas do Vala Lórien que por vezes vagava para o mundo de fora. Melian e Thingol se tornaram Rainha e Rei dos Elfos da floresta em Doriath, vivendo em um salão chamado As Mil Cavernas.

Os outros Elfos chegaram às últimas costas do Oeste. No Norte, estas, naquele tempo, inclinavam-se rumo ao oeste até que apenas um mar estreito as separava da terra dos Deuses, e esse mar estreito estava repleto de gelo pungente. Mas, no ponto a que as hostes élficas haviam chegado, um mar vasto e escuro se estendia para o oeste.

Havia dois Valar do Mar. Ulmo (Ylmir), o mais poderoso de todos os Valar depois de Manwë, era senhor de todas as águas, mas habitava com frequência em Valinor, ou nos Mares de Fora. Ossë e a senhora Uinen, cujas tranças se estendem por todo o mar, amavam outrossim os mares do mundo que banham as costas no sopé das Montanhas de Valinor. Ulmo desenraizou a ilha semiafundada de Almaren, que fora a primeira morada dos Valar, embarcou nela os Noldoli e os Quendi, que tinham chegado primeiro, e carregou-os para Valinor. Os Teleri habitaram algum tempo as costas do mar esperando, e daí seu amor pelas águas. Enquanto estavam sendo também transportados por Ulmo, Ossë, por ciúme e por amor ao cantar deles, acorrentou a ilha ao leito do mar na parte mais distante da baía de Feéria, de onde as Montanhas de Valinor podiam ser vistas vagamente. Nenhuma outra terra ficava próxima a esse lugar, que foi chamado de Ilha Solitária. Lá os Teleri habitaram por uma longa era, tornando-se diferentes em língua e aprendendo a estranha música de Ossë, que fez as aves do mar para o deleite deles.

Os Deuses deram um lar em Valinor aos outros Eldar. Porque eles ansiavam, mesmo entre os jardins iluminados pelas Árvores de Valinor, por um vislumbre das estrelas, uma brecha foi feita nas montanhas circundantes e lá, em um vale profundo, um monte verdejante, Kôr, foi erigido. Esse era iluminado do Oeste pelas Árvores, a Leste dava para a Baía de Feéria e para a Ilha Solitária, e além, para os Mares de Sombra. Assim, algo da luz abençoada de Valinor era filtrada para as Terras de Fora [Terra-média] e, caindo sobre a Ilha Solitária, fez com que suas costas a oeste se tornassem verdes e belas.

No topo de Kôr a cidade dos Elfos foi construída, e a chamaram de Tûn. Os Quendi se tornaram os mais amados por Manwë e Varda, os Noldoli por Aulë (o Ferreiro) e por

Mandos, o Sábio. Os Noldoli inventaram gemas e as fizeram em números incontáveis, enchendo toda Tûn com elas e todos os salões dos Deuses.

O maior em engenho e magia entre os Noldoli era Fëanor, o filho mais velho de Finwë.[3] Ele criou três joias (Silmarils) dentro das quais um fogo vivo, combinação da luz das Duas Árvores, foi posto. Elas brilhavam por sua própria luz; mãos impuras eram queimadas por elas.

Os Teleri, vendo ao longe a luz de Valinor, ficaram divididos entre o desejo de se reunir à sua gente e o de viver perto do mar. Ulmo ensinou-lhes a arte de construir barcos. Ossë, cedendo aos desejos deles, deu-lhes cisnes e, atrelando muitos cisnes a seus barcos, eles velejaram para Valinor e lá habitaram as praias, onde podiam ver a luz das Árvores e ir para Valmar se desejassem, mas podiam velejar e dançar nas águas tocadas pela luz do esplendor que vinha de Kôr. Os outros Eldar deram-lhes muitas gemas, especialmente opalas e diamantes e outros cristais pálidos que foram espalhados pelas praias da Baía de Feëria. Eles mesmos inventaram as pérolas. Sua cidade principal era Porto-cisne, nas costas ao norte do passo de Kôr.

Os Deuses então foram iludidos por Morgoth, o qual, tendo passado sete eras nas prisões de Mandos, sob penas que iam sendo gradualmente aliviadas, apresentou-se diante do conclave dos Deuses no tempo devido. Ele olha com cobiça e maldade os Eldar, que também se sentam em torno dos joelhos dos Deuses, e arde de desejo, especialmente pelas joias. Dissimula seu ódio e sede de vingança. Então lhe é permitido ter uma morada humilde em Valinor e, depois de um tempo, pode andar livremente pela terra, e só Ulmo tem presságios maus,

---

[3]Finwë era o líder dos Noldoli na grande jornada a partir de Cuiviénen. Seu filho mais velho era Fëanor; o segundo, Fingolfin, pai de Fingon e Turgon; o terceiro, Finarfin, pai de Finrod Felagund. [N. E.]

enquanto Tulkas, o Forte, que primeiro o capturou, vigia-o. Morgoth ajuda os Eldar em muitos feitos, mas lentamente envenena a paz deles com mentiras.

Ele sugere que os Deuses os trouxeram para Valinor por inveja, por temor de que seu engenho e magia e beleza maravilhosos tornassem-se fortes demais para eles no mundo de fora. Os Quendi e os Teleri pouco se comovem, mas os Noldoli, os mais sábios dos Elfos, são afetados. Começam, por vezes, a murmurar contra os Deuses e sua gente; estão cheios de vaidade por seu engenho.

Mais do que todos, Morgoth atiça as chamas do coração de Fëanor, mas todo o tempo ele deseja as Silmarils imortais, embora Fëanor tenha amaldiçoado para sempre qualquer um, Deus ou Elfo ou mortal que há de vir depois, que as toque. Morgoth, mentindo, diz a Fëanor que Fingolfin e seu filho Fingon estão tramando para usurpar a liderança dos Gnomos de Fëanor e de seus filhos e obter as Silmarils. Começa a querela entre os filhos de Finwë. Fëanor é convocado diante dos Deuses, e as mentiras de Morgoth são desnudadas. Fëanor é banido de Tûn, e com ele vai Finwë, que ama Fëanor mais do que a seus demais filhos, bem como muitos dos Gnomos. Eles constroem uma Casa do Tesouro ao norte de Valinor, nos montes perto dos salões de Mandos. Fingolfin governa os Gnomos que restaram em Tûn. Assim, as palavras de Morgoth parecem justificadas, e a amargura que ele semeou continua depois que suas palavras foram refutadas.

Tulkas é enviado para agrilhoar Morgoth mais uma vez, mas ele escapa pelo passo de Kôr rumo à região escura abaixo dos pés de Taniquetil chamada Arvalin, onde a sombra é a mais espessa em todo o mundo. Ali ele encontra Ungoliant, Tecelã-de-Treva, que habita uma fenda nas montanhas e suga luz ou coisas luzentes para tecê-las em teias de escuridão negra e sufocante, bruma e treva. Com Ungoliant ele trama vingança. Só uma recompensa terrível fará com que ela se atreva aos perigos de Valinor ou à vista dos Deuses. Ela tece uma treva densa à sua volta para se proteger e se balança em cordas de pináculo a pináculo, até escalar o mais alto pico das montanhas ao sul de Valinor (pouco guardadas por causa de sua altura e da distância a que estão da antiga fortaleza de Morgoth). Ela faz uma escada que Morgoth consegue escalar. Eles se esgueiram até Valinor. Morgoth apunhala as Árvores e Ungoliant suga a seiva delas, arrotando nuvens de negrume. As Árvores sucumbem devagar à espada envenenada e aos lábios peçonhentos de Ungoliant.

Os Deuses assustam-se com esse crepúsculo no meio do dia, e vapores negros flutuam pelos caminhos da cidade. Eles chegam tarde demais. As Árvores morrem enquanto eles pranteiam à volta delas. Mas Tulkas e Oromë e muitos outros saem à caça de Morgoth a cavalo em meio à treva cerrada. Onde quer que Morgoth vá, a escuridão desorientadora é maior, devido às teias de Ungoliant. Gnomos da Casa do Tesouro de Finwë chegam e relatam que Morgoth tem o auxílio de uma aranha de escuridão. Eles são vistos rumando para o Norte. Em sua fuga, Morgoth deteve-se na Casa do Tesouro, matando Finwë e muitos de seus homens, e carregou as Silmarils e um vasto cabedal das mais esplêndidas joias dos Elfos.

Enquanto isso, Morgoth escapa para o norte com a ajuda de Ungoliant e cruza o Gelo Pungente. Quando ele chega às regiões do norte do mundo, Ungoliant o chama para pagar a outra metade da recompensa dela. A primeira fora a seiva das Árvores de Luz. Agora ela reclama para si metade das joias. Morgoth as entrega e ela as devora. Ela se tornou agora coisa monstruosa, mas ele não quer lhe dar porção alguma das Silmarils. Ela o envolve em uma teia negra, mas ele é resgatado pelos Balrogs com açoites de chama e pelas hostes dos Orques; e Ungoliant parte para o extremo Sul.

Morgoth retorna a Angband, e seu poder e o número de seus demônios e Orques se tornam incontáveis. Ele forja uma coroa de ferro e engasta nela as Silmarils, embora suas mãos sejam queimadas por elas até enegrecer, e ele nunca mais fique livre da dor da queimadura. A coroa ele nunca retira nem por um momento e nunca deixa as masmorras profundas de sua fortaleza, governando seus vastos exércitos de seu trono profundo.

Quando ficou claro que Morgoth tinha escapado, os Deuses se reuniram em volta das Árvores mortas e se sentaram na escuridão, atônitos e mudos, por muito tempo, sem se interessar em nada. O dia que Morgoth escolheu para seu ataque era um dia de festival por toda Valinor. Nesse dia era o costume dos principais Valar e de muitos dos Elfos, especialmente os Quendi, subir os longos e tortuosos caminhos em procissão infinda até os salões de Manwë sobre Taniquetil. Todos os Quendi e alguns dos Noldoli (os quais, liderados por Fingolfin, habitavam ainda em Tûn) tinham ido para Taniquetil e estavam cantando em seu mais alto pico quando os vigias de longe divisaram o fenecer das Árvores. Muitos dos Noldoli estavam na planície, e os Teleri, na costa. As brumas e a escuridão flutuam agora para os mares através do passo de Kôr enquanto as Árvores morrem. Fëanor convoca os Gnomos a Tûn (rebelando-se contra seu banimento).

Há vasta congregação na praça nos altos de Kôr, em torno da torre de Ing, iluminada por tochas. Fëanor faz um discurso violento e, embora sua ira se destine a Morgoth, suas palavras são, em parte, fruto das mentiras do próprio Morgoth. Ele incita os Gnomos a fugir na escuridão enquanto os Deuses estão envoltos em luto, a buscar liberdade no mundo e a procurar Morgoth, agora que Valinor não é mais ditosa do que o mundo lá fora. Fingolfin e Fingon falam contra ele. Os Gnomos em assembleia votam em favor da fuga, e Fingolfin e Fingon cedem; não serão desertores de seu povo, mas retêm o comando de mais da metade dos Noldoli de Tûn.

Começa a fuga. Os Teleri não querem se juntar aos Noldoli. Os Gnomos não conseguem escapar sem barcos e não ousam cruzar o Gelo Pungente. Tentam tomar os navios-cisnes em Porto-cisne, ao que se segue uma luta (a primeira entre as raças da Terra) na qual muitos Teleri são mortos e seus navios são levados embora. Pronuncia-se uma maldição contra os

Gnomos, a de que eles hão de sofrer amiúde de traição e o medo de traição entre sua própria gente como punição pelo sangue derramado em Porto-cisne. Navegam para o Norte ao longo da costa de Valinor. Mandos envia um emissário, o qual, falando de um rochedo alto, os chama enquanto navegam por ali e os adverte para que voltem e, quando não o fazem, proclama a "Profecia de Mandos" acerca do fado dos dias que virão.

Os Gnomos chegam ao ponto mais estreito dos mares e se preparam para continuar velejando. Enquanto estão acampados na costa, Fëanor, seus filhos e seu povo zarpam, levando consigo todos os barcos, e deixam Fingolfin traiçoeiramente na margem oposta, principiando, desse modo, a maldição de Porto-cisne. Queimam os barcos assim que desembarcam no Leste do mundo e o povo de Fingolfin vê a luz no céu. A mesma luz também alerta os Orques sobre o desembarque.

O povo de Fingolfin vaga em grande sofrimento. Alguns dos liderados por Fingolfin retornam a Valinor para buscar o perdão dos Deuses. Fingon lidera a principal parte da hoste para o Norte, atravessando o Gelo Pungente. Muitos se perdem.

Entre os poemas que meu pai começou durante seus anos na Universidade de Leeds (o mais notável deles é *A Balada dos Filhos de Húrin*, em rima aliterante) estava *A Fuga dos Noldoli de Valinor*. Esse poema, também em rima aliterante, foi abandonado após 150 versos. É certo que foi escrito em Leeds, em (creio eu, muitíssimo provavelmente) 1925, o ano no qual ele aceitou sua indicação para a cátedra de professor de anglo-saxão em Oxford. Desse fragmento poético citarei uma parte, começando em "vasta congregação nos altos de Kôr" onde Fëanor "fez um discurso violento", descrito em uma passagem do *Esboço da Mitologia*. O nome *Finn* no verso 4 é a forma gnômica de Finwë, o pai de Fëanor; *Bredhil* no verso 49 é o nome gnômico de Varda.

PRÓLOGO

      Gnomos inúmeros,   por nome e por casa,
      apressam-se em ordem   à praça ampla
      no topo de Kôr.   Estronda a voz
      do filho de Finn.   Flamas, tochas
5   ergue e volteia   alto em suas mãos,
      mãos que abrigam   imenso engenho
      que Gnomo algum,   nem agora mortal
      comanda ou iguala   em mágica ou arte.
      "Sus! A espada de monstros   meu pai matou,
10   sorveu ele sua morte   em seu vasto salão
      e forte onde estava,   no fundo oculto,
      o cofre das Três,   coisas sem-par
      que nem Gnomo nem Elfo   nem os Nove Valar
      na Terra poderão   remontar outra vez,
15   recriar ou reacender   por arte ou magia,
      nem Fëanor, o filho   de Finn, que as moldou —
      a luz se perdeu   que as alumbra ainda,
      fero é o fado   que as Fadas vitima.

      Dão-nos essa paga   os Deuses néscios,
20   a inveja dos Valar,   que em vão nos guardam,
      a pedir nosso canto   em doces jaulas,
      nossas joias e gemas   ajustam em rol,
      seu deleite no ócio   a beleza dos Elfos,
      enquanto a obra   de eras se esvai
25   e Morgoth não dominam,   mansos, sentados
      em concílio insosso.   Ora sus, ó vós
      de coragem e esperança!   Meu rogo ouvi,
      livres fujamos   para longe daqui!
      As matas do mundo,   de magnas trevas,
30   que sonham ainda   em sono profundo,
      campos sem sendas,   costas perigosas
      que nem luz do luar   nem beleza d'alva
      de orvalho ou manhã   lavaram jamais,
      melhor tudo isso,   para o valor nosso,
35   que jardins dos Deuses   onde adeja o escuro,

A QUEDA DE GONDOLIN

    But the Gnomes were numbered   by name and kin,
marshalled and ordered   in the mighty square
upon the crown of Kôr.   There cried aloud
the fierce son of Finn.   Flaming torches
5 *he held and whirled   in his hands aloft,*
those hands whose craft   the hidden secret
knew, that none   Gnome or mortal hath matched
or mastered   in magic or in skill.
    'Lo! slain is my sire   by the sword of fiends,
10 *has death he has drunk   at the doors of his hall*
and deep fastness,   where darkly hidden
the Three were guarded,   the things unmatched
that Gnome   and Elf and the Nine Valar
can never remake   or renew on earth,
15 *recarve or rekindle   by craft or magic,*
not Fëanor Finn's son   who fashioned them of yore —
the light is lost   whence he lit them first,
the fate of Faërie   hath found its hour.

    Thus the witless wisdom   its reward hath earned
20 *of the Gods' jealousy,   who guard us here*
to serve them, sing to them   in our sweet cages,
to contrive them gems   and jewelled trinkets,
their leisure to please   with our loveliness,
while they waste and squander   work of ages,
25 *nor can Morgoth master   in their mansions sitting*
at countless councils.   Now come ye all,
who have courage and hope!   My call harken
to flight, to freedom   in far places!
The woods of the world   whose wide mansions
30 *yet in darkness dream   drowned in slumber,*
the pathless plains   and perilous shores
no moon yet shines on   nor mounting dawn
in dew and daylight   hath drenched for ever,
far better were these   for bold footsteps
35 *than gardens of the Gods   gloom-encircled*

PRÓLOGO

    em que se zanza no ócio   de vazios dias.
    Sim! Cá servos fomos   da doçura ímpar
    da luz e da beleza,   do deleite nosso,
    por longo tempo.   Mas a luz se foi.
40 Nossas gemas levaram,   joias roubadas;
    e as Três, minhas Três,   encantadas três vezes,
    globos de cristal   por glória imortal
    acesos, ardentes,   de esplendor vivo
    multicolorido,   de ferozes chamas —
45 Morgoth, o monstro,   em suas mãos as tem,
    as Silmarils.   Eis minha sacra jura,
    imortal laço   a atar-me sempre,
    por Timbrenting   e os eternos salões
    de Bredhil, a Benta,   que habita lá —
50 que ela escute agora: dar caça sem fim
    por mundo e mar   sem esfalfamento
    por terras distantes,   montanhas ao léu,
    em brejo e bosque   e em brancas neves,
    até encontrar   do destino as joias
55 que regem o fado   da raça dos Elfos,
    onde a luz divina   ora vive só."

    Então surgem seus filhos,   sete irmãos,
    Curufin Esquivo,   Celegorm Alvo,
    Damrod e Díriel,   a Escuridão de Cranthir,
60 Maglor, o Magno,   Maidros, o Alto
    (desse, o mais velho,   o ardor vencia
    o fogo de seu pai,   de Fëanor, a ira;
    cabia-lhe um fado   de fero propósito),
    com riso no rosto,   arrimos do pai,
65 de mãos unidas,   ameno julgam ser
    o sacro voto;   sangue dali
    qual um mar veio,   já mancha espadas
    de infindas hostes,   nem ao fim chegou.

　　　　with idleness filled　　and empty days.
　　　　Yea! though the light lit them　　and the loveliness
　　　　beyond heart's desire　　that hath held us slaves
　　　　here long and long.　　But that light is dead.
40　　*Our gems are gone,　　our jewels ravished;*
　　　　and the Three, my Three,　　thrice-enchanted
　　　　globes of crystal　　by gleam undying
　　　　illumined, lit　　by living splendour
　　　　and all hues' essence,　　their eager flame —
45　　*Morgoth has them　　in his monstrous hold,*
　　　　my Silmarils.　　I swear here oaths
　　　　unbreakable bonds　　to bind me ever,
　　　　by Timbrenting　　and the timeless halls
　　　　of Bredhil the Blessed　　that abides thereon —
50　　*may she hear and heed —　　to hunt endlessly*
　　　　unwearying unwavering　　through world and sea,
　　　　through leaguered lands,　　lonely mountains,
　　　　over fens and forest　　and the fearful snows,
　　　　till I find those fair ones,　　where the fate is hid
55　　*of the folk of Elfl　　and and their fortune locked,*
　　　　where alone now lies　　the light divine.'

　　　　Then his sons beside him,　　the seven kinsmen,
　　　　crafty Curufin,　　Celegorm the fair,
　　　　Damrod and Díriel　　and dark Cranthir,
60　　*Maglor the mighty,　　and Maidros tall*
　　　　(the eldest, whose ardour　　yet more eager burnt
　　　　than his father's flame,　　than Fëanor's wrath;
　　　　him fate awaited　　with fell purpose),
　　　　these leapt with laughter　　their lord beside,
65　　*with linkéd hands　　there lightly took*
　　　　the oath unbreakable;　　blood thereafter
　　　　it spilled like a sea　　and spent the swords
　　　　of endless armies,　　nor hath ended yet.

o Conto Original

Disse então Coração-Pequeno, filho de Bronweg: "Sabei, pois, que Tuor era um homem que habitava, em mui antigos dias, naquela terra do Norte chamada Dor-Lómin ou a Terra das Sombras, e entre os Eldar, os Noldoli a conhecem melhor.

Ora, o povo do qual viera Tuor vagava pelas florestas e montes e nem conhecia nem cantava o mar, mas Tuor não habitava com eles e vivia sozinho perto daquele lago chamado Mithrim, ora caçando nos bosques, ora fazendo música perto das margens com sua harpa tosca de madeira e tendões de urso. Muitos, então, ouvindo falar do poder de suas rudes canções, vinham de perto e de longe para escutar o som de sua harpa, mas Tuor abandonou seu cantar e partiu para lugares solitários. Lá aprendeu muitas coisas estranhas e tomou conhecimento dos Noldoli errantes, que lhe ensinaram muito de sua fala e de seu saber, mas ele não estava fadado a habitar para sempre naqueles bosques.

Depois disso, conta-se que a magia e o destino o levaram certo dia para uma abertura cavernosa, no fundo da qual um rio escondido corria a partir do Mithrim. E Tuor entrou naquela caverna buscando descobrir seus segredos, mas as águas do Mithrim o levaram adiante para o coração das rochas, e ele não podia voltar à luz. E isso, diz-se, era a vontade de Ulmo, Senhor das Águas, que levara os Noldoli a abrir aquele caminho escondido.

Então vieram os Noldoli até Tuor e o guiaram por passagens escuras em meio às montanhas, até que ele saiu à luz mais uma vez e viu que o rio corria velozmente por uma ravina de grande profundidade, com encostas que não se podia escalar. Então Tuor não mais desejou retornar, mas ia sempre adiante, e o rio o conduzia sempre rumo ao oeste.

O sol erguia-se às suas costas e punha-se diante de seu rosto, e onde a água espumava em meio a muitos pedregulhos ou caía em cascatas havia às vezes mais de um arco-íris trançado através da ravina, mas ao anoitecer as encostas lisas brilhavam ao sol poente, e por essas razões a chamou de Fenda Dourada, ou de Garganta do Teto de Arco-Íris, o que na fala dos Gnomos é Glorfalc ou Cris Ilbranteloth.

Ora, Tuor já viajava ali por três dias, bebendo das águas do rio secreto e se alimentando de seus peixes, e esses eram dourados e azuis e prateados e de muitas e miríficas formas. Enfim a ravina alargou-se, e conforme se abria suas encostas tornavam-se cada vez mais baixas e agrestes, e o leito do rio mais atravancado com pedregulhos contra os quais as águas espumavam e se despejavam. Por longo tempo Tuor se sentava e mirava a água borbulhante e escutava a voz dela e depois se levantava e saltava adiante de pedra em pedra, cantando enquanto passava, ou, quando saíam as estrelas na nesga estreita de céu acima da garganta, ele fazia ecos para responder ao dedilhar feroz de sua harpa.

Um dia, depois de uma grande jornada de avanço cansativo, Tuor, no profundo anoitecer, ouviu um grito e não podia decidir de que criatura viera. Ora dizia: "É uma criatura-fata", ora: "Não, pois não passa de bicho pequeno a gritar entre as pedras", ou de novo lhe parecia que uma ave desconhecida piava com uma voz nova para seus ouvidos e estranhamente triste — e, porque não tinha ouvido a voz de ave alguma em todo o seu vagar pela Fenda Dourada, alegrou-se com o som, embora fosse um som tristonho. No dia seguinte, em certa hora da manhã, ouviu o mesmo grito acima de sua cabeça e, olhando para cima, contemplou três grandes aves brancas batendo asas ravina acima, no vento forte, e lançando gritos semelhantes aos que ele ouvira em meio ao escurecer. Ora, essas eram as gaivotas, as aves de Ossë.

Nessa parte daquele curso de rio havia ilhotas de pedra em meio às correntes e pedras caídas com franjas de areia branca nos lados da garganta, de modo que era difícil seguir e, buscando caminho, Tuor achou um ponto onde podia com esforço escalar os penhascos finalmente. Então veio um vento fresco de encontro a seu rosto, e ele disse: "Isto é muito bom, como sorver vinho", mas ele não sabia que estava perto dos confins do Grande Mar.

Conforme prosseguia acima das águas, aquela ravina mais uma vez ajuntou-se e as paredes elevaram-se, de modo que ele andava no alto da borda de um penhasco e chegou a uma passagem estreita, e essa estava cheia de ruído. Então Tuor, olhando para baixo, viu a maior das maravilhas, pois parecia que uma enchente de água raivosa iria subir pelos estreitos e reverter contra o rio até sua fonte, mas aquela água que descera do distante Mithrim ainda avançava, e uma muralha d'água subiu quase até o topo do penhasco e estava coroada de espuma e retorcida pelos ventos. Então as águas do Mithrim foram derrotadas, e a enchente que entrava passou rugindo canal acima e engolfou as ilhotas pedregosas e remexeu a areia branca — de modo que Tuor fugiu e teve medo, ele que não conhecia os caminhos do Mar, mas os Ainur puseram em seu coração a ideia de escalar a garganta naquela hora, ou ele teria sido engolfado pela maré que subia, e ela tinha sido feroz por conta de um vento que viera do oeste. Então Tuor viu-se em uma região agreste, nua de árvores e varrida por um vento vindo do lado do pôr do sol, e todas as moitas e todos os arbustos inclinavam-se para o lado da aurora por causa da prevalência daquele vento. E ali por um tempo vagou ele até que chegou aos penhascos negros perto do mar e viu o oceano e suas ondas pela primeira vez, e naquela hora o sol mergulhou para além da borda da Terra, muito ao longe, no mar, e ele ficou de pé no topo do penhasco de braços abertos, e seu coração encheu-se de um anseio de fato grandíssimo. Ora, alguns dizem que ele foi o primeiro dos Homens a alcançar o Mar e olhar para ele e conhecer o desejo que ele traz, mas não sei se o dizem corretamente.

Naquelas regiões ele fez sua morada, habitando em uma cava sob o abrigo de grandes rochas negras, cujo chão era de areia branca, salvo quando a maré alta o recobria parcialmente com água azulada, nem espuma ou escuma lá vinham, salvo na hora das mais severas tempestades. Lá por muito tempo ele viveu sozinho e errou pela costa ou passeou pelas rochas na maré baixa, maravilhando-se com as poças e as grandes algas, as cavernas gotejantes e as estranhas aves marinhas que via e veio a conhecer, mas o subir e o descer da água e a voz das ondas eram sempre para ele o maior assombro e sempre pareciam ser uma coisa nova e inimaginável.

Ora, nas águas do lago Mithrim, sobre as quais a voz do pato ou da galinha-d'água se propagavam ao longe, ele viajara muito em um pequeno barco de proa semelhante ao pescoço de um cisne, e esse barco ele tinha perdido no dia em que encontrou o rio escondido. No mar não se aventurava ainda, embora seu coração estivesse sempre a incitá-lo com um estranho anseio para lá, e em noites calmas, quando o sol descia para além da borda do mar, isso crescia até virar um desejo feroz.

Madeira ele tinha, trazida pelo rio escondido, e um bom lenho era, pois os Noldoli o cortaram nas florestas de Dor-lómin e o fizeram flutuar até ele de propósito. Mas nada ainda construíra, por enquanto, salvo uma habitação em um lugar protegido de sua cava, a qual, em suas histórias, os Eldar desde então chamam de Falasquil. Essa, com lento labor, ele adornou com belos entalhes das feras e árvores e flores e aves que ele conhecia das águas do Mithrim, e sempre entre eles o Cisne era o principal, pois Tuor amava esse emblema e ele se tornou o sinal dele próprio, de sua gente e de seu povo desde então. Lá ele passou tempo mui grande, até que a solidão do mar vazio afetou seu coração e fez com que mesmo Tuor, o solitário, ansiasse pela voz dos homens. Juntos os Ainur tinham algo a fazer: pois Ulmo amava Tuor.

Certa manhã, enquanto lançava seu olhar ao longo da costa — e eram então os últimos dias do verão —, Tuor viu três cisnes voando alto e com vigor, vindos do norte. Ora, essas aves ele não tinha visto ainda naquelas regiões, e as tomou por um sinal, e disse: "Há muito meu coração deseja uma jornada para longe daqui. Sus! Agora, enfim, seguirei esses cisnes." Eis que os cisnes baixaram à água de sua cava e lá, nadando três vezes à volta do lugar, alçaram voo de novo e bateram asas lentamente para o sul, ao longo da costa, e Tuor, levando sua harpa e lança, seguiu-os.

Foi um grande dia de viagem que Tuor completou daquela vez, e chegou antes do anoitecer a uma região onde as árvores de novo apareciam, e a feição da terra por onde ora passava diferia grandemente daquelas costas em torno de Falasquil. Lá Tuor conhecera penhascos altivos repletos de cavernas e grandes sumidouros, e cavas de muralhas fundas, mas do topo dos penhascos uma terra agreste e plana ia desolada até onde uma borda azul, longe no leste, sugeria montes distantes. Agora, entretanto, via ele uma costa comprida e em declive e trechos de areia, enquanto os montes distantes iam ficando cada vez mais perto da margem do mar e suas encostas escuras estavam cobertas de pinheiros ou abetos e em torno dos sopés cresciam vidoeiros e carvalhos antigos. Dos sopés desses montes torrentes frescas desciam por aberturas estreitas e assim achavam as costas e as ondas salgadas. Ora, algumas dessas fendas Tuor não conseguia saltar, e amiúde era difícil avançar nesses lugares, mas ainda assim ele perseverava, pois os cisnes voavam sempre diante dele, às vezes pondo-se à frente, mas nunca descendo à terra, e o vento da forte batida de suas asas o encorajava.

Conta-se que dessa maneira Tuor foi em frente por um grande número de dias, e aquele inverno marchava do Norte algo mais velozmente que ele, por mais que ele fosse incansável. Apesar disso, chegou sem sofrer agravo de feras ou do tempo, em certo começo de primavera, à foz de um rio. Ora, aqui a terra estava menos ao norte e era mais gentil que em torno da saída da Fenda Dourada e, além do mais, por causa da progressão da costa, estava o mar dessa vez mais para o sul do que para o oeste, como ele podia reparar pelo sol e pelas estrelas, mas tinha mantido o mar sempre à sua direita.

O rio corria por um bom canal e em suas margens havia terras ricas: pastagens e campinas úmidas de um lado e encostas repletas de árvores do outro, as águas do rio encontravam o mar preguiçosamente e não lutavam como as águas do Mithrim no norte. Longas línguas de terra jaziam ilhadas em seu curso, cobertas de caniços e arbustos folhosos, até que, mais perto do mar, estendiam-se montinhos de areia, e esses eram lugares amados por tal multidão de aves como Tuor em nenhum lugar inda encontrara. Seus piados e gritos e assobios enchiam o ar, e ali, em meio às suas asas brancas, Tuor perdeu de vista os três cisnes, nem os viu outra vez.

Então Tuor, por algum tempo, cansou-se do mar, pois a fadiga causada pela viagem fora muita. Nem se dava isso sem que fosse do plano de Ulmo, e naquela noite os Noldoli vieram até ele e ele despertou de seu sono. Guiado por suas lanternas azuis, ele achou caminho pelas fronteiras do rio e deu passadas tão largas terra adentro que, quando a aurora encheu o céu à sua direita, eis que o mar e sua voz tinham ficado muito para trás, e o vento batia de tal modo que o cheiro do mar nem mesmo estava no ar. Então chegou ele logo àquela região que tem sido chamada de Arlisgion, "o lugar dos caniços", e essa fica naquelas terras que estão ao sul de Dor-lómin e ficam separadas assim das Montanhas Sombrias, cujas encostas chegam até mesmo ao mar. De tais montanhas vinha esse rio, e de grande clareza e admirável frio eram suas águas, mesmo nesse lugar. Ora, esse é um rio de muita fama nas histórias dos Eldar e dos Noldoli, e em todas as línguas seu nome é Sirion. Ali Tuor descansou por um tempo até que, levado pelo desejo, levantou-se ainda outra vez para viajar mais e mais, em marchas de muitos dias, ao longo das fronteiras do rio. A primavera plena ainda não trouxera o verão quando ele chegou a uma região ainda mais adorável. Ali o canto das avezinhas enchia o ar à volta dele com música dulcíssima, pois não há aves que cantem como as aves canoras da Terra dos Salgueiros, e a essa região de assombro ele havia acabado de chegar. Ali o rio trançava-se em curvas amplas de encostas baixas, através de uma grande planície da grama mais suave e mui alta e verde, salgueiros de idade ignota havia naquelas margens e pelo largo seio do rio espalhavam-se folhas de nenúfares, das quais flores ainda não havia por ser cedo naquele ano, mas sob os salgueiros as espadas verdes das flores-de-lis estavam desembainhadas e papiros cresciam e caniços em ordem de batalha. Ora, habitava nesses lugares escuros um espírito de sussurros e ele sussurrava a Tuor no crepúsculo e Tuor estava avesso a partir, e, na alva, pela glória dos inumeráveis ranúnculos, ficava ainda mais avesso a ir e demorava-se ali.

Lá viu ele as primeiras borboletas e alegrou-se ao vê-las, e dizem que todas as borboletas e sua raça nasceram no vale da Terra dos Salgueiros. Então veio o verão e o tempo das mariposas e dos anoiteceres tépidos, e Tuor admirou-se com a multidão de mosquinhas, com seu zunir e com a zoada dos besouros e o zumbido das abelhas, e a todas essas coisas ele deu nomes só seus e teceu os nomes em novas canções em sua velha harpa, e essas canções eram mais suaves que seu cantar de outrora.

Então cresceu em Ulmo o medo de que Tuor habitasse lá para sempre e que as grandes coisas de seus desígnios para ele não se realizassem. Portanto, temia continuar confiando Tuor apenas ao amparo dos Noldoli, que prestavam serviço a Ulmo em segredo e, por medo de Melko, vacilavam muito. Nem tinham eles força contra a magia daquele lugar de salgueiros, pois mui grande era o seu encantamento.

Eis que então Ulmo saltou sobre seu carro diante dos portais de seu palácio sob as águas paradas do Mar de Fora, e sua carruagem era puxada por narval e leão-marinho e era em forma de uma baleia, e em meio ao soar de grandes conchas ele partiu veloz de Ulmonan. Tão grande era a velocidade de seu avanço que em dias, e não em anos sem conta como poder-se-ia pensar, alcançou a foz do rio. Subi-la a sua carruagem não podia sem maltratar as águas e as beiras do rio, portanto Ulmo, amando todos os rios e esse mais do que muitos, prosseguiu a pé, trajado até a cintura em cota de malha semelhante às escamas de peixes azuis e prateados, mas seu cabelo era de prata azulada e sua barba, chegando até os pés, era do mesmo tom e ele não portava nem elmo nem coroa. Debaixo da cota de malha desciam as dobras de sua túnica de verdes brilhosos e de que substância elas tinham sido tecidas não se sabe, mas todo aquele que olhava para as profundezas de suas cores sutis parecia contemplar os movimentos tênues de águas profundas mescladas com as luzes fugidias de peixes fosforescentes que vivem no abismo. Cingira-se ele com uma corda de grandes pérolas e calçava grandes sapatos de pedra.

Para lá portara também seu grande instrumento de música, e esse era de estranhas linhas, pois fora feito de muitas conchas compridas e vazadas com furos. Soprando ali e tocando com seus dedos compridos, ele produzia melodias profundas de uma magia maior do que a que qualquer outro músico jamais alcançou em harpa ou alaúde, em lira ou flauta, ou em instrumentos de arco. Chegando então ao longo do rio ele se sentou entre os caniços no crepúsculo e tocou seu instrumento de conchas e era perto desses lugares que Tuor se demorava. E Tuor escutou e emudeceu. Lá ficou, com a grama até os joelhos, e não ouviu mais o zumbido dos insetos, nem o murmúrio das beiras do rio, e o odor das flores não mais entrou em suas narinas, mas ele ouvia o som das ondas e o grito das aves do mar, e sua alma saltava pelos lugares rochosos e pelas escarpas que cheiram a peixe, pelo espirrar d'água do cormorão que mergulha e por aqueles lugares onde o mar escava os penhascos negros e urra em alta voz.

Então Ulmo levantou e falou com ele e, em terror, Tuor esteve perto da morte, pois grandíssima é a profundeza da voz de Ulmo: tão profunda quanto seus olhos, que são as mais profundas de todas as coisas. E Ulmo disse: "Ó Tuor do coração solitário, não desejo que habites para sempre em belos lugares de aves e flores, nem levar-te-ia por esta terra agradável, se não fosse isso o que tem de ser. Mas segue agora a jornada de teu destino e não te demores, pois para longe daqui te leva tua sorte. Agora deves tu buscar através das terras pela cidade do povo chamado de Gondothlim, os habitantes da pedra, e os Noldoli hão de te escoltar até lá em segredo por medo dos espiões de Melko. Palavras porei em tua boca e lá residirás por um tempo. Contudo, talvez tua vida volte-se outra vez para as águas poderosas e com certeza um filho virá de ti que, mais do qualquer homem, há de conhecer as últimas profundezas, sejam elas do mar ou do firmamento do céu."

Então falou Ulmo também a Tuor sobre algo de seus desígnios e desejos, mas disso Tuor pouco entendeu naquela hora e tinha grande temor. Então Ulmo foi envolvido por uma névoa como se fosse a dos ares do mar naqueles locais terra adentro, e Tuor, com aquela música em seus ouvidos, de bom grado retornaria às regiões do Grande Mar, mas, lembrando-se das ordens de Ulmo, voltou-se e partiu terra adentro ao longo do rio, e assim seguiu até o raiar do dia. Contudo, aquele que ouviu as conchas de Ulmo há de ouvi-las a chamá-lo até a morte, e isso foi o que Tuor descobriu.

Quando o dia veio ele estava cansado e dormiu até que era quase crepúsculo outra vez, e os Noldoli vieram até ele e o guiaram. Assim ele viajou muitos dias no crepúsculo e no escuro e dormiu de dia e por causa disso aconteceu depois que ele não se lembrava muito bem dos caminhos que atravessara naqueles tempos. Ora, Tuor e seus guias continuaram sem se cansar, e a terra tornou-se uma região de montes ondulados e o rio rodava à volta dos sopés deles e havia infindos vales muitíssimo prazenteiros, mas ali os Noldoli ficaram inquietos. "Esses", disseram eles, "são os confins daquelas regiões que Melko infesta com seus Gobelins, o povo do ódio. Longe, ao norte — contudo, ai de nós, não longe o suficiente, quisera que fossem 10 mil léguas —, jazem as Montanhas de Ferro onde se assenta o poder e terror de Melko, de quem somos servos. De fato, guiando-te agimos em segredo, e se soubesse ele de todos os nossos propósitos, caber-nos-ia o tormento dos Balrogs."

Caindo então em tal medo, os Noldoli logo depois o deixaram e ele continuou sozinho entre os montes, e seu avanço mostrou-se ruim depois disso, pois "Melko tem muitos olhos", dizem, e enquanto Tuor viajou com os Gnomos eles o levaram por trilhas de crepúsculo e por muitos túneis secretos através dos montes. Mas dessa vez ele se perdeu e subia amiúde aos topos de morros e montes esquadrinhando as terras em torno. Contudo, não podia ver sinais de nenhuma habitação de gente, e de fato a cidade dos Gondothlim não se achava com facilidade, sabendo-se que Melko e seus espiões ainda não a tinham descoberto. Diz-se, mesmo assim, que nessa hora aqueles espiões assim tiveram rumor de que os estranhos pés do Homem estavam pisando aquelas terras e por isso Melko redobrou seus estratagemas e sua vigilância.

Ora, quando os Gnomos por medo desertaram de Tuor, um certo Voronwë ou Bronweg o seguiu de longe apesar de seu medo, quando suas repreensões não puderam encorajar os outros. Naquela hora Tuor tinha caído em grande cansaço e estava sentado ao lado da torrente que corria e o anseio pelo mar estava em seu coração e ele pensava mais uma vez em seguir esse rio de volta às águas abertas e às ondas que rugiam. Mas esse Voronwë, o fiel, foi até ele mais uma vez e, de pé perto de seu ouvido, disse: "Ó Tuor, não penses nisso, mas crê que algum dia hás de ver outra vez teu desejo, levanta-te agora: eis que não deixar-te-ei. Não sou um dos que conhecem bem as estradas entre os Noldoli, sendo um artífice e criador de coisas feitas pela mão com madeira e metal, e não me juntei ao grupo de escolta até bem tarde. Contudo, desde há muito ouvi murmúrios e ditos pronunciados em segredo em meio ao cansaço da servidão, acerca de uma cidade onde os Noldoli poderiam ser livres, pudessem eles achar o caminho oculto para lá, e nós dois sem sombra de dúvida podemos achar a estrada para a Cidade de Pedra, onde está aquela liberdade dos Gondothlim."

Sabei então que os Gondothlim eram aquela gente dos Noldoli que sozinha escapou do poder de Melko quando, na Batalha das Lágrimas Inumeráveis, ele matou e escravizou o povo deles e teceu feitiços à sua volta e os fez habitar nos Infernos de Ferro, de lá saindo por sua vontade e ordem apenas.

Por longo tempo Tuor e Voronwë buscaram a cidade daquele povo, até que depois de muitos dias chegaram a um vale profundo em meio aos montes. Ali ouviram o rio passar por um leito mui pedregoso, com muita pressa e muito barulho, debaixo de uma cortina formada por espesso bosque de amieiros, mas as paredes do vale eram íngremes, pois eles estavam perto de algumas montanhas que Voronwë não conhecia. Nessa parede verde aquele Gnomo achou uma abertura semelhante a uma grande porta de batentes inclinados, e essa estava coberta com arbustos espessos e plantas rasteiras há muito enroscadas, contudo, a visão penetrante de Voronwë não podia ser enganada. Apesar disso, conta-se que tamanha mágica os construtores da porta tinham posto à volta dela (pela ajuda de Ulmo, cujo poder corria naquele rio, ainda que o terror de Melko grassasse em suas margens) que ninguém, salvo os do sangue dos Noldoli, poderia topar com ela assim por acaso, nem Tuor teria jamais achado a entrada se não fosse pela firmeza daquele Gnomo Voronwë. Ora, os Gondothlim tinham construído tal morada secreta por temer Melko; contudo, não poucos dos mais corajosos entre os Noldoli escapuliam rio abaixo pelo Sirion até aquelas montanhas e, se muitos assim pereciam pelo mal de Melko, muitos, achando essa passagem mágica, chegavam enfim à Cidade de Pedra e aumentavam seu povo.

Grandemente Tuor e Voronwë jubilaram-se por achar esse portão, mas, entrando, acharam lá escuro caminho, de avanço duro e tortuoso, e longamente viajaram tropeçando dentro de seus túneis. Estava cheio de ecos temíveis, e lá incontáveis pisadas pareciam vir atrás deles, de modo que Voronwë ficava aterrorizado e dizia: "São os gobelins de Melko, os Orques dos montes." Então corriam, caindo em cima de pedras naquele negrume, até que perceberam que aquilo não era mais que um engano do lugar. Assim chegaram eles, depois do que pareceu um tempo imensurável de tatear temeroso, a um lugar onde uma luz distante bruxuleava e indo rumo a esse brilho chegaram a um portão semelhante àquele pelo qual tinham entrado, mas de modo algum descuidado. Então atravessaram para onde havia luz do sol e por um tempo não viram nada, mas um instante depois um grande gongo soou, houve um estrondo de armaduras e eis que estavam cercados por guerreiros vestidos de aço. Então olharam para cima e conseguiram ver e eis que estavam no sopé de montes íngremes e esses montes perfaziam um grande círculo dentro do qual havia uma planície ampla e disposto ali dentro, não justamente no centro, outrossim mais perto do lugar onde estavam, estava um grande monte de topo plano e nesse cume erguia-se uma cidade na luz nova da manhã.

Então Voronwë falou à guarda dos Gondothlim e a fala dele eles compreenderam, pois era a doce língua dos Gnomos. Então falou também Tuor e perguntou onde estariam e quem seria a gente armada que estava à volta deles, pois em seu assombro muito se admirava da bela maneira de suas armas. Então lhe disse um membro daquela companhia: "Somos os guardiões da saída da Via de Escape. Regozijai-vos por tê-la encontrado, pois eis diante de vós a Cidade de Sete Nomes onde todos os que guerreiam contra Melko podem achar esperança."

Então perguntou Tuor: "Quais são esses nomes?" E o chefe da guarda deu esta resposta: "Isto é o que se diz e o que se canta: Gondobar sou chamada e Gondothlimbar, Cidade de Pedra e Cidade dos Habitantes da Pedra; Gondolin, a Pedra da Canção e Gwarestrin é meu nome, a Torre de Guarda, Gar Thurion ou o Lugar Secreto, pois estou oculta dos olhos de Melko; mas aqueles que me amam mais grandemente chamam-me Loth, pois como uma flor eu sou, e mesmo Lothengriol, a flor que se abre na planície." "Contudo," disse ele, "na nossa fala de todo dia dizemos e a chamamos mormente de Gondolin." Então disse Voronwë: "Levai-nos para lá, pois de bom grado nela desejamos entrar" e Tuor disse que seu coração desejava muito andar pelos caminhos daquela bela cidade.

Então respondeu o chefe da guarda que eles próprios deviam permanecer ali, pois havia ainda muitos dias de sua lua de vigia a passar, mas que Voronwë e Tuor podiam passar-se para Gondolin e, além do mais, que eles não precisariam dali em diante de guia pois "eis que lá ela se ergue bela de ver e muito clara, e suas torres furam os céus acima do Monte de Vigia na planície do meio". Então Tuor e seu companheiro seguiram pela planície, que era maravilhosamente nivelada, interrompida apenas aqui e ali por pedras redondas e lisas que jaziam em meio a um gramado, e por lagos em leitos de pedra. Muitas e belas sendas havia por toda aquela planície, e eles chegaram, depois de um dia de marcha leve, ao sopé do Monte de Vigia (que é, na língua dos Noldoli, Amon Gwareth). Então começaram eles a ascensão pelas escadarias volteantes que subiam até o portão da cidade, nem podia alguém alcançar aquela cidade salvo a pé e observado das muralhas. Conforme o portão do oeste tornava-se dourado na última luz do dia chegaram eles ao alto da escada, e muitos olhos os miravam das ameias e das torres.

Mas Tuor olhou para as muralhas de pedra e para as altas torres, para os pináculos cintilantes da cidade, e olhou para as escadarias de pedra e mármore, cercadas de esguias balaustradas e refrescadas pelo salto de quedas d'água feito fios que buscavam a planície, vindas das fontes de Amon Gwareth, e ele parecia estar em algum sonho dos Deuses, pois não julgava que tais coisas fossem vistas pelos homens em visões de seus sonhos, tão grande era seu espanto diante da glória de Gondolin.

Ainda assim chegaram eles aos portões, Tuor em assombro e Voronwë em grande júbilo por, ousando muito, ter tanto trazido Tuor até ali pela vontade de Ulmo quanto ter tirado de si o jugo de Melko para sempre. Embora ainda o odiasse não menos por isso, não mais temia ele aquele Maligno com um terror que o entorpecesse (e em verdade aquele feitiço que Melko lançara sobre os Noldoli era de terror sem fundo, de modo que parecia estar sempre perto deles, mesmo quando estavam longe dos Infernos de Ferro, e seus corações estremeciam e eles não fugiam nem quando podiam, e nisso Melko amiúde se fiava).

Eis que agora muitos saem dos portões de Gondolin e uma multidão está em volta daqueles dois em assombro, jubilando-se de que ainda outro dos Noldoli tenha fugido de Melko até ali e maravilhando-se com a estatura e os braços possantes de Tuor, sua lança pesada com farpas de osso de peixe e sua grande harpa. Rude era seu aspecto e seus cabelos estavam desalinhados e ele estava vestido com peles de urso. Está escrito que naqueles dias os pais dos pais dos homens eram de menor estatura do que a dos homens de agora e que os filhos de Elfinesse eram de maior crescimento, mas era Tuor mais alto do que qualquer um que lá estava. De fato, os Gondothlim não eram de ombros curvados como alguns de seus infelizes parentes se tornaram, labutando sem descanso ao escavar e martelar para Melko, mas pequenos eram e esguios e muito delgados. Eram de pés velozes e incomparavelmente belos; doces e tristes eram suas bocas, e seus olhos tinham sempre um júbilo que, dentro de si, tendia às lágrimas, pois naqueles tempos os Gnomos eram exilados em seu coração, perseguidos pelo desejo por seus antigos lares que não esvanecia. Mas o destino e uma avidez inconquistável por conhecimento os levara a lugares distantes, e ora estavam eles cercados por Melko e tinham de fazer com que sua morada fosse tão bela quanto pudessem com labor e com amor.

Como alguma vez veio a se dar que entre os homens os Noldoli fossem confundidos com os Orques, que são os goblins de Melko, eu não sei, a menos que certos dos Noldoli tenham sido distorcidos pelo mal de Melko e misturados entre esses Orques, pois toda aquela raça foi gerada por Melko dos calores e do limo subterrâneos. Seus corações eram de granito e seus corpos deformados; imundos eram seus rostos, que não sorriam, mas sua risada era como metal golpeado e nada lhes agradava mais que ajudar os propósitos mais baixos de Melko. Imensa era a inimizade entre eles e os Noldoli, que os chamavam de *Glamhoth*, ou povo do ódio horrendo.

Eis que os guardiões armados do portão empurraram para trás a multidão do povo que se reunira em torno dos viajantes, e um entre eles falou, dizendo: "Esta é uma cidade de vigia e guarda, Gondolin sobre Amon Gwareth, onde todos podem ser livres se forem de coração verdadeiro, mas onde ninguém é livre para entrar se for desconhecido. Dizei-me, pois, vossos nomes." Mas Voronwë disse que seu nome era Bronweg dos Gnomos, tendo chegado ali pela vontade de Ulmo como guia desse filho dos Homens, e Tuor disse: "Sou Tuor, filho de Peleg, filho de Indor, da casa do Cisne dos filhos dos Homens do Norte que vivem longe daqui, e para cá vim pela vontade de Ulmo dos Oceanos de Fora."

Então todos os que escutavam ficaram em silêncio e a voz profunda e sonora dele os encheu de assombro, pois as vozes deles próprios eram belas como o barulho da água nas fontes. Então começaram a dizer entre si: "Levai-o diante do rei."

Então a multidão retornou para dentro dos portões e os viajantes com ela, e Tuor viu que eram feitos de ferro e de grande altura e força. Ora, as ruas de Gondolin eram largas e pavimentadas de pedra, com calçadas de mármore, e belas casas e pátios em meio a jardins de flores de cores vívidas espalhavam-se pelos caminhos, e muitas torres de grande elegância e beleza construídas com mármore branco e esculpidas mui maravilhosamente erguiam-se ao céu. As praças lá eram iluminadas com fontes e eram o lar de aves que cantavam em meio aos galhos das árvores de grande idade, mas de todas essas a maior era aquele lugar onde ficava o palácio do rei, e a torre ali era a mais altiva da cidade, e as fontes que brincavam diante das portas saltavam vinte braças e sete no ar e caíam em uma chuva cantante de cristal: nelas o sol faiscava esplendidamente de dia, e a lua bruxuleava mui magicamente à noite. As aves que habitavam lá eram da brancura da neve, suas vozes mais doces que um acalanto em música.

Em cada lado das portas do palácio havia duas árvores, uma que produzia flores de ouro e outra de prata, nem jamais esvaneciam, pois eram mudas geradas outrora das árvores gloriosas de Valinor que iluminavam aqueles lugares antes que Melko e Tecelá-de-Treva as secassem: e àquelas árvores os Gondothlim deram os nomes de Glingol e Bansil.

Então Turgon, rei de Gondolin, trajado de branco com um cinto de ouro e uma pequena coroa de almandinas sobre sua cabeça, ficou diante de suas portas e falou do alto das escadas brancas que levavam até lá. "Bem-vindo, ó Homem da Terra das Sombras. Eis que tua vinda estava disposta nos nossos livros de sabedoria e está escrito que viriam a acontecer muitas e grandes coisas nos lares dos Gondothlim quando aqui chegasses."

Então falou Tuor, e Ulmo pôs poder em seu coração e majestade em sua voz: "Vede, ó pai da Cidade de Pedra, mandou-me aquele que faz profunda música no Abismo, conhecedor da mente de Elfos e Homens, dizer-vos que os dias da Soltura estão próximos. Chegaram aos ouvidos de Ulmo sussurros sobre vossa morada e vosso monte de vigilância contra o mal de Melko e isso o agrada: mas seu coração está irado, e enraivecidos estão os corações dos Valar que se sentam nas montanhas de Valinor e observam o mundo do pico de Taniquetil, vendo a tristeza da servidão dos Noldoli e as andanças dos Homens, pois Melko os aprisiona na Terra das Sombras para além das colinas de ferro. Portanto, fui trazido por um caminho secreto para dizer que conteis vossas hostes e vos prepareis para a batalha, pois o tempo é propício."

Então contestou Turgon: "Isso eu não farei, ainda que sejam as palavras de Ulmo e de todos os Valar. Não aventurarei este povo meu contra o terror dos Orques, nem porei em perigo minha cidade contra o fogo de Melko."

Então falou Tuor: "Não, se vós agora não ousardes grandemente, então os Orques cá habitarão para sempre e possuirão, no fim, a maioria das montanhas da Terra e não cessarão de atormentar Elfos e Homens, mesmo que por outros meios os Valar consigam mais tarde libertar os Noldoli, mas se confiardes agora nos Valar, ainda que terrível seja o confronto, então cairão os Orques, e o poder de Melko diminuirá até se tornar coisa pequena."

Mas Turgon respondeu que era rei de Gondolin e que nenhuma vontade podia forçá-lo contra seu desejo a colocar em perigo o caro labor de tantas eras passadas, e Tuor disse (pois assim lhe ordenara Ulmo, que temia a relutância de Turgon): "Então me cabe dizer que os homens dos Gondothlim devem partir veloz e secretamente, descendo o Sirion até o mar, e lá construir para si barcos e tentar retornar a Valinor: eis que os caminhos para lá estão esquecidos e as estradas sumidas do mundo, e os mares e montanhas a cercam, mas lá ainda habitam os Elfos no monte de Kôr e os Deuses sentam-se em Valinor, embora seu regozijo esteja diminuído pela tristeza e pelo temor de Melko e eles ocultem sua terra e teçam à sua volta magia inacessível para que nenhum mal chegue a suas costas. Contudo, ainda podem vossos mensageiros chegar até lá e mudar os corações deles, para que se levantem irados e firam Melko e destruam os Infernos de Ferro que ele fez sob as Montanhas de Escuridão."

Então insistiu Turgon: "Todos os anos, quando termina o inverno, mensageiros têm descido rapidamente, em sigilo, o rio que é chamado Sirion até as costas do Grande Mar e lá construíram barcos aos quais foram atrelados cisnes e gaivotas, ou as asas fortes do vento, e esses têm buscado retornar, para além da lua e do sol, a Valinor, mas os caminhos para lá estão esquecidos e as sendas esvanecidas do mundo e os mares e as montanhas a cercam, e eles que lá dentro se sentam em divertimento pouco cuidam do terror de Melko ou do pesar do mundo, mas escondem sua terra e tecem à volta dela magia inacessível para que nenhuma notícia sobre o mal chegue jamais a seus ouvidos. Não, bastantes de meu povo, por anos incontáveis, já partiram para as vastas águas e nunca retornaram, mas pereceram nos lugares profundos ou vagam agora perdidos nas sombras que não têm caminhos, e, com a chegada do próximo ano, ninguém mais irá até o mar, mas antes confiaremos em nós mesmos e em nossa cidade para rechaçar Melko, e nisso têm sido os Valar de escassa ajuda até agora."

Então o coração de Tuor ficou pesaroso e Voronwë chorou e Tuor sentou-se ao lado da grande fonte do rei, cujo barulho lembrava a música das ondas, e sua alma estava atormentada pelas conchas de Ulmo e ele desejava retornar, descendo as águas do Sirion, para o mar. Mas Turgon, que sabia que Tuor, mortal como era, tinha o favor dos Valar, percebendo seu olhar altivo e o poder de sua voz, chamou-o e pediu que habitasse em Gondolin e tivesse o favor do rei, e habitasse até mesmo nos salões reais, se desejasse.

Então Tuor, pois que estava cansado e aquele lugar era belo, concordou; e daí veio que Tuor passou a residir em Gondolin. De todos os feitos de Tuor entre os Gondothlim os contos não contam, mas diz-se que muitas vezes ele desejaria ter escapado de lá, cansando-se das aglomerações do povo e pensando na floresta vazia e agreste ou ouvindo ao longe a música marinha de Ulmo, se seu coração não estivesse cheio de amor por uma mulher dos Gondothlim, e ela era filha do rei.

Ora, Tuor aprendeu muitas coisas naqueles reinos, ensinadas por Voronwë, a quem ele amava e que também o amava mui grandemente; ou então era ele instruído pelos homens mais hábeis da cidade e pelos sábios do rei. Donde ele se tornou um homem muito mais poderoso do que antes e sabedoria havia em seu conselho, e muitas coisas tornaram-se claras para ele, as quais antes não estavam esclarecidas, bem como muitas coisas desconhecidas, que ainda o são para os homens mortais. Lá ele ouviu muito acerca da cidade de Gondolin e sobre como o labor incessante por anos e eras não tinha sido suficiente para construí-la e adorná-la, no que o povo ainda labutava; sobre a escavação daquele túnel oculto ele ouviu, que o povo chamava de Via de Escape, e sobre como os conselhos naquela matéria se dividiram, embora a piedade pelos Noldoli em servidão tivesse prevalecido no fim e levado à obra; da guarda sem cessar lhe contaram, que lá era feita de armas na mão e, do mesmo modo, em certos locais mais baixos nas montanhas circundantes e sobre como guardas sempre vigilantes habitavam nos mais altos picos daquela cordilheira, do lado de faróis prontos a serem acesos, pois nunca aquele povo cessava de esperar um ataque dos Orques, caso sua fortaleza se tornasse conhecida.

Naqueles dias, entretanto, a guarda das montanhas era mantida mais por costume do que por necessidade, pois os Gondothlim tinham, havia muito tempo, com lides inimagináveis, aplainado e limpado e escavado toda a planície à volta do Amon Gwareth, de modo que nenhum Gnomo ou ave ou bicho ou serpente poderia se aproximar, mas era flagrado a muitas léguas de distância, pois entre os Gondothlim havia muitos cujos olhos eram mais aguçados que os dos próprios falcões de Manwë Súlimo, Senhor de Deuses e Elfos que habita sobre Taniquetil, e por essa razão eles chamavam aquele vale de Tumladen ou o vale da lisura. Ora, esse grande trabalho estava terminado, segundo eles, e o povo ocupava-se ainda mais com minerar metais e forjar toda maneira de espadas e machados, lanças e alabardas, dando forma a cotas de malha, couraças e ombreiras, grevas e avambraços, elmos e escudos. Disseram então a Turgon que, àquela altura, todo o povo de Gondolin, disparando seus arcos sem parada dia e noite, não conseguiria despender todas as flechas armazenadas nem que o fizesse por muitos anos, e que ano a ano o medo que tinham dos Orques ficava menor por isso.

Lá aprendeu Tuor sobre como construir com pedra, sobre alvenaria e sobre talhar rocha e mármore, as artes de tecer e fiar, do bordado e da pintura e a destreza com metais dominou ele. Músicas das mais delicadas lá ouviu, e nisso eram aqueles que habitavam na parte sul da cidade os de maior habilidade, pois ali brincava uma profusão de fontes e nascentes murmurantes. Muitas dessas sutilezas Tuor dominou e aprendeu a entretecer em suas canções, para o assombro e o júbilo do coração de todos os que o ouviam. Estranhas histórias sobre o Sol e a Lua e as Estrelas, sobre a maneira da Terra e de seus elementos, e sobre as profundezas do céu, foram-lhe contadas, e os caracteres secretos dos Elfos ele aprendeu, e seus falares e suas antigas línguas, e ouviu falar de Ilúvatar, Senhor para Sempre, que habita para além do mundo, da grande música dos Ainur à volta dos pés de Ilúvatar nas últimas profundezas do tempo, da qual veio a criação do mundo e a maneira dele, e tudo o que nele há e sua governança.

Ora, por sua habilidade e grande maestria em toda forma de saber e arte, e por sua grande coragem de coração e corpo, tornou-se Tuor um conforto e um apoio para o rei, que não tinha filho, e ele era amado pelo povo de Gondolin. Certa vez, o rei mandou que seus mais sagazes artífices moldassem uma armadura para Tuor, como um grande presente, e ela era feita de aço-dos-Gnomos, banhada a prata, mas o elmo era adornado com um detalhe de metais e joias semelhante a duas asas de cisne, uma de cada lado, e uma asa de cisne foi colocada no escudo, mas ele carregava um machado em vez de uma espada, e esse, no falar dos Gondothlim, batizou de Dramborleg, pois seus golpes atordoavam e seu gume cortava toda armadura.

Uma casa foi construída para ele junto às muralhas do sul, pois ele amava os ares livres e não gostava da vizinhança muito próxima de outras moradas. Lá era seu deleite postar-se amiúde nas ameias à aurora, e o povo regozijava-se ao ver a luz nova refletida nas asas de seu elmo — e muitos murmuravam e de bom grado teriam apoiado Tuor em batalha contra os Orques, vendo que as falas daqueles dois, Tuor e Turgon, diante do palácio, eram conhecidas de muitos, mas a matéria não foi adiante por reverência a Turgon e porque nesse tempo, no coração de Tuor, o pensamento sobre as palavras de Ulmo parecia ter se tornado esvanecido e distante.

Ora, vieram dias quando Tuor já tinha habitado entre os Gondothlim por muitos anos. Longamente ele conhecera e acalentara amor pela filha do rei e naquele momento estava seu coração cheio daquele amor. Grande também era o amor que Idril tinha por Tuor e os fios do destino dela estavam entrelaçados com os dele desde aquele dia em que primeiro ela o viu de uma janela alta enquanto ele se apresentava, um suplicante cansado da jornada, diante do palácio do rei. Pouca causa tinha Turgon para se opor ao amor deles, pois via em Tuor um parente que lhe confortava e trazia esperança. Assim, pela primeira vez, casou-se um filho dos Homens com uma filha de Elfinesse, nem foi Tuor o último. Menos alegria tiveram muitos do que eles e o pesar que tiveram no fim foi grande. Contudo, grande foi o contentamento daqueles dias, quando Idril e Tuor se casaram diante do povo em Gar Ainion, o Lugar dos Deuses, ao lado dos salões do rei. Um dia de festejos foi o daquele casamento para a cidade de Gondolin e da maior felicidade para Tuor e Idril. Dali em diante habitaram eles em júbilo naquela casa ao lado das muralhas das quais se via Tumladen ao sul, e isso era bom para os corações de todos os da cidade, salvo apenas para Meglin. Ora, aquele Gnomo vinha de uma casa antiga, embora então seus números fossem menores que os de outras, mas ele mesmo era sobrinho do rei da parte de sua mãe, a irmã do rei, Isfin, e essa história não pode ser contada aqui.

Ora, o emblema de Meglin era uma Toupeira negra e ele era grande entre os que trabalhavam em pedreiras e um chefe dos que escavavam em busca de minério, e muitos desses pertenciam à sua casa. Menos belo era ele do que muitos desse povo bonito, moreno e de ânimo não muito gentil, de modo que lhe tinham pouco amor, e sussurros havia de que ele tinha sangue de Orque em suas veias, mas não sei como isso poderia ser verdade. Ora, amiúde ele pedira ao rei a mão de Idril, mas Turgon, vendo que ela era muito avessa à ideia, sempre dizia não, pois lhe parecia que o pedido de Meglin era causado tanto pelo desejo de ter alto poder ao lado do trono real quanto por amor àquela bela donzela. Bela de fato era ela e também corajosa; e o povo a chamava de Idril dos Pés de Prata, pois que andava sempre descalça e de cabeça descoberta, filha do rei como era, salvo apenas durante as pompas dos Ainur; e Meglin ruminava sua raiva vendo que Tuor o suplantava.

Nesses dias veio a se dar a plenitude do tempo do desejo dos Valar e da esperança dos Eldalië, pois em grande amor Idril deu a Tuor um filho e ele foi chamado de Eärendel. Ora, quanto a isso há muitas interpretações tanto entre Elfos quanto entre Homens, mas é possível que fosse um nome feito a partir de alguma língua secreta entre os Gondothlim e que tenha perecido com eles nas habitações da Terra.

Pois essa criança era da maior beleza, sua pele de um branco brilhante e seus olhos de um azul que excedia o do céu nas terras do sul — mais azul do que as safiras da vestimenta de Manwë; e a inveja de Meglin quando de seu nascimento foi profunda, mas o júbilo de Turgon e de todo o seu povo de fato muito grande.

Eis que então muitos anos tinham passado desde que Tuor se perdera em meio aos sopés dos montes e fora abandonado por aqueles Noldoli; contudo, muitos anos também tinham transcorrido desde que aos ouvidos de Melko primeiro chegaram aquelas estranhas notícias — distantes eram, várias em forma — sobre um homem vagueando em meio aos vales das águas do Sirion. Ora, Melko não tinha muito receio da raça dos Homens naqueles dias de seu grande poder e por essa razão Ulmo agiu por meio de um dessa gente para melhor iludir Melko, vendo que nenhum dos Valar e quase nenhum dos Eldar ou dos Noldoli podia se deslocar sem ser percebido pela vigilância dele. Contudo, mesmo assim um pressentimento chegou àquele coração maligno com tais notícias e ele reuniu um poderoso exército de espiões: filhos dos Orques havia, com olhos amarelos e verdes como os de gatos, que conseguiam varar todas as trevas e enxergar através da bruma, da névoa e da noite; serpentes que conseguiam ir a qualquer lugar e vasculhar todos os buracos ou as mais profundas covas ou os mais altos picos, escutar cada sussurro que corria pela grama ou ecoava nos montes; lobos havia e cães famintos e grandes doninhas cheias de sede de sangue, cujas narinas podiam seguir cheiros com várias luas de idade através da água corrente, ou cujos olhos encontravam entre o cascalho pegadas que ali estavam já fazia uma vida; corujas vieram e também falcões cujo olhar aguçado podia divisar de dia ou à noite o voejar de pequenas aves em todos os bosques do mundo e o movimento de cada camundongo ou arganaz ou rato que rasteja ou habita por toda a Terra. Todos esses ele convocou a seu Salão de Ferro, e eles vieram em multidões. De lá os mandou pela Terra a buscar esse homem que havia escapado da Terra das Sombras, mas também a procurar ainda mais curiosa e avidamente a morada dos Noldoli que tinham escapado da servidão, pois esses o coração dele ardia por destruir ou escravizar.

Ora, enquanto Tuor vivia em felicidade e grande aumento de sabedoria e poder em Gondolin, essas criaturas incansáveis, por anos a fio, fossaram entre as pedras e rochas, caçaram pelas florestas e charnecas, espionaram os ares e lugares elevados, rastrearam todas as sendas pelos vales e planícies e não descansaram nem pararam. Dessa caçada trouxeram uma riqueza de notícias a Melko — de fato, entre muitas coisas ocultas que trouxeram à luz, descobriram aquela "Via de Escape" pela qual Tuor e Voronwë tinham entrado antes. Nem tinham feito isso sem forçar alguns dos menos firmes entre os Noldoli com ameaças tremendas de tormento, para que se juntassem àquela grande pilhagem, pois, por causa da magia à volta daquele portão, nenhuma gente de Melko sem a ajuda dos Gnomos poderia chegar a ele. Contudo, naqueles últimos tempos, tinham vasculhado o fundo de tais túneis e capturado muitos dos Noldoli que para ali tinham se arrastado, fugindo da servidão. Tinham também escalado os Montes Circundantes em certos lugares e observado a beleza da cidade de Gondolin e a força do Amon Gwareth de longe, mas dentro de planície não conseguiam avançar, pela vigilância de seus guardiões e pela dificuldade daquelas montanhas. De fato, os Gondothlim eram valorosos arqueiros e seus arcos eram feitos com um poder que era maravilha. Com eles conseguiam disparar uma flecha para o céu a distâncias sete vezes maiores do que conseguiria o melhor flecheiro entre os Homens acertar um alvo no nível do chão e não permitiriam que nenhum falcão pairasse por muito tempo sobre a planície deles e que nenhuma serpente rastejasse lá dentro, pois não gostavam de criaturas de sangue, crias de Melko.

Ora, naqueles dias tinha Eärendel um ano de idade quando essas más notícias chegaram à cidade, sobre os espiões de Melko e sobre como tinham cercado o vale de Tumladen. Então o coração de Turgon entristeceu-se, recordando as palavras de Tuor em anos passados diante das portas do palácio, e ele ordenou que a vigia e a guarda ganhassem força triplicada em todos os pontos e que máquinas de guerra fossem fabricadas por seus artífices e colocadas no alto do monte. Fogos venenosos e líquidos escaldantes, flechas e grandes pedras, estava ele preparado para despejar sobre qualquer um que quisesse assaltar aquelas muralhas brilhantes; e depois disso viveu tão contento quanto seria possível, mas o coração de Tuor estava mais pesaroso que o do rei, pois então as palavras de Ulmo lhe vinham sempre à mente e seu significado e gravidade ele entendia mais profundamente do que outrora, nem achava algum grande conforto em Idril, pois o coração dela tinha presságios ainda mais sombrios que os de Tuor.

Sabei então que Idril tinha grande poder para sondar com seu pensamento a escuridão dos corações de Elfos e Homens e também as trevas do futuro — e nisso seu poder era ainda mais profundo do que o comum entre as casas dos Eldalië; portanto, assim ela falou certo dia a Tuor: "Quero que saibas, meu marido, que meu coração me faz ter dúvidas de Meglin e temo que ele trará o mal para este belo reino, ainda que de modo algum eu consiga ver como ou quando — contudo, temo que tudo o que ele sabe sobre nossos atos e nossas preparações se torne de alguma maneira conhecido do Adversário e que assim ele imagine um novo meio de nos assolar, contra o qual não tenhamos pensado em defesa alguma. Eis que sonhei certa noite que Meglin construía uma fornalha e, vindo até nós de modo imprevisto, lançava lá dentro Eärendel, nosso filho, e depois jogava nela a ti e a mim, mas, por pesar diante da morte de nossa bela criança, eu não resistia."

E Tuor respondeu: "Não há razão para teu medo, pois também meu coração não é favorável a Meglin; contudo, é ele o sobrinho do rei e teu próprio primo, nem há acusação contra ele, e não vejo o que fazer senão aguardar e vigiar."

Mas Idril insistiu: "Este é meu alvitre sobre isso: reúne tu no maior segredo aqueles escavadores e pedreiros que por teste cuidadoso mostrarem ter menor amor por Meglin, por causa do orgulho e da arrogância de seu trato com eles. Entre esses deves escolher homens de confiança que vigiem Meglin quando ele for para os montes mais distantes, mas te aconselho a ordenar que a maior parte daqueles em cujo segredo podes te fiar comecem uma escavação oculta, e que prepares com a ajuda deles — por mais cuidadoso e lento que o trabalho seja — um caminho secreto de tua casa aqui, passando por baixo das rochas deste monte, até

o vale lá embaixo. Ora, esse caminho não deve ir na direção da Via de Escape, pois meu coração pede para não confiar nela, mas sim rumo àquele passo muito ao longe, a Fenda das Águias, nas montanhas ao sul, e, quanto mais longe essa escavação alcançar naquela direção sob a planície, mais hei de estimá-la — contudo, que esse labor fique em sigilo, salvo com relação a poucos."

Ora, não há escavadores de terra ou rocha como os Noldoli (e isso Melko sabe), mas naqueles lugares é a terra de grande dureza e Tuor contestou: "As rochas do monte de Amon Gwareth são como ferro, e só com muita faina podem ser cortadas; contudo, se isso for feito em segredo, então há de se acrescentar grande tempo e paciência ao trabalho, mas a pedra do fundo do Vale de Tumladen é como aço forjado, nem pode ser rachada sem o conhecimento dos Gondothlim, a não ser em luas e anos."

Idril insistiu então: "Vero pode ser o que dizes, mas tal é o meu alvitre e há ainda tempo de sobra." Então Tuor disse que não conseguia enxergar todo o propósito daquilo, "mas 'melhor qualquer plano do que falta de conselho' e farei do modo como tu dizes".

Ora, aconteceu que, não muito depois disso, Meglin foi para os montes para obter minério e, andando sozinho pelas montanhas, foi capturado por alguns dos Orques à espreita por lá, e eles desejavam lhe fazer mal e feri-lo terrivelmente, sabendo que era um homem dos Gondothlim. Isso, entretanto, não era sabido pelos vigias de Tuor. Mas o mal entrou no coração de Meglin, e ele disse a seus captores: "Sabei então que sou Meglin, filho de Eöl, que tinha por esposa Isfin, irmã de Turgon, rei dos Gondothlim." Mas eles disseram: "Que temos nós com isso?" E Meglin respondeu: "Muito tendes com isso, pois, se me matardes, rápida ou lentamente, perdereis grandes novas acerca da cidade de Gondolin, que vosso mestre regozijar-se-ia de ouvir." Então os Orques detiveram sua mão e disseram que lhe concederiam a vida se as matérias que lhes revelasse o merecessem, e Meglin lhes contou tudo sobre como era a planície e a cidade, sobre suas muralhas e a altura e espessura delas, e sobre a força de seus portões; contou sobre a hoste de homens armados que então obedeciam a Turgon e sobre o acúmulo inesgotável de armas reunidas para equipá-los, sobre os engenhos de guerra e os fogos venenosos.

Então os Orques estavam cheios de ira e, tendo ouvido essas matérias, ainda tencionavam matá-lo ali mesmo, como alguém que exagerara impudentemente o poder de seu povo miserável para zombaria da grande força e poderio de Melko, mas Meglin, agarrando-se a um fio de esperança, disse: "Não pensais que, antes, poderíeis agradar a vosso mestre se levásseis a seus pés tão nobre cativo, para que ele possa ouvir as novas que trago de mim e julgar sua veracidade?"

Ora, isso pareceu bom aos Orques e eles retornaram das montanhas à volta de Gondolin para as Montanhas de Ferro e os salões escuros de Melko; para lá arrastaram Meglin consigo, e naquele momento estava ele cheio de temor. Mas, quando se ajoelhou diante do trono negro de Melko, aterrorizado pelo horror das formas à sua volta, pelos lobos que se sentavam diante da cadeira e das víboras que se trançavam entre as pernas, Melko ordenou que falasse. Então contou ele aquelas novas, e Melko, ouvindo-o, lhe falou com cortesia, a que a insolência do coração de Meglin em grande medida correspondeu.

Ora, o fim de tudo isso foi que Melko, ajudado pela ardileza de Meglin, fez seus planos para a derrocada de Gondolin. Nisso a recompensa de Meglin devia ser uma grande capitania entre os Orques (Melko, contudo, não pretendia em seu coração cumprir tal promessa), mas Tuor e Eärendel ele deveria queimar e dar Idril aos braços de Meglin (tais promessas aquele maligno de bom grado cumpriria). Contudo, para proteger-se de qualquer traição, Melko ameaçou Meglin com o tormento dos Balrogs. Ora, esses eram demônios com açoites de chama e garras de aço com os quais atormentava aqueles dos Noldoli que ousavam se opor a ele em qualquer coisa — e os Eldar os chamam de Malkarauki. Mas o alerta que Meglin fez a Melko foi o de que nem toda a hoste dos Orques, nem os Balrogs em sua ferocidade, jamais poderiam, por assalto ou cerco, ter esperança de sobrepujar as muralhas e os portões de Gondolin,

A QUEDA DE GONDOLIN

mesmo se conseguissem chegar até a planície fora da cidade. Portanto, aconselhou Melko a criar, a partir de suas feitiçarias, um socorro para seus guerreiros naquela empreitada. Da imensidão de sua riqueza de metais e de seus poderes de fogo ele o incitou a fabricar feras como serpentes e dragões de força irresistível, que rastejariam pelos Montes Circundantes e engolfariam aquela planície e sua bela cidade com chama e morte.

Então mandou que Meglin voltasse para casa, antes que por sua ausência o povo suspeitasse de algo, mas Melko teceu à volta dele o feitiço do horror sem fundo e, dali em diante, ele não teve mais nem regozijo nem calma em seu coração. Mesmo assim, usava uma bela máscara de bom ânimo e contentamento, de modo que a gente dizia: "Meglin está se suavizando", e lhe tinham menos desfavor. Idril, contudo, temia-o ainda mais. Então Meglin disse: "Labutei muito e desejo descansar e me juntar à dança e à canção e aos folguedos do povo", e não ia mais buscar pedra ou minérios nos montes, porém, em verdade, com isso buscava afogar seu medo e inquietação. Possuía-o um terror de que Melko estivesse sempre por perto, e isso vinha do feitiço, e ele nunca mais ousou vagar entre as minas, para que não caísse de novo em poder dos Orques e fosse levado mais uma vez aos terrores dos salões da escuridão.

Passam-se, pois, os anos e, incitado por Idril, Tuor continua sempre sua escavação secreta, mas, vendo que o assédio dos espiões tinha ficado menos intenso, Turgon vive mais tranquilo e com menos medo. Contudo, esses anos são, para Melko, cheios da máxima agitação de labor e todo o povo de servos dos Noldoli tem de cavar incessantemente à cata de metais enquanto Melko se senta e cria fogos e convoca chamas e fumaça a virem dos calores inferiores, nem deixa que algum dos Noldoli se afaste um passo que seja dos lugares de sua prisão. Então, certa vez, Melko reuniu todos os seus ferreiros e feiticeiros mais sagazes e, a partir de ferro e chama, fizeram uma hoste de monstros tal como só naquele tempo se viu e não há de ser vista de novo até o Grande Fim. Alguns eram todos de ferro, tão habilmente encadeados que podiam fluir como rios lentos de metal, ou se enrolar em torno e por cima de todos os obstáculos diante deles, e esses, em suas profundezas mais recônditas, eram cheios dos mais vis Orques, armados com cimitarras e lanças; a outros, de bronze e cobre, foram dados corações e espíritos de fogo ardente e incineravam tudo o que havia diante deles com o terror de seu hálito ou pisoteavam o que quer que escapasse do ardor de sua respiração; ainda outros eram criaturas de chama pura que se retorciam como cordas feitas de metal derretido e levavam à ruína qualquer matéria da qual se aproximavam, e o ferro e a pedra derretiam diante deles e tornavam-se como água, e sobre eles cavalgavam os Balrogs às centenas; e esses eram os mais temíveis de todos os monstros que Melko criara contra Gondolin.

Ora, quando tinha passado o sétimo verão desde a traição de Meglin, e Eärendel era ainda de bem tenros anos, ainda que fosse uma criança valorosa, Melko recolheu todos os seus espiões, pois cada caminho e canto das montanhas agora lhe eram conhecidos; contudo, os Gondothlim pensavam, em sua ignorância, que Melko não mais os buscasse, percebendo qual era o poder deles e a força inexpugnável de sua morada.

Mas um ânimo sombrio tomou conta de Idril e a luz de seu rosto se encobriu, e muitos se espantaram com isso; Turgon, porém, reduziu a vigia e a guarda a seus números antigos, e a um pouco menos, e, quando veio o outono e a colheita dos frutos terminou, o povo pôs-se a preparar com coração alegre as festas de inverno, mas Tuor postava-se nos parapeitos e olhava para os Montes Circundantes.

Ora, eis que Idril ficou ao lado dele, e o vento estava em seu cabelo, e Tuor, pensando que ela era de extrema beleza, inclinou-se para beijá-la, mas seu rosto estava triste e ela disse: "Agora vêm os dias em que tu terás de fazer uma escolha", e Tuor não sabia o que ela dizia. Então, trazendo-o para dentro dos salões do castelo, Idril lhe disse que seu coração tinha presságios que a faziam temer por Eärendel, seu filho, e que prenunciavam que algum grande mal estava próximo e que Melko estaria na origem dele. Então Tuor queria confortá-la, mas não conseguiu, e ela lhe perguntou acerca da escavação secreta, e Tuor disse que agora o túnel estendia-se por uma légua planície adentro, e com isso o coração dela se aliviou um pouco. Mas ainda assim Idril o aconselhou a prosseguir com a escavação e que dali em diante a rapidez deveria pesar mais que o segredo, "pois o tempo agora está muito próximo". E outro conselho lhe deu e esse ele também aceitou, dizendo que certos dos mais corajosos e leais entre os senhores e guerreiros dos Gondothlim deveriam ser escolhidos com cuidado e ficar sabendo daquela via secreta e de sua saída. Esses ela o aconselhou a transformar em uma guarda fiel e a lhes dar o seu emblema, para que se tornassem a gente dele e a fazê-lo sob o pretexto do direito e da dignidade de um grande senhor, parente do rei. "Além do mais," continuou ela, "obterei o favor de meu pai para isso." Em segredo também ela sussurrou para alguns do povo que, se a cidade corresse grave perigo ou se Turgon fosse morto, que eles se uniriam à volta de Tuor e do filho de Idril e sobre isso eles, rindo, responderam que sim, dizendo, entretanto, que Gondolin ficaria de pé por tanto tempo quanto Taniquetil ou as Montanhas de Valinor.

Contudo, a Turgon ela não falou abertamente, nem permitiu que Tuor o fizesse, como desejava, apesar do amor e da reverência que tinham por ele — um grande e nobre e glorioso rei que era —, vendo que Turgon confiava em Meglin e mantinha com obstinação cega sua crença no poderio inexpugnável da cidade e na ideia de que Melko não mais buscava capturá-la, por perceber que não havia esperança nessa empresa. Ora, nisso ele era sempre apoiado pelas falas matreiras de Meglin. Eis que a malícia daquele Gnomo era mui grande, pois muito ele fazia às escuras, de forma que o povo dizia: "Bem faz ele em portar o emblema de uma toupeira negra" e, por causa da insensatez de certos dos trabalhadores das pedreiras, e ainda mais por causa das línguas soltas de certos dos parentes dele a quem Tuor às vezes falava com algum descuido, ele tomou conhecimento da obra secreta e armou contra ela um plano só seu.

Assim avançava o inverno e fazia muito frio para aquelas regiões, de modo que congelava a planície de Tumladen e o gelo cobria suas lagoas; as fontes, porém, ainda brincavam no Amon Gwareth e as duas árvores floresciam, e o povo divertia-se até o dia de terror que estava oculto no coração de Melko.

Desse modo aquele inverno amargo passou e as neves jaziam mais profundas do que nunca sobre os Montes Circundantes; contudo, a seu tempo, uma primavera de glória maravilhosa derreteu as bordas daqueles mantos brancos, e o vale bebeu tais águas e irrompeu em flores. Então veio e passou, com folguedos de crianças, o festival de Nost-na-Lothion ou o Nascimento das Flores, e os corações dos Gondothlim ganharam esperança pelo bem que prometia aquele ano e enfim estava próxima aquela grande festa, Tarnin Austa ou os Portões do Verão. Pois sabei que em certa data era o costume deles começar uma cerimônia solene à meia-noite, continuando até mesmo ao romper da aurora de Tarnin Austa, e nenhuma voz fazia-se ouvir na cidade da meia-noite ao romper do dia, mas a aurora eles saudavam com canções antigas. Por anos incontáveis a chegada do verão tinha sido recebida assim, com música de corais que ficavam sobre a cintilante muralha do leste; e eis que chega aquela noite de vigília e a cidade está cheia de lâmpadas prateadas, enquanto nos pomares, sobre as árvores de folhas novas, luzes com cores feito joias se balançam e música baixa ouve-se pelos caminhos, mas nenhuma voz canta até a aurora.

O sol acabou de descer além dos montes, e a gente se arranja para o festival, feliz e avidamente — olhando com expectativa para o Leste. Eis que, quando ele[4] partira e tudo estava escuro, uma nova luz subitamente apareceu e um brilho havia, mas vinha das elevações ao norte, e os homens espantaram-se e juntou-se uma multidão nas muralhas e ameias. Então o assombro foi virando dúvida conforme a luz crescia e ficava ainda mais vermelha e virou terror essa dúvida quando os homens viram a neve sobre as montanhas ser tingida como se fosse por sangue. E assim foi que as serpentes-de-fogo de Melko caíram sobre Gondolin.

---

[4] No original é usado "she" [ela], pois o sol é considerado uma entidade feminina pelos Elfos no mundo ficcional de Tolkien. [N. T.]

Então atravessaram a planície cavaleiros que traziam notícia esbaforida daqueles que mantinham vigília nos picos e contaram sobre as hostes chamejantes e as formas semelhantes a dragões e disseram: "Melko vem contra nós." Grande foi o medo e a angústia dentro daquela formosa cidade, e as ruas e os caminhos ficaram cheios do choro das mulheres e dos gritos das crianças e as praças, com a reunião de soldados e o tinir das armas. Havia as bandeiras cintilantes de todas as grandes casas e famílias dos Gondothlim. Magna era a ordem de batalha da casa do rei e as suas cores eram branco e dourado e vermelho, e seus emblemas a lua e o sol e o coração escarlate. Ora, em meio a esses estava Tuor, acima de todas as cabeças, e sua cota de malha prateada brilhava e à volta dele havia grande número dos mais fortes do povo. Eis que todos esses usavam asas como se fossem de cisnes ou gaivotas em seus elmos e o emblema da Asa Alva sobre seus escudos. Mas a gente de Meglin estava disposta no mesmo lugar, e negras eram suas vestes e não portavam brasão nem emblema, mas seus capacetes redondos de aço estavam cobertos com pele de toupeira, e lutavam com machados de duas pontas semelhantes a picaretas. Ali Meglin, príncipe de Gondobar, reunira muitos guerreiros de semblante sombrio e olhar esquivo à sua volta, e um brilho avermelhado havia em seus rostos e nas superfícies polidas de seus apetrechos. Eis que todos os montes ao norte estavam em chamas, era como se rios de fogo corressem encosta abaixo até a planície de Tumladen, e a gente já podia sentir o calor que deles vinha.

E muitas outras linhagens havia lá, o povo da Andorinha e o do Arco Celestial, e desse grupo vinha o maior número de melhores arqueiros e eles estavam dispostos sobre os espaços largos das muralhas. Ora, o povo da Andorinha portava um leque de penas em seus elmos e estava paramentado de branco, azul-escuro e de roxo e negro e adornava seus escudos com uma ponta de flecha. Seu senhor era Duilin, mais ágil de todos os homens na corrida e no salto e mais preciso dos arqueiros ao acertar um alvo. Mas aqueles do Arco Celestial, sendo um povo de riqueza incontável, estavam paramentados em uma glória de cores e suas armas eram incrustadas com joias que chamejavam na luz que agora havia no céu. Cada escudo daquele batalhão era de um azul como o dos céus, e seu centro era uma joia construída com sete gemas, rubis e ametistas e safiras, esmeraldas, crisoprásios, topázios e âmbar, mas uma opala de grande tamanho havia em seus elmos. Egalmoth era o chefe deles e usava um manto azul sobre o qual as estrelas estavam bordadas em cristal, e sua espada era recurva — ora, nenhum outro dos Noldoli portava espadas curvas —, mas ele confiava antes no arco e disparava mais longe do que qualquer um entre aquela hoste.

Lá também estava o povo do Pilar e o da Torre de Neve e ambas essas gentes tinham como marechal Penlod, mais alto dos Gnomos. Havia aqueles da Árvore e eles eram uma grande casa e sua vestimenta era verde. Lutavam com bastões incrustados de ferro ou com fundas, e seu senhor, Galdor, era considerado o mais valente de todos os Gondothlim, salvo apenas Turgon. Lá estava a casa da Flor Dourada, que portava um sol com raios sobre seu escudo, e seu chefe, Glorfindel, portava um manto bordado de tal forma com fios de ouro que ele estava repleto de celidônias, como um campo na primavera, e suas armas eram cuidadosamente ornamentadas com ouro.

Então veio do sul da cidade o povo da Fonte, Ecthelion era seu senhor, e a prata e os diamantes eram o deleite deles e espadas muito longas e polidas e pálidas usavam e iam para a batalha ao som de flautas. Atrás então veio a hoste da Harpa e esse era um batalhão de bravos guerreiros, mas seu líder, Salgant, era um covarde e cobria Meglin de lisonja. Estavam adornados com borlas de prata e borlas de ouro, e uma harpa de prata brilhava no brasão deles, sobre um campo negro, mas Salgant portava uma harpa de ouro e só ele cavalgou para a batalha de todos os filhos dos Gondothlim e era pesado e atarracado.

Ora, o último dos batalhões era formado pelo povo do Martelo da Ira, e desses vinham muitos dos melhores ferreiros e artesãos, e toda aquela gente reverenciava Aulë, o Ferreiro, mais do que todos os outros Ainur. Lutavam com grandes maças semelhantes a martelos e seus escudos eram pesados, pois seus braços eram muito fortes. Em dias mais antigos, muitos dos Noldoli que escapavam das minas de Melko eram recrutados por eles, e o ódio dessa casa pelas obras daquele maligno e pelos Balrogs, seus demônios, era muitíssimo grande. Ora, o líder deles era Rog, mais forte dos Gnomos, por pouco o segundo em coragem depois de Galdor da Árvore. O emblema desse povo era a Bigorna Martelada, e um martelo que lança chispas à sua volta estava posto em seus escudos, e ouro avermelhado e ferro negro eram o deleite deles. Muito numeroso era aquele batalhão, nem tinha nenhum dentre eles coração fraco e ganharam a maior glória entre todas aquelas belas casas naquela luta contra o destino; contudo, triste foi o fado deles e nenhum jamais deixou aquele campo de batalha, pois tombaram à volta de Rog e desapareceram da Terra, e com eles muita habilidade e engenho desapareceram para sempre.

Esta era a forma e o arranjo das onze casas dos Gondothlim com suas insígnias e emblemas, e a guarda de Tuor, o povo da Asa, era considerada a décima-segunda. Agora está sombrio o rosto daquele líder e ele não espera viver muito — e em sua casa sobre as muralhas Idril se veste com cota de malha e busca Eärendel. E aquela criança estava em lágrimas por causa das estranhas luzes vermelhas que chegavam aos muros da câmara onde dormia, e histórias que sua ama, Meleth, havia contado a ele acerca do fogo de Melko nos momentos de suas traquinagens lhe vieram à cabeça e o perturbaram. Mas, veio sua mãe, colocou nele pequeníssima cota de malha que ela mandara fazer em segredo, e com isso ele ficou contente e muitíssimo orgulhoso e gritou de prazer. Mas Idril chorou, pois muito acalentara em seu coração a bela cidade e sua boa casa e seu amor por Tuor que lá habitara com ela, mas então viu que a destruição estava próxima e temeu que seus planos fracassassem contra o poder avassalador do terror das serpentes.

Estavam ainda a quatro horas do meio da noite, e o céu estava vermelho no norte e no leste e oeste, e aquelas serpentes de ferro tinham alcançado a planície de Tumladen e aqueles seres de chama estavam em meio aos sopés mais baixos dos montes, de modo que os guardas foram capturados e postos sob tormento terrível pelos Balrogs que tudo destruíam, salvo apenas na região mais ao sul, onde ficava Cristhorn, a Fenda das Águias. Então o Rei Turgon convocou um conselho e para lá foram Tuor e Meglin, como príncipes reais, e Duilin veio com Egalmoth e Penlod, o alto, e Rog chegou com Galdor da Árvore e o dourado Glorfindel e Ecthelion, o de voz musical. Para lá também foi Salgant, tremendo com as novas, e outros nobres além dele, de sangue mais humilde, mas de coração melhor.

Então falou Tuor, e este era seu alvitre, que uma grande retirada acontecesse de imediato, antes que a luz e o calor crescessem demais na planície, e muitos o apoiaram, divergindo apenas sobre partir com a hoste inteira, com as donzelas e esposas e crianças em meio a ela, ou com diversos grupos abrindo caminho em muitas direções, e a essa segunda visão Tuor inclinava-se.

Mas Meglin e Salgant apenas tinham outro conselho e eram a favor de se manter na cidade e tentar proteger aqueles tesouros que havia lá dentro. Por malícia Meglin assim falou, temendo que algum dos Noldoli escapasse da ruína que tinha trazido sobre eles, e por horror de que sua traição se tornasse conhecida e, de algum modo, a vingança o achasse algum dia. Mas Salgant falou, tanto ecoando Meglin quanto temendo terrivelmente sair da cidade, pois preferia antes lutar dentro de uma fortaleza inexpugnável do que arriscar os duros golpes no campo de batalha.

Então o senhor da casa da Toupeira jogou com a única fraqueza de Turgon, dizendo: "Vede, ó Rei, a cidade de Gondolin contém riqueza de joias e metais e petrechos e coisas feitas pelas mãos dos Gnomos com beleza incomparável e tudo isso vossos senhores — mais corajosos, a mim parece, do que sábios — desejam abandonar ao Adversário. Mesmo que for vossa a vitória na planície, vossa cidade será saqueada e os Balrogs daqui sairão com butim imensurável", e Turgon gemeu, pois Meglin conhecia seu grande amor pela riqueza e beleza daquele burgo sobre o Amon Gwareth. De novo disse Meglin, colocando fogo em sua voz: "Sus! Será que labutastes para nada por anos incontáveis na construção de muros de espessura inexpugnável, erigindo portões cuja fortaleza não pode ser sobrepujada, tornou-se o poder do monte Amon Gwareth tão baixo quanto o do vale profundo, ou o acúmulo de armas que jaz sobre ele e suas flechas inumeráveis de tão pouco valor que, na hora do perigo, lançaríeis tudo de lado e partiríeis nu para o campo aberto contra inimigos de aço e fogo, cujo pisotear balança a terra e faz as Montanhas Circundantes vibrarem com o clamor de suas passadas?"

E Salgant estremeceu ao pensar nisso e falou com rumor, dizendo: "Meglin fala bem, ó Rei, ouvi-o." Então o rei seguiu o conselho daqueles dois, embora todos os senhores falassem de outra maneira, aliás, mais ainda por isso: portanto, ao seu comando, todo o povo então ficou para encarar o assalto às muralhas. Mas Tuor chorou e deixou o salão do rei e, reunindo os homens da Asa, atravessou as ruas buscando sua casa, e naquela hora a luz estava forte e lúrida e havia calor sufocante e uma fumaça negra e um fedor levantou-se entre os caminhos que conduziam à cidade.

E então vieram os Monstros, atravessando o vale, e as torres brancas de Gondolin avermelharam-se diante deles, mas até os mais fortes ficaram aterrorizados, vendo aqueles dragões de fogo e aquelas serpentes de bronze e ferro que já vinham chegando ao monte da cidade, e dispararam flechas inúteis contra eles. Então se ouviu um grito de esperança, pois eis que as cobras de fogo não conseguem escalar o monte, já que ele é íngreme e escorregadio e por causa das águas que caem por suas encostas, apagando o fogo, mas elas jaziam ao pé do monte e ergueram-se vastos vapores onde as torrentes do Amon Gwareth e as chamas das serpentes se encontravam. Então ali cresceu tal calor que as mulheres desmaiavam e os homens suavam até a exaustão sob sua cota de malha, e todas as fontes da cidade, salvo apenas a fonte do rei, esquentaram e fumegaram.

Mas naquela hora Gothmog, senhor de Balrogs, capitão das hostes de Melko, pôs-se a pensar e reuniu todas as suas criaturas de ferro que podiam se enrolar em torno e acima de todos os obstáculos diante delas. Essas ele mandou que se empilhassem diante do portão norte e eis que suas grandes espirais alcançavam até mesmo o limiar do portão e lançavam-se contra as torres e os bastiões em torno dele, e por razão do imenso peso de seus corpos, aqueles portões caíram e grande foi o barulho disso; contudo, a maioria das muralhas em torno deles continuava firme. Então as máquinas e catapultas do rei despejaram dardos e pedras e metais derretidos naquelas feras impiedosas, e suas barrigas ocas ressoaram com as pancadas, mas isso de nada valeu, pois não podiam ser quebradas e os fogos rolaram por cima delas. Então as que estavam no topo se abriram na parte do meio e uma hoste inumerável de Orques, os gobelins do ódio, despejaram-se pela brecha, e quem há de contar sobre suas cimitarras ou o brilho de suas lanças de ponta larga, com as quais atacavam?

Então gritou Rog com voz poderosa, e todo o povo do Martelo da Ira e a gente da Árvore, com Galdor, o valente, saltaram contra o inimigo. Lá os golpes de seus grandes martelos e as pancadas de seus bastões ecoaram até as Montanhas Circundantes, e os Orques caíram como folhas, e aqueles da Andorinha e do Arco despejaram flechas como as chuvas escuras do outono sobre o inimigo, e tanto Orques quanto Gondothlim também caíam com a fumaça e a confusão. Grande foi aquela batalha, mas, apesar de todo o seu valor, os Gondothlim, por causa da força dos números dos adversários, os quais cada vez mais aumentavam, foram lentamente empurrados para trás até que os gobelins dominaram parte do extremo norte da cidade.

Naquele momento, Tuor estava à frente do povo da Asa, lutando no tumulto das ruas e, quando conseguiu abrir caminho até sua casa, descobriu que Meglin chegara antes dele. Fiando-se na batalha que então começara no portão norte e na balbúrdia pela cidade, Meglin aguardara essa hora para a consumação de seus desígnios. Descobrindo muito sobre a escavação secreta de Tuor (contudo, só no último momento obteve ele esse conhecimento e não conseguiu descobrir tudo), não disse nada ao rei ou a qualquer outro, pois pensava que com certeza aquele túnel iria, no fim, rumo à Via de Escape, sendo essa a mais próxima da cidade, e ele tinha a ideia de usar isso para seu bem e para o mal dos Noldoli. Mensageiros, com grande sigilo, despachou para Melko, a fim de que pusesse uma guarda em torno da saída daquela Via quando o assalto começasse, mas ele mesmo pensava agora em tomar Eärendel e lançá-lo ao fogo sob as muralhas e, agarrando Idril, forçá-la-ia a guiá-lo pelos segredos da passagem para que pudesse se safar desse terror de fogo e matança e arrastá-la-ia consigo para as terras de Melko. Ora, Meglin estava temeroso de que mesmo o salvo-conduto secreto que Melko lhe dera de nada serviria naquele saque terrível e tinha em mente ajudar aquele Ainu no cumprimento de suas promessas de segurança. Nenhuma dúvida, entretanto, tinha quanto à morte de Tuor naquele grande incêndio, pois a Salgant ele confiara a tarefa de atrasá-lo nos salões do rei e incitá-lo a entrar diretamente no momento mais mortal da luta — mas eis que Salgant caiu em um terror mortal e cavalgou para casa e lá jazeu trêmulo em sua cama, e Tuor foi para sua casa com o povo da Asa.

Ora, Tuor fez isso, embora seu valor se levantasse diante do barulho da guerra, para poder dizer adeus a Idril e a Eärendel e mandá-los, junto com uma guarda, pelo caminho secreto antes que ele próprio retornasse ao calor da batalha para morrer, se preciso fosse, mas achou uma aglomeração do povo da Toupeira diante de sua porta, e esses eram os mais sombrios e os de coração menos bom que Meglin pôde reunir naquela cidade. Contudo, eram eles Noldoli livres e sob nenhum feitiço de Melko, ao contrário de seu mestre, donde embora, por causa do senhorio de Meglin, eles não ajudassem Idril, em nada além disso seguiram o propósito do Gnomo, apesar de todos os seus insultos.

Naquela hora, então, Meglin agarrara Idril pelo cabelo e buscara arrastá-la até as ameias, pela crueldade de seu coração, para que ela visse a queda de Eärendel nas chamas, mas ele se atrapalhara ao carregar aquela criança, e Idril lutara, sozinha como estava, feito uma tigresa, apesar de toda a sua formosura e pequenez. Naquele momento Meglin luta e demora-se, praguejando, enquanto o povo da Asa se aproxima — e eis que Tuor solta um grito tão grande que os Orques o ouvem de longe e hesitam diante desse som. Feito o romper da tempestade, a guarda da Asa surge em meio aos homens da Toupeira e esses são derrubados. Quando Meglin viu isso, quis apunhalar Eärendel com uma faquinha que carregava, mas aquela criança mordeu a mão esquerda dele, fincando nela seus dentes, e ele balançou e o golpeou fracamente, e a pequena cota de malha desviou a lâmina, e depois disso Tuor veio sobre ele e sua ira era terrível de ver. Tomou Meglin por aquela mão que segurava a faca e quebrou o braço com esse aperto, e então, tomando-o pela cintura, saltou com ele para cima das muralhas e o lançou para longe. Grande foi a queda de seu corpo e atingiu o Amon Gwareth três vezes antes que caísse no meio das chamas, e o nome de Meglin tornou-se sinal de vergonha entre Eldar e Noldoli.

Então os guerreiros da Toupeira, sendo mais numerosos do que aqueles poucos da Asa e leais ao seu senhor, vieram contra Tuor, e houve grandes golpes, mas nenhum homem podia ficar diante da ira de Tuor, e eles foram derrotados e forçados a fugir para os buracos escuros que conseguiram achar ou lançados das muralhas. Então Tuor e seus homens precisavam chegar à batalha no Portão, pois o estrondo dela se tornava mui grande e Tuor tinha ainda em seu coração a ideia de que a cidade podia resistir; contudo, com Idril ele deixou Voronwë, contra a vontade desse, e alguns outros espadachins para guardá-la até que ele retornasse ou mandasse notícias da luta.

Nesse momento a batalha naquele portão caminhava de fato muito mal e Duilin da Andorinha, enquanto disparava das muralhas, foi atingido por uma seta de fogo dos Balrogs que saltavam à volta da base do Amon Gwareth; ele caiu das ameias e pereceu. Então os Balrogs continuaram a lançar dardos de fogo e flechas flamejantes feito pequenas serpentes no céu, e esses caíam sobre os tetos e jardins de Gondolin até que todas as árvores foram incineradas e as flores e a grama queimaram e a brancura daquelas muralhas e colunatas enegreceu e foi destruída; contudo, pior ainda foi que uma companhia daqueles demônios subiu nas volutas das serpentes de ferro e de lá disparou sem cessar de seus arcos e fundas até que um incêndio começou a arder na cidade às costas do principal exército dos defensores.

Então disse Rog com grande voz: "Quem agora há de temer os Balrogs, apesar de todo o seu terror? Vede diante de nós os malditos que por eras atormentam os filhos dos Noldoli e que agora põem fogo às nossas costas com seus disparos. Vinde, ó vós do Martelo da Ira, e vamos golpeá-los pelo mal que fazem." Em seguida, ergueu sua maça, e o cabo dela era longo, e ele abriu caminho diante de si pela ira de seu avanço, chegando até mesmo ao portão derrubado, mas todo o povo da Bigorna Martelada acorreu atrás dele como ponta de lança, e chispas saíam de seus olhos com a força de sua raiva. Um grande feito foi aquele ataque, como ainda cantam os Noldoli, e muitos dos Orques foram lançados para trás na direção dos fogos lá embaixo, mas os homens de Rog saltaram até mesmo por sobre as volutas das serpentes e chegaram àqueles Balrogs e os feriram gravemente, apesar de todos os seus açoites de chama e garras de aço e de sua mui grande estatura. Martelaram-nos até virarem uma massa indistinta ou, agarrando seus açoites, usaram-nos contra eles, lacerando-os do mesmo modo como antes haviam lacerado os Gnomos, e o número dos Balrogs que pereceram era um assombro e um terror para as hostes de Melko, pois antes daquele dia nunca algum dos Balrogs tinha sido morto pelas mãos de Elfos ou Homens.

Então Gothmog, Senhor de Balrogs, reuniu todos os seus demônios que estavam em volta da cidade e ordenou que assim fizessem: alguns deles foram até o povo do Martelo e recuaram diante desse grupo, mas a companhia mais numerosa, apressando-se pelos flancos, achou maneira de chegar pela retaguarda, subindo pelas volutas dos dracos e mais perto dos portões, de modo que Rog não poderia retornar, salvo com grande mortandade entre seu povo. Porém Rog, vendo isso, não tentou retornar, como era esperado, mas com todo o seu povo caiu sobre aqueles cujo papel era recuar, e fugiram diante dele, agora por premente necessidade e não por ardil. Foram assolados até lá embaixo, na planície, e seus gritos rasgaram os ares de Tumladen. Então aquela casa do Martelo pôs-se a golpear e retalhar os bandos assustados de Melko até que foram detidos enfim por uma força avassaladora de Orques e de Balrogs, e um draco-de-fogo foi lançado contra eles. Lá pereceram à volta de Rog, atacando até o fim, quando o ferro e a chama os sobrepujaram e ainda hoje canta-se que cada homem do Martelo da Ira tirou as vidas de sete adversários como paga pela sua própria. Então caiu mais pesadamente o horror sobre os Gondothlim pela morte de Rog e a perda de seu batalhão, e eles recuaram ainda mais para dentro da cidade e Penlod pereceu lá, em uma alameda com suas costas para a muralha e, à volta dele, também muitos homens do Pilar e muitos da Torre de Neve.

Com isso, portanto, os gobelins de Melko tomaram todo o portão e grande parte das muralhas de ambos os lados, de onde muitos dos da Andorinha e aqueles do Arco-Íris foram lançados para sua ruína, mas dentro da cidade eles tinham ganhado um grande trecho que chegava perto do centro, até mesmo ao lugar do Poço que ficava ao lado da praça do Palácio. Contudo, em torno desses lugares e do portão os mortos deles estavam empilhados em montes incontáveis, e eles pararam, portanto, e traçaram seus planos, vendo que, pelo valor dos Gondothlim, tinham perdido muitos mais do que tinham esperado e bem mais do que aqueles defensores. Temorosos também estavam pela matança que Rog causara entre os Balrogs, porque graças àqueles demônios eles tinham grande coragem e confiança de coração.

Ora, o plano que traçaram então foi proteger o que já tinham conquistado, enquanto aquelas serpentes de bronze e com grandes patas, adequadas para pisotear, subissem devagar por cima daquelas de ferro e, alcançando os muros, abrissem neles uma brecha através da qual os Balrogs pudessem passar cavalgando os dragões de chama; contudo, sabiam que isso tinha de ser feito rapidamente, pois os calores daqueles dracos não durariam para sempre e só poderiam ser abastecidos nos poços de fogo que Melko fizera na fortaleza de sua própria terra.

Mas, no momento em que seus mensageiros partiam, ouviram uma música doce que soava em meio à hoste dos Gondothlim e temeram o que aquilo poderia significar: e eis que vieram Ecthelion e o povo da Fonte, que Turgon até agora tinha mantido em reserva, pois observara a maior parte daquele confronto das alturas de sua torre. Ora, marchava esse povo ao grande som de suas flautas e o cristal e a prata de seus petrechos era mui belo de ver em meio à luz vermelha dos incêndios e o negrume das ruínas.

Então, de repente, cessou a música deles e Ecthelion da bela voz gritou que se desembainhassem as espadas, e antes que os Orques pudessem prever seu ataque, o chamejar daquelas lâminas brancas estava no meio deles. Conta-se que o povo de Ecthelion lá matou mais dos gobelins do que os que jamais caíram em todas as batalhas dos Eldalië com aquela raça e que seu nome é um terror no meio deles até estes últimos dias e um grito de guerra para os Eldar.

É agora que Tuor e os homens da Asa entram na luta e se postam ao lado de Ecthelion e daqueles da Fonte, e os dois assestam golpes poderosos, e cada um bloqueia muita investida contra o outro, e assolam os Orques de modo que quase chegam a abrir caminho até o portão. Mas eis que surge um tremor e um tropel, pois os dragões muito se esforçam para abrir caminho até o Amon Gwareth e derrubar as muralhas da cidade, e já há uma brecha ali e uma confusão de pedaços de alvenaria, onde as torres de guarda caíram em ruína. Grupos da Andorinha e do Arco do Céu ali lutam ferozmente em meio aos destroços ou contestam ao inimigo a posse das muralhas a leste e a oeste, mas, no momento em que Tuor se aproxima, desbaratando os Orques, uma dessas serpentes brônzeas empurra o muro do oeste e uma grande massa dele treme e tomba, e atrás dela vem uma criatura de fogo, com Balrogs sobre ela. Chamas jorram da mandíbula daquela serpe e a gente fenece diante dela, e as asas do elmo de Tuor ficam enegrecidas, mas ele continua de pé e reúne à sua volta a guarda e todos aqueles do Arco e da Andorinha que consegue achar, enquanto na sua direita Ecthelion congrega os homens da Fonte do Sul.

Ora, os Orques de novo criam coragem com a chegada dos dracos e misturam-se aos Balrogs que jorram pela brecha e atacam os Gondothlim ferozmente. Ali Tuor matou Othrod, um senhor dos Orques, rachando seu elmo, e Balcmeg ele cortou ao meio e a Lug golpeou de tal forma com seu machado que as pernas foram cortadas debaixo dele na altura do joelho, mas Ecthelion estripou dois capitães dos gobelins com um único golpe e rachou a cabeça de Orcobal, o principal de seus campeões, até os dentes, e, por causa da grande bravura desses dois senhores, chegaram até mesmo aos Balrogs. Desses demônios de poder Ecthelion matou três, pois o brilho de sua espada lhes cortava seu ferro e feria até o fogo deles, e eles se contorciam; contudo, do salto daquele machado Dramborleg, que era girado pela mão de Tuor, tinham eles ainda mais medo, pois cantava como o rumor de asas de águia no ar e concedia a morte enquanto descia, e cinco caíram diante dele.

Mas assim é: poucos não podem lutar para sempre contra muitos, e o braço esquerdo de Ecthelion sofreu uma laceração terrível do açoite de um Balrog e seu escudo caiu por terra na hora em que um dragão de fogo se aproximava em meio à ruína das muralhas. Então Ecthelion precisou se apoiar em Tuor, e Tuor não podia deixá-lo, ainda que os pés da fera estivessem quase em cima deles, e estavam prestes a ser sobrepujados, mas Tuor golpeou um dos pés da criatura, de forma que as chamas vazaram, e aquela serpente gritou, chicoteando com sua cauda, e muitos, tanto dos Orques quanto dos Noldoli, disso tiveram sua morte. Então Tuor reuniu forças e carregou Ecthelion e, junto com um remanescente de seu povo, abaixando-se, escapou do draco, mas terrível foi a mortandade de homens causada por aquela fera, e os Gondothlim foram duramente abalados.

Assim foi que Tuor, filho de Peleg, recuou diante do adversário, lutando conforme cedia terreno, e levou daquela batalha Ecthelion da Fonte, mas os dracos e inimigos dominaram metade da cidade e todo o norte dela. Dali bandos de atacantes saíram pelas ruas e muito saquearam ou assassinaram no escuro homens e mulheres e crianças, e muitos, se a ocasião permitia, amarraram e lançaram nas câmaras de ferro em meio aos dragões, a fim de que pudessem mais tarde levá-los para serem servos de Melko.

Ora, Tuor alcançou a Praça do Poço por um caminho que entrava pelo norte e lá encontrou Galdor barrando a entrada oeste, pelo Arco de Inwë, diante de uma horda de gobelins, mas à volta dele havia então apenas uns poucos daqueles homens da Árvore. Então tornou-se Galdor a salvação de Tuor, pois ele tombou atrás de seus homens, tropeçando, diante de Ecthelion, em um corpo que jazia no escuro, e os Orques teriam capturado a ambos não fosse o ataque repentino daquele campeão e a força de sua clava.

Lá estavam os resquícios da guarda da Asa e das casas da Árvore e da Fonte, e da Andorinha e do Arco, unidos em um bom batalhão, e pelo conselho de Tuor eles recuaram para fora do Lugar do Poço, vendo que a Praça do Rei, que estava ao lado, era mais defensável. Ora, aquele lugar, em tempos de outrora, contivera muitas e belas árvores, tanto carvalhos quanto choupos, em volta de um grande poço de vasta profundidade e grande pureza d'água, contudo, naquela hora, estava cheio do tumulto e da feiura daquele horrendo povo de Melko, e suas águas foram poluídas por seus cadáveres.

Assim vem a última reunião corajosa daqueles defensores na Praça do Palácio de Turgon. Entre eles estão muitos feridos e prestes a desmaiar e Tuor está cansado pelos labores da noite e pelo peso de Ecthelion, que desfalece mortalmente. Assim que ele liderou aquele batalhão para dentro da praça, pela Estrada dos Arcos, a partir do noroeste (e muito sofreram para evitar que algum inimigo chegasse às suas costas), um alarido levantou-se a leste da praça e eis que Glorfindel lá entra com os últimos dos homens da Flor Dourada.

Ora, esses tinham suportado um conflito terrível no Grande Mercado a leste da cidade, onde uma força de Orques liderada por Balrogs veio contra eles sem aviso, enquanto marchavam por um caminho tortuoso para o combate no portão. Isso eles fizeram para surpreender o inimigo no seu flanco esquerdo, mas caíram eles próprios em emboscada; ali lutaram duramente por horas, até que um draco-de-fogo que acabara de vir da brecha os sobrepujou, e Glorfindel abriu caminho com muita dificuldade e com poucos homens, mas aquele lugar, com suas lojas e boas coisas de fina lavra, tornou-se uma desolação de chamas.

Diz a história que Turgon tinha mandado os homens da Harpa em seu auxílio, por causa da urgência que pediam os mensageiros de Glorfindel, mas Salgant ocultou esse pedido deles, dizendo que deviam guarnecer a praça do Mercado Menor ao sul, onde ele habitava, e eles se apressaram para lá. Naquela hora, porém, separaram-se de Salgant e chegaram diante do salão do rei, e isso foi bem a tempo, pois uma massa triunfante de inimigos estava nos calcanhares de Glorfindel. Sobre esses os homens da Harpa, sem aviso, caíram com grande avidez e redimiram totalmente a covardia de seu senhor, empurrando o inimigo de volta ao mercado e, estando sem líder, avançaram com ira desmedida, de modo que muitos ficaram presos nas chamas ou tombaram sob o hálito da serpente que lá se deleitava.

Tuor então bebeu da grande fonte e refrescou-se e, afrouxando o elmo de Ecthelion, deu-lhe de beber, molhando o rosto dele de tal modo que sua fraqueza o deixou. Agora esses senhores, Tuor e Glorfindel, limpam a praça e retiram todos os homens que podem das entradas e as barram com obstáculos, salvo, por enquanto, as do sul. E daquela mesma região vem agora Egalmoth. Ele tinha ficado encarregado das máquinas na muralha, mas, já fazia tempo, considerando que o caso pedia antes golpes de espada nas ruas do que disparos das ameias, reunira alguns do Arco e da Andorinha à sua volta e lançara para longe seu arco. Então andaram pela cidade assestando bons golpes sempre que se encontravam com bandos do inimigo. Com isso resgataram muitos grupos de cativos e congregaram não poucos homens que vagavam confusos, e assim chegaram à Praça do Rei com dura luta, e os homens de bom grado o saudaram, pois temiam que estivesse morto. Agora todas as mulheres e crianças que tinham se reunido lá ou tinham sido trazidas por Egalmoth são abrigadas nos salões do rei e as fileiras de cada casa preparam-se para o fim. Naquela hoste de sobreviventes estão alguns, ainda que poucos, de todas as gentes, salvo apenas a do Martelo da Ira, e a casa do rei ainda está intocada. Nem é isso vergonha alguma, pois o papel deles foi sempre se manter descansados até o fim e defender o rei.

Naquele momento, porém, os homens de Melko reuniram suas forças e sete dragões de fogo vieram com Orques à sua volta e Balrogs montados neles de todos os caminhos do norte, leste e oeste, buscando a Praça do Rei. Então houve carnificina nas barreiras e Egalmoth e Tuor iam de lugar a lugar da defesa, mas Ecthelion ficou ao lado da fonte, e aquela luta foi a mais teimosa e valente entre as recordadas em todas as canções ou em qualquer conto. Contudo, finalmente, um draco fez explodir a barreira ao norte — e lá antes fora a saída do Beco das Rosas e um belo lugar de se ver e onde caminhar, mas então ali havia não mais que uma rua de negrume, cheia de barulho.

Tuor então pôs-se no caminho daquela fera, mas separou-se de Egalmoth, e o empurraram para trás até o centro da praça, perto da fonte. Lá ficou exausto pelo calor sufocante e foi derrubado por um grande demônio, pelo próprio Gothmog, senhor de Balrogs, filho de Melko. Mas eis que Ecthelion, cujo rosto tinha a palidez do aço cinzento e cujo braço de escudo pendia inerte ao lado do corpo, pôs-se por cima de Tuor quando ele caiu e aquele Gnomo atacou o demônio, mas não pôde matá-lo, recebendo antes um ferimento no braço com que usava a espada, de modo que a arma deixou sua mão. Então saltou Ecthelion, senhor da Fonte, mais belo dos Noldoli, contra Gothmog na hora em que esse erguia seu açoite, e seu elmo, que tinha uma ponta, ele o cravou naquele peito maligno e trançou suas pernas em volta das coxas de seu inimigo, e o Balrog urrou e caiu para a frente, mas aqueles dois tombaram no lago da fonte do rei, que era muito profundo. Lá encontrou aquela criatura o seu fim e Ecthelion, com o peso do aço, ficou nas profundezas, e assim pereceu o senhor da Fonte, depois daquela ígnea batalha, nas águas frias.

Ora, Tuor tinha se erguido quando o ataque de Ecthelion lhe dera espaço e, vendo aquele grande feito, chorou por seu amor àquele belo Gnomo da Fonte, mas, sendo envolvido pela batalha, mal conseguiu abrir caminho entre o povo em volta do palácio. Lá, vendo a hesitação do inimigo por razão do terror diante da queda de Gothmog, marechal das hostes, a casa real atacou, e o rei desceu em esplendor em meio a eles e com eles golpeava, de modo que varreram de novo boa parte da praça, e dos Balrogs mataram até duas vintenas, o que é, de fato, proeza muito grande, mas outra maior ainda realizaram, pois encurralaram um dos dracos-de-fogo, apesar de todas as suas chamas, e o forçaram a entrar nas próprias águas da fonte, nas quais ele pereceu. Ora, esse foi o fim daquela bela água, e suas lagoas viraram fumaça e sua fonte secou e não mais se lançou para o firmamento, mas antes uma vasta coluna de vapor subiu ao céu e a nuvem dela flutuou por cima de toda a terra.

Então caiu sobre todos o terror pela ruína da fonte e a praça ficou cheia de brumas de calor escaldante e névoas que cegavam, e o povo da casa real foi morto pelo calor e pelo inimigo e por serpentes e uns pelos outros, mas um grupo deles salvou o rei e eles se reuniram para resistir sob Glingol e Bansil.

Então disse o rei: "Grande é a queda de Gondolin", e os homens estremeceram, pois tais foram as palavras de Amnon, o profeta de outrora, mas Tuor, falando desvairadamente, por ira e por amor ao rei, gritou: "Gondolin ainda resiste e Ulmo não permitirá que pereça!" Ora, estavam naquela hora postados, Tuor perto das Árvores e o rei sobre as Escadas, como estiveram muito antes, quando Tuor transmitira a mensagem de Ulmo. Mas Turgon disse: "O mal fiz cair sobre a Flor da Planície, à revelia de Ulmo, e agora ele a deixa fenecer no fogo. Eis que esperança não há mais em meu coração por minha cidade de beleza, mas os filhos dos Noldoli não serão derrotados para sempre."

Então os Gondothlim bateram suas armas umas contra as outras, pois muitos ouviam por perto, mas Turgon disse: "Não luteis contra o destino, ó meus filhos! Buscai, vós que podeis, a segurança da fuga, caso ainda haja tempo, mas que vossa lealdade caiba a Tuor." Mas Tuor disse: "Vós sois rei", e Turgon respondeu: "Eu, porém, não desferirei mais golpe algum" e lançou sua coroa aos pés de Glingol. Então Galdor, que lá estava, pegou a coroa, mas Turgon não a aceitou e, de cabeça descoberta, subiu ao pináculo mais alto daquela torre branca que ficava perto de seu palácio. Lá gritou com voz semelhante a uma trompa soada em meio às montanhas, e todos os que estavam reunidos sob as Árvores e os inimigos nas brumas da praça o ouviram: "Grande é a vitória dos Noldoli!" E conta-se que era então o meio da noite e que os Orques urraram em zombaria.

Então os homens falaram de uma surtida e eram de duas opiniões. Muitos sustentavam que era impossível atravessar e que, de qualquer modo, não conseguiriam passar pela planície ou através dos montes e que era melhor, portanto, morrer à volta do rei. Mas Tuor não podia conceber a morte de tantas belas mulheres e crianças, fosse pelas mãos de seu próprio povo em último caso, fosse pelas armas do inimigo, e falou da escavação e da via secreta. Portanto, aconselhou que implorassem a Turgon que mudasse de ideia e, vindo em meio a eles, liderasse aquele remanescente para o sul, até as muralhas e a entrada daquela passagem, mas ele próprio ardia de desejo de ir até lá e saber como estavam Idril e Eärendel ou de levar notícias para eles e ordenar que partissem rapidamente, pois Gondolin fora tomada. Ora, o plano de Tuor pareceu de fato desesperado aos senhores da cidade — vendo a estreiteza do túnel e a grandeza da companhia que precisava passar ali dentro —, mas de bom grado adotariam esse conselho em tal aperto. Mas Turgon não os ouviu, e ordenou que partissem naquele momento, antes que fosse tarde demais. "Que Tuor", disse ele, "seja vosso guia e vosso chefe. Mas eu, Turgon, não deixarei minha cidade e queimarei com ela." Então mandaram de novo mensageiros à torre, dizendo: "Senhor, quem serão os Gondothlim se vós perecerdes? Liderai-nos!" Mas ele disse: "Sus! Aqui fico", e ainda uma terceira vez ele disse: "Se sou rei, obedecei aos meus pedidos e não ouseis debater mais minhas ordens." Depois disso não mandaram mais mensagens e se aprontaram para aquela tentativa desesperada. Mas o povo da casa real que ainda vivia não arredou pé, mas reuniu-se em fileiras cerradas na base da torre do rei. "Aqui", disseram eles, "ficaremos se Turgon não sair", e não foi possível persuadi-los.

Estava, pois, Tuor duramente dividido entre sua reverência pelo rei e seu amor por Idril e seu filho que lhe doía o coração; contudo, já serpentes rastejam pela praça, passando por sobre os mortos e os moribundos, e o inimigo reúne-se nas brumas para o último ataque; a escolha tem de ser feita. Então, por causa dos gemidos das mulheres nos salões do palácio e da grandeza de sua piedade por aquele triste resto dos povos de Gondolin, ele reuniu toda aquela chorosa companhia, damas, crianças e mães e, colocando-as no meio, congregou da melhor forma que pôde seus homens ao redor delas. Deixou as fileiras mais espessas nos flancos e atrás, pois pretendia recuar para o sul lutando da maneira mais adequada possível pela retaguarda conforme prosseguisse e, assim, se pudesse, avançar pela Estrada das Pompas até o Lugar dos Deuses antes que alguma grande força fosse enviada para detê-lo. Dali era seu pensamento seguir pela Via das Águas Correntes, passando pelas Fontes do Sul, até as muralhas e sua morada, mas a travessia do túnel secreto despertava-lhe muitas dúvidas. Logo depois, percebendo seus movimentos, o inimigo de imediato desferiu um grande ataque sobre seu flanco esquerdo e sua retaguarda — do leste e do norte — bem na hora em que ele começava a recuar, mas sua direita estava coberta pelo salão do rei e a frente daquela coluna já entrava na Estrada das Pompas.

Então alguns dos mais imensos dos dracos aproximaram-se, brilhando em meio à névoa, e ele foi forçado a ordenar que a companhia seguisse correndo, enquanto lutava na esquerda às cegas, mas Glorfindel protegeu a retaguarda com vigor e muitos mais da Flor Dourada lá tombaram. Assim foi que eles passaram pela Estrada das Pompas e chegaram a Gar Ainion, o Lugar dos Deuses; esse era muito aberto e a sua parte média, o terreno mais alto de toda a cidade. Ali Tuor prepara-se para um combate terrível e quase não tem esperança de ir muito adiante, mas eis que o inimigo já parece perder ânimo e quase ninguém mais os segue, e isso é um assombro. Agora chega Tuor, à frente deles, ao Lugar das Bodas, e eis que lá está Idril diante dele com seu cabelo solto como no dia do casamento deles muito antes, e grande é o espanto dele. Ao lado dela estava Voronwë e mais ninguém, mas Idril não viu nem mesmo Tuor, pois seu olhar tinha se fixado atrás dele, na Praça do Rei, que ficava um pouco abaixo deles. Então toda aquela hoste parou e olhou para trás, para onde os olhos dela miravam, e seus corações pararam, pois agora viam por que o inimigo os pressionava tão pouco e a razão de sua salvação. Eis que um draco estava enroscado nos próprios degraus do palácio e conspurcava a sua brancura, mas enxames dos Orques saqueavam tudo e arrastavam para fora mulheres e crianças ou matavam homens que lutavam sozinhos. Glingol definhou até o âmago, Bansil estava totalmente enegrecida e a torre do rei estava cercada. Lá no alto conseguiam divisar a forma do rei, mas em volta da base uma serpente de ferro esguichando chama chicoteava e revirava a sua cauda, e Balrogs havia em torno dele, e estava a casa do rei em grande angústia e gritos terríveis chegavam aos que observavam. Assim foi que o saque dos salões de Turgon e a grande valentia da casa real ocuparam a mente do inimigo, de modo que Tuor conseguiu sair de lá com sua companhia e estava agora em lágrimas no Lugar dos Deuses.

Então disse Idril: "Desgraçada de mim, cujo pai espera a ruína em seu mais alto pináculo, mas sete vezes desgraçada é aquela cujo senhor caiu diante de Melko e nunca mais voltará para casa" — pois estava desesperada com a agonia daquela noite.

Então disse Tuor: "Sus, Idril, sou eu e eu vivo; agora, porém, trarei teu pai aqui, ainda que seja dos Salões de Melko!" Com isso, queria descer a colina sozinho, enlouquecido pela tristeza de sua esposa, mas ela, recuperando seu juízo, em uma tempestade de choro, agarrou-se a seus joelhos dizendo: "Meu senhor! Meu senhor!" e o deteve. Contudo, enquanto falava, um grande barulho e um urro levantaram-se daquele lugar de angústia. Eis que a torre foi lambida pelas chamas e, em uma explosão de fogo, veio abaixo, pois os dragões esmagaram a base dela e todos os que estavam lá. Grande foi o retinir daquela queda terrível e assim se foi Turgon, Rei dos Gondothlim, e naquela hora a vitória era de Melko.

Então disse Idril, pesarosa: "Triste é a cegueira dos sábios", mas Tuor completou: "Triste também é a teimosia daqueles que amamos — mas foi uma falha valente", então, abaixando-se, ergueu-a em seus braços e a beijou, pois era para ele mais do que todos os Gondothlim, mas ela chorava amargamente por seu pai. Então virou-se Tuor para os capitães, dizendo: "Eis que devemos partir daqui com toda a velocidade, para que não sejamos cercados", e imediatamente seguiram avante o mais velozmente que puderam e já estavam longe dali quando os Orques se cansaram de saquear o palácio e de se regozijar com a queda da torre de Turgon.

Agora estão na parte sul da cidade e encontram apenas bandos dispersos de saqueadores que fogem diante deles; contudo, acham fogo e incêndios por toda parte, por causa da crueldade daquele inimigo. Mulheres encontram, algumas com criancinhas e outras com seus bens nas mãos, mas Tuor não deixa que carreguem nada além de um pouco de comida. Chegando enfim a um lugar um pouco mais quieto, Tuor pediu notícias a Voronwë, já que Idril não falava e estava quase desfalecida, e Voronwë lhe contou como ela e ele tinham esperado diante das portas da casa, enquanto o barulho daquelas batalhas crescia e estremecia seus corações, e Idril chorava pela falta de notícias de Tuor. Enfim mandara ela a maior parte de sua guarda pelo caminho secreto com Eärendel, forçando-os a partir com palavras imperiosas, mas foi grande o seu pesar com aquela separação. Ela própria ficaria, disse, nem buscaria viver mais tempo do que o seu senhor, então saiu pelas ruas reunindo mulheres e outros que vagavam e enviando-os para o túnel e atacando saqueadores com seu pequeno grupo, sequer conseguiram dissuadi-la de usar uma espada.

Acabaram então encontrando um bando do inimigo que era numeroso demais e Voronwë a tinha arrastado de lá só com a sorte dos Deuses, pois todos os demais que estavam com eles pereceram e o inimigo queimara a casa de Tuor, mas não encontrou a via secreta. "Com isso," disse Voronwë, "tua senhora ficou desesperada de cansaço e tristeza e caminhou cidade adentro desvairadamente, para meu grande temor — nem consegui fazê-la fugir dos incêndios."

Conforme diziam essas palavras, chegaram às muralhas do sul e perto da casa de Tuor, e eis que estava derrubada, e saía fumaça dos escombros, e isso encheu Tuor de amarga ira. Mas ouviu-se um ruído que pressagiava a chegada de Orques, e Tuor despachou aquela companhia o mais rápido que pôde para a via secreta.

Agora há grande pesar naquela escada, enquanto aqueles exilados dizem adeus a Gondolin; têm, porém, pouca esperança de continuar a vida além das montanhas, pois como haverá alguém de escapar da mão de Melko?

Contente está Tuor ao ver que todos passaram pela estrada e seu medo diminui; de fato, pela sorte dos Valar apenas pôde toda aquela gente entrar ali sem ser vista pelos Orques. Agora há alguns que, lançando de lado suas armas, trabalham com picaretas do lado de dentro e bloqueiam a entrada da passagem, partindo então atrás da hoste conforme conseguem, mas, quando aquele povo tinha descido a escada até chegar a um nível paralelo ao do vale, o calor aumentou até virar um tormento, por causa do fogo dos dragões que estavam em volta da cidade, e de fato eles estavam perto, pois a escavação ali não chegava a grande profundidade sob a terra. Pedregulhos foram soltos pelos tremores no chão e, caindo, esmagaram muitos, e fumaças estavam no ar, de modo que suas tochas e lanternas se apagaram. Ali tropeçaram sobre os corpos de alguns que tinham partido antes e perecido e Tuor temeu por Eärendel, e prosseguiram sob grande escuridão e angústia. Quase duas horas tinham passado naquele túnel no fundo da terra, e perto de seu fim mal estava concluído, mas era rugoso em suas paredes e baixo.

Então chegaram enfim, seus números diminuídos em quase um décimo, à abertura do túnel e o tinham feito desembocar habilmente em uma ampla depressão onde antes houvera água, mas ela agora estava cheia de arbustos espessos. Ali reunia-se um aglomerado não pequeno de gente dispersa que Idril e Voronwë tinham mandado pela via oculta antes deles, e eles choravam baixinho por cansaço e pesar, mas Eärendel não estava lá. Com isso, estavam Tuor e Idril em angústia de coração. Lamentação havia também entre todos aqueles outros, pois em meio à planície acima deles erguia-se ao longe o monte de Amon Gwareth coroado de chamas, onde tinha ficado a cidade reluzente que fora o lar deles. Dracos-de-fogo estão em volta dela e monstros de ferro entram e saem de seus portões e grande é aquele saque cometido por Balrogs e Orques. Algum conforto isso traz para os líderes dos que fogem, mesmo assim, pois julgam que a planície está quase vazia do povo de Melko, salvo bem perto da cidade, pois para lá foram todos os seus seres malignos para festejar aquela destruição.

"Agora", disse portanto Galdor, "temos de ir o mais longe possível daqui rumo às Montanhas Circundantes antes que a aurora venha sobre nós, e isso não nos dá grande intervalo de tempo, pois o verão está próximo." Disso veio uma divergência, pois alguns disseram que seria insensatez ir para Cristhorn, como Tuor propunha. "O sol", disseram eles, "estará alto muito antes de chegarmos aos sopés das montanhas e seremos sobrepujados na planície por aqueles dracos e demônios. Vamos para Bad Uthwen, a Via de Escape, pois isso dá apenas metade da jornada e nossos exaustos e feridos podem ter esperança de chegar lá, ainda que não mais adiante."

Idril, porém, falou contra essa ideia e persuadiu os senhores a não confiar na magia daquela via, a qual antes a tinha defendido de ser descoberta: "Pois que magia há de resistir agora que Gondolin caiu?" Mesmo assim, um grande grupo de homens e mulheres separou-se de Tuor e foi para Bad Uthwen e lá caiu nas mandíbulas de um monstro que, por malícia de Morgoth, a conselho de Meglin, sentara-se na saída para que ninguém pudesse escapar. Mas os outros, liderados por Legolas Verdefolha da casa da Árvore, o qual conhecia toda aquela planície de dia ou no escuro, e que tinha boa visão à noite, fizeram grande progresso vale afora, apesar de todo o seu cansaço, e pararam só depois de uma grande marcha. Então estava toda a Terra coberta pela luz cinzenta daquela aurora triste que não mais via a beleza de Gondolin, mas a planície estava cheia de brumas — e isso era um assombro, pois nenhuma bruma ou névoa tinha aparecido lá jamais antes e isso, talvez, tivesse a ver com a ruína da fonte do rei. Mais uma vez levantaram-se e, encobertos pelos vapores, avançaram bem depois da aurora em segurança, até que já estavam longe demais para que fossem divisados naqueles ares brumosos do monte ou das muralhas arruinadas.

Ora, as Montanhas, ou melhor, seus montes mais baixos ficavam daquele lado a sete léguas menos uma milha de Gondolin, e Cristhorn, a Fenda das Águias, a duas léguas de subida desde o começo das Montanhas, pois ficava a uma grande altura; portanto, ainda tinham duas léguas e parte de uma terceira a atravessar em meio às escarpas e aos sopés e estavam muito cansados. Naquela hora o sol estava acima de um pico dos montes do leste, e ela se via muito vermelha e grande, e as brumas perto deles tinham desaparecido, mas as ruínas de Gondolin estavam totalmente ocultas, como se dentro de uma nuvem. Eis que então, conforme os ares clarearam, viram eles, a poucas quadras de distância, um grupo de homens que fugia a pé, e esses eram perseguidos por uma estranha cavalaria, pois sobre grandes lobos iam Orques, como pensavam, brandindo lanças. Então exclamou Tuor: "Sus! Lá está Eärendel, meu filho, eis que seu rosto brilha como uma estrela no ermo, e meus homens da Asa estão à volta dele e eles estão em grande apuro." De imediato, escolheu cinquenta dos homens que estavam menos cansados e, deixando a companhia principal a segui-lo, partiu por aquela planície com a tropa o mais rápido que suas forças lhe permitiam. Chegando então a um ponto onde sua voz os alcançava, Tuor gritou para os homens em volta de Eärendel que ficassem e não fugissem, pois os ginetes-de-lobos estavam espalhando-os e matavam-nos um a um, e a criança estava nos ombros de certo Hendor, servidor da casa de Idril, e parecia que o deixariam sozinho com sua carga. Então eles se reuniram, com Hendor e Eärendel em meio a eles, mas Tuor logo chegou, embora toda a sua tropa estivesse sem fôlego.

Dos ginetes-de-lobos havia uma vintena e dos homens que estavam em volta de Eärendel apenas seis viviam; portanto, Tuor mandou que seus homens formassem um crescente de apenas uma fileira e esperava assim cercar os cavaleiros, para que nenhum, escapando, levasse notícias ao inimigo principal e trouxesse a ruína sobre os exilados. Nisso ele teve sucesso, pois só dois escaparam e feridos da refrega e sem suas feras, de forma que foram suas notícias trazidas tarde demais à cidade.

Feliz ficou Eärendel ao saudar Tuor e Tuor mui alegre por seu filho, mas disse Eärendel: "Estou com sede, pai, pois corri muito — e nem precisava Hendor me carregar." Disso seu pai não disse nada, não tendo água e pensando nas necessidades de toda aquela companhia que guiava, mas Eärendel disse de novo: "Foi bom ver Meglin morrer daquele modo, pois queria deitar mão sobre minha mãe — e dele eu não gostava, mas eu não queria viajar em túnel algum, apesar de todos os ginetes-de-lobos de Melko." Então Tuor sorriu e o colocou em seus ombros. Logo depois disso a companhia principal chegou e Tuor deu Eärendel à sua mãe, que estava em grande júbilo, mas Eärendel não queria ser carregado em seus braços, pois dizia: "Mãe Idril, estás cansada, e guerreiros em cota de malha não cavalgam entre os Gondothlim, salvo o velho Salgant!" — e sua mãe riu em meio a seu pesar, mas Eärendel indagou: "Não, onde está Salgant?", pois Salgant contava-lhe contos bobos ou inventava brincadeiras com ele por vezes e Eärendel muito se ria com o velho Gnomo naqueles dias em que ele vinha sempre à casa de Tuor, amando o bom vinho e belo repasto que lá recebia. Mas ninguém podia dizer onde Salgant estava, nem pode agora. Quiçá ele tenha sido surpreendido pelo fogo em sua cama; alguns, porém, dizem que ele foi feito cativo nos salões de Melko e tornou-se seu bufão — e essa é uma má sina para um nobre da boa raça dos Gnomos. Então Eärendel ficou triste com aquilo e caminhava ao lado de sua mãe em silêncio.

Então chegaram eles aos sopés dos montes e era o meio da manhã, mas ainda cinzenta, e ali, perto do começo da estrada íngreme, o povo esticou-se e descansou um pouco em um pequeno vale bordeado por árvores e arbustos de avelã, e muitos dormiram, apesar do perigo, pois estavam profundamente exaustos. Contudo, Tuor estabeleceu uma guarda estrita e ele próprio não dormiu. Ali fizeram uma refeição de comida escassa e pedaços de carne, e Eärendel saciou sua sede e brincou perto de um riachinho. Então disse à sua mãe: "Mãe Idril, quisera que o bom Ecthelion da Fonte estivesse aqui para tocar para mim com sua flauta, ou me fazer assobios-de-salgueiro! Será que ele foi na nossa frente?" Mas Idril disse que não e contou o que ouvira sobre o fim dele. Então disse Eärendel que não desejava nunca mais ver as ruas de Gondolin e chorou amargamente, mas Tuor disse que ele não veria de novo aquelas ruas, "pois Gondolin não existe mais".

Depois disso, perto da hora do pôr do sol por trás dos montes, Tuor mandou que a companhia se levantasse e eles avançaram por caminhos agrestes. Logo então a grama sumiu e deu lugar a pedras cheias de musgo, e as árvores escassearam, e até os pinheiros e abetos tornaram-se esparsos. Na hora da descida do sol, o caminho serpenteou de tal modo por trás de um flanco dos montes que eles não podiam mais olhar na direção de Gondolin. Ali toda a companhia parou, e eis que a planície está clara e sorridente na última luz do dia, como outrora; mas muito longe, conforme observavam, um grande fogo ergueu-se contra o norte escurecido — e aquela era a queda da última torre de Gondolin, aquela mesma que ficara bem ao lado do portão sul e cuja sombra sempre caía sobre os muros da casa de Tuor. Então caiu o sol e eles não viram mais Gondolin.

Ora, o passo de Cristhorn, que é a Fenda das Águias, é de perigosa travessia, e aquela hoste não se aventuraria lá no escuro, sem lanternas e sem tochas, e muito cansada e cheia de crianças e mulheres e homens doentes e feridos, se não fosse por seu grande medo dos batedores de Melko, pois era uma grande companhia e não conseguiria avançar em muito segredo. A escuridão se aprofundava rapidamente conforme se aproximavam daquele lugar alto e eles precisavam se espalhar em uma fila comprida e lenta. Galdor e um grupo de homens armados de lanças foram na frente, e Legolas com eles, cujos olhos eram como os de gatos para o escuro, mas não conseguiam ver muito adiante. Depois seguiam as menos exaustas das mulheres, dando apoio aos doentes e aos feridos que conseguiam ir a pé. Idril estava com elas e com Eärendel, que suportava bem a marcha, mas Tuor estava no meio, atrás deles, com todos os seus homens da Asa, e eles carregavam alguns que estavam severamente feridos e Egalmoth estava com ele, mas ele recebera um ferimento naquela sortida na praça. Atrás deles vinham muitas mulheres com criancinhas e meninas e homens que tinham ficado aleijados, mas o ritmo era lento o suficiente para eles. Na retaguarda ia o maior grupo de homens capazes de lutar, e lá estava Glorfindel dos cabelos dourados.

Assim chegaram eles a Cristhorn, que é um lugar ruim por causa de sua altitude, pois essa é tão grande que nem a primavera nem o verão jamais chegavam lá e faz muito frio. De fato, enquanto o vale dança ao sol, ali todo o ano a neve habita naqueles lugares desolados, e na hora em que chegaram lá o vento uivava, vindo do norte, atrás deles e era muito cortante. A neve caía e girava em redemoinhos e caía nos olhos deles, e isso não era bom, pois ali o caminho é estreito e do lado direito, ou do oeste, uma muralha altíssima levanta-se setenta braças do caminho, até que forma, lá no alto, pináculos escarpados onde há muitos ninhos. Ali habita Thorondor, Rei das Águias, Senhor dos Thornhoth, a quem os Eldar chamam de Sorontur. Mas do outro lado está uma queda não tão alta, mas terrivelmente íngreme e lá embaixo há longos dentes de rocha apontados para cima, de modo que se pode descer escalando — ou talvez caindo —, mas de modo algum subir. E daquela profundeza não há escapatória em nenhuma das pontas, não mais do que pelos lados, e o Thorn Sir corre no fundo. Esse rio cai lá vindo do sul, descendo um grande precipício, mas com escassa água, pois ele é um riacho fino naquelas alturas, e sai ao norte depois de fluir não mais que uma milha pedregosa acima do chão, através de uma passagem estreita que entra na montanha, e um único peixe mal poderia se espremer junto com a água.

Galdor e seus homens haviam chegado agora à ponta próxima de onde o Thorn Sir cai no abismo, e os outros se demoravam, apesar de todos os esforços de Tuor, lá atrás, espalhados pela maior parte da milha de caminho perigoso entre despenhadeiro e encosta, de modo que o povo de Glorfindel mal havia chegado ao começo do trecho, quando se ouviu um urro na noite que ecoou naquela região sombria. Eis que os homens de Galdor estavam sendo atacados de repente, no escuro, por formas que saltavam de detrás de rochas onde tinham se escondido até mesmo do olhar de Legolas. Tuor achava que eles tinham topado com uma das companhias de batedores de Melko e ele não temia muito mais do que um embate rápido no escuro, mas mandou as mulheres e os doentes junto com ele para a retaguarda e uniu seus homens aos de Galdor e houve uma refrega na trilha perigosa. Então, porém, rochas começaram a cair da encosta acima e as coisas pareciam ir mal, pois as pedras causaram duros danos, mas a situação pareceu a Tuor ainda pior quando o barulho de luta veio da retaguarda, e um homem da Andorinha lhe deu a notícia de que Glorfindel estava em desvantagem contra os homens que o atacavam naquele ponto, e que um Balrog estava com eles.

Então ele temeu muito que se tratasse de uma armadilha, e isso foi o que em verdade ocorrera, pois vigias tinham sido dispostos por Melko em todos os montes circundantes. Contudo, tanto tinha o valor dos Gondothlim forçado a se juntar ao assalto antes que a cidade fosse tomada, que esses estavam espalhados esparsamente e estavam em menor número ali no sul. Mesmo assim, um desses havia espiado a companhia conforme eles tinham começado a subida vindo do vale de aveleiras, e o máximo possível de bandos do inimigo se juntou contra eles, e planejaram cair sobre os exilados pela frente e por trás, justamente no caminho perigoso de Cristhorn. Ora, Galdor e Glorfindel ficaram firmes apesar da surpresa do ataque, e muitos dos Orques foram lançados no abismo, mas o desabamento das rochas parecia prestes a acabar com toda a coragem deles e a condenar à ruína a fuga de Gondolin. A lua, por volta daquela hora, ergueu-se acima do passo, e a treva diminuiu um pouco, pois a luz pálida filtrava-se pelos lugares escuros; contudo, não iluminou o caminho, por causa da altura dos penhascos. Então se levantou Thorondor, Rei das Águias, e ele não amava Melko, pois Melko prendera muitos de sua gente e os acorrentara contra rochas pontiagudas para arrancar deles as palavras mágicas com as quais ele poderia aprender a voar (pois sonhava enfrentar Manwë até mesmo no ar), e, quando se recusaram a contar, ele lhes cortou as asas e buscou fazer com elas um par poderoso de asas para seu uso, o que de nada lhe valeu.

Então, quando o clamor vindo do passo chegou a seu grande ninho, ele disse: "Donde essas coisas imundas, esses Orques dos montes, subiram para perto de meu trono e por que os filhos dos Noldoli gritam nos lugares baixos por medo das crias de Melko, o amaldiçoado? Levantai-vos, ó Thornhoth, cujos bicos são de aço e cujas garras são espadas!"

Em seguida houve um ruído como o de um grande vento em lugares rochosos e os Thornhoth, o povo das Águias, caíram sobre aqueles Orques que tinham escalado a encosta acima do caminho e rasgaram seus rostos e suas mãos e os lançaram nas rochas do Thorn Sir, muito abaixo. Então ficaram contentes os Gondothlim e, em dias que vieram depois, fizeram da Águia uma insígnia de sua gente em sinal de júbilo e Idril a portava, mas Eärendel amava antes a Asa de Cisne de seu pai. Agora desembaraçados, os homens de Galdor contra-atacaram os que se opunham a eles, pois não eram muitos, e a chegada dos Thornhoth atemorizara-os muito, e a companhia seguiu em frente de novo, embora Glorfindel ainda tivesse que lutar bastante na retaguarda. Já metade deles tinha atravessado o caminho perigoso e as quedas do Thorn Sir, quando o Balrog que estava com o inimigo na retaguarda saltou com grande força sobre certas rochas elevadas que ficavam no caminho do lado esquerdo, na beira do abismo, e de lá, com outro salto furioso, passou adiante dos homens de Glorfindel e chegou às mulheres e aos doentes mais à frente, vibrando seu açoite de chama. Então Glorfindel saltou na direção dele, e sua armadura dourada brilhava estranhamente à luz da lua, e golpeou aquele demônio, de modo que ele saltou de novo sobre uma grande pedra e Glorfindel o seguiu. Naquela hora houve um combate mortal naquela rocha alta acima do povo, e esses, pressionados atrás e com um obstáculo à frente, tinham ficado tão próximos uns dos outros que todos podiam ver, mas tudo acabou antes que os homens de Glorfindel pudessem saltar para o lado dele. O ardor de Glorfindel levava o Balrog de uma ponta à outra da pedra, e sua cota de malha defendia-o do açoite e das garras da criatura. Uma vez assestou-lhe um grande golpe em seu elmo de fogo, em outra decepou o braço da criatura que carregava o açoite na altura do cotovelo. Então saltou o Balrog, no tormento de sua dor e de seu medo, sobre o corpo de Glorfindel, que o golpeou com a rapidez de uma serpente, mas acertou apenas o ombro e foi agarrado, e eles começaram a perder o equilíbrio. Então a mão esquerda de Glorfindel procurou uma adaga, e com essa ele golpeou para cima, de modo que perfurou o ventre do Balrog, que estava perto de seu rosto (pois aquele demônio tinha o dobro de sua estatura), e a criatura gritou e caiu para trás da rocha e, caindo, agarrou as madeixas louras de Glorfindel debaixo de seu capacete, e aqueles dois caíram no abismo.

Ora, essa foi uma coisa muito triste, pois Glorfindel era o mais amado — e eis que o baque da queda deles soou à volta das montanhas, e o abismo de Thorn Sir ecoou. Então, diante do grito de morte do Balrog, os Orques na frente e atrás hesitaram e foram mortos ou fugiram para longe, e o próprio Thorondor, uma ave poderosa, desceu até o abismo e trouxe para cima o corpo de Glorfindel, mas o Balrog ali jazeu, e a água do Thorn Sir correu negra por muitos dias lá embaixo, em Tumladen.

Ainda dizem os Eldar quando veem uma bela luta com grande disparidade de forças contra uma fúria maligna: "Ai de nós! É Glorfindel contra o Balrog", e seus corações ainda estão feridos por causa daquele belo homem dos Noldoli. Por causa desse amor, apesar da pressa e do medo da chegada de novos inimigos, Tuor mandou que se erguesse um grande marco de pedras sobre o corpo de Glorfindel, bem ali, depois do caminho perigoso e ao lado do precipício da Torrente-das-Águias, e Thorondor não deixou que nenhum mal afetasse aquele monumento, mas flores amarelas para lá foram e florescem de vez em quando naquela tumba, naqueles lugares inclementes, mas o povo da Flor Dourada chorou durante a construção e não conseguia secar suas lágrimas.

Ora, quem contará as andanças de Tuor e dos exilados de Gondolin nos ermos que jaziam além das montanhas, ao sul do vale de Tumladen? Misérias e morte sofreram, frios e fomes, e vigílias incessantes. Que eles tenham enfim vencido aquelas regiões infestadas do mal de Melko explica-se pela grande mortandade e pelo grande dano feito ao poder dele naquele assalto, e pela velocidade e pelo cuidado com que Tuor os conduziu, pois seguramente Melko sabia daquela fuga e estava furioso por ela. Ulmo tinha ouvido notícias nos oceanos distantes sobre os feitos que tinham se passado, mas ainda não podia auxiliá-los, pois estavam longe de águas e rios — e, de fato, passaram dura sede e não conheciam o caminho.

Mas depois de um ano e mais de andanças, durante o qual muitas vezes viajaram por longo tempo enredados na magia daquelas regiões, apenas para voltar sobre seus próprios passos, mais uma vez o verão veio, e perto de seu ápice eles chegaram enfim a um riacho e seguindo-o foram parar em terras melhores e se confortaram um pouco. Ali Voronwë os guiou, pois percebera um sussurro de Ulmo naquele riacho no fim de uma noite de verão — e sempre obtinha muita sabedoria do som das águas. Então os liderou até que desceram ao Sirion, onde aquele riacho desaguava, e então Tuor e Voronwë viram que

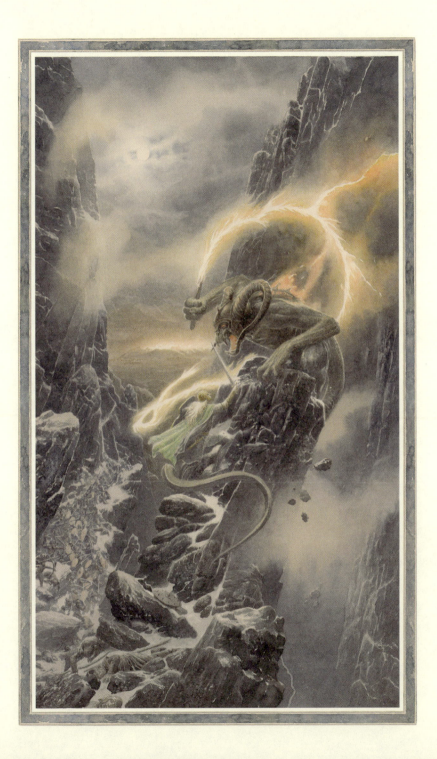

não estavam longe da saída mais distante de outrora da Via de Escape e estavam mais uma vez naquele vale profundo de amieiros. Ali estavam todos os arbustos pisoteados e as árvores queimadas e as paredes do vale com cicatrizes de chama, e eles choraram, pois pensaram que sabiam o destino daqueles que muito antes tinham se separado deles na boca do túnel.

Então viajaram rio abaixo, mas de novo sofriam com o medo de Melko e enfrentaram escaramuças com seus bandos de Orques e corriam perigo por causa dos ginetes-de-lobos, mas os dracos-de-fogo não os buscavam, tanto pela grande exaustão de seus fogos na tomada de Gondolin quanto pelo poder crescente de Ulmo conforme o rio engrossava. Assim chegaram depois de muitos dias — pois iam devagar e conseguiam seu sustento com muita dificuldade — àquelas grandes charnecas e charcos acima da Terra dos Salgueiros, e Voronwë não conhecia aquelas regiões. Ora, ali o Sirion desce por um grande trecho debaixo da terra, mergulhando na grande caverna dos Ventos Tumultuosos, mas correndo ao ar livre de novo acima das Lagoas do Crepúsculo, bem onde Tulkas depois lutou com o próprio Melko. Tuor tinha viajado por aquelas regiões de noite e no poente, depois que Ulmo veio até ele entre os caniços, e não recordava os caminhos. Em certos lugares aquela terra é cheia de enganos e muito pantanosa, e ali a hoste demorou-se muito e foi afligida por moscas incômodas, pois era outono ainda, e tremedeiras e febres grassavam entre eles, e amaldiçoaram Melko.

Contudo, chegaram enfim às grandes lagoas e às bordas daquela mui gentil Terra dos Salgueiros, e o mero hálito dos ventos dela trazia descanso e paz para eles, e graças ao conforto daquele lugar acalmou-se a tristeza dos que pranteavam os mortos naquele grande saque. Ali mulheres e meninas tornaram-se belas de novo e os doentes se curaram e velhas feridas deixaram de causar dor; contudo, apenas aqueles que tinham razão para temer que seus parentes ainda viviam em amarga servidão nos Infernos de Ferro não cantavam nem sorriam.

Ali moraram por tempo bastante longo e Eärendel era um menino crescido antes que a voz das conchas de Ulmo arrastasse o coração de Tuor, que seu anseio pelo mar retornasse com sede ainda mais profunda por causa dos anos em que ficou abafado, e toda aquela hoste levantou-se a seu pedido e desceu o Sirion até o Mar.

Ora, o povo que tinha passado pela Fenda das Águias e que vira a queda de Glorfindel contava perto de oito centenas — uma grande caravana, mas era apenas um remanescente triste de tão bela e numerosa cidade. Aqueles, porém, que se ergueram da grama da Terra dos Salgueiros nos anos que vieram depois e partiram para o mar, quando a primavera dispôs celidônias nas campinas, e tinham feito um triste festival em memória de Glorfindel, esses somavam apenas trezentos e vinte homens e meninos, e duzentas e sessenta mulheres e meninas. Ora, o número de mulheres era pequeno porque muitas tinham se escondido ou foram escondidas por seus parentes em lugares secretos da cidade. Lá foram queimadas ou mortas, ou capturadas e escravizadas, e os grupos de resgate encontraram pouquíssimas delas, e é grande a pena de se pensar nisso, pois as donzelas e mulheres dos Gondothlim eram belas como o sol e adoráveis como a lua e mais brilhantes que as estrelas. A glória habitava naquela cidade de Gondolin dos Sete Nomes e sua ruína foi a mais horrenda de todos os saques de cidades na face da Terra. Nem Bablon, nem Ninwi, nem as torres de Trui, nem todas as muitas capturas de Rûm, que é a maior entre os Homens, viram tal terror como o que caiu aquele dia sobre o Amon Gwareth da gente dos Gnomos, e consideram que essa foi a pior obra que Melko até hoje planejou no mundo.

Contudo, agora aqueles exilados de Gondolin habitavam a foz do Sirion, perto das ondas do Grande Mar. Lá adotaram o nome de Lothlim, o povo da flor, pois Gondothlim era um nome duro demais para seus corações; e, belo entre os Lothlim, Eärendel cresce na casa de seu pai, e o grande conto de Tuor é chegado a seu fim."

Então disse Coração-Pequeno, filho de Bronweg: "Ai de Gondolin!"

O TEXTO
MAIS ANTIGO

As anotações apressadas de meu pai são elementos importantes da evolução inicial da história dos Dias Antigos. Conforme as descrevi em outro lugar, essas anotações eram, em sua maioria, escritas a lápis em uma velocidade furiosa, feitas em pedaços de papel, desordenados e sem data, ou em um caderninho; a escrita hoje está meio apagada e tênue e, em certos pontos, mesmo depois de muito estudo, dificilmente é decifrável. Nesses fragmentos, durante os anos em que estava escrevendo os *Contos Perdidos*, ele anotava pensamentos e sugestões — muitos dos quais não são mais que simples frases ou meros nomes isolados, servindo de lembretes do trabalho a ser realizado, de histórias a serem contadas ou de mudanças a serem feitas.

Entre essas anotações se encontra o que deve ser o mais antigo esboço da história da Queda de Gondolin:

Isfin, filha de Fingolma, amada à distância por Eöl (Arval), da gente da Toupeira dos Gnomos. Ele é forte e tem a benevolência de Fingolma e dos Filhos de Fëanor (de quem é parente), porque é líder dos Mineiros e escava em busca de joias escondidas, mas é de má aparência, e Isfin o despreza.

Para uma explicação da escolha da palavra "Gnomo", ver a p. 24 (nota de rodapé). *Fingolma* era uma versão anterior do nome de *Finwë* (o líder da segunda hoste dos Elfos, os Noldor, na Grande Jornada a partir de Palisor, a terra do despertar deles). Isfin aparece em "O Conto Original" como a irmã de Turgon, Rei de Gondolin, e mãe de Meglin, filho de Eöl.

É óbvio que essa anotação é uma forma da história contada nos *Contos Perdidos*, apesar da grande diferença entre eles. Na anotação, Eöl, o mineiro da "gente da Toupeira", é que faz a corte à filha de Fingolma, Isfin, a qual o rejeita por causa de sua feiura. No "Conto Perdido", por outro lado, o pretendente rejeitado — e feio — é Meglin, *filho* de Eöl, e sua mãe é Isfin, a irmã de Turgon, Rei de Gondolin; e o texto diz expressamente (p. 61) que a história de Isfin e Eöl "não pode ser contada aqui" — presumivelmente porque meu pai achou que isso desviaria demais o assunto.

Acho mais provável que a breve anotação reproduzida acima tenha sido escrita antes de "O Conto Original" e antes do advento de Meglin, e que a história, em sua origem, não tinha associação com Gondolin.

(Daqui em diante, geralmente vou me referir ao "Conto Perdido" de *A Queda de Gondolin* (pp. 41-108) simplesmente como "o *Conto*".)

Turlin
e os Exilados
de Gondolin

Há uma página solta que traz um texto curto em prosa, sem a menor dúvida preservado inteiramente cujo título é "Turlin e os Exilados de Gondolin".
Pode ser situado cronologicamente *depois* de "O Conto Original" e claramente era o início abandonado de uma nova versão do conto.

Meu pai hesitou muito em relação ao nome do herói de Gondolin e nesse texto deu a ele o nome de *Turlin*, mas acabou por alterar todas as ocorrências para *Turgon*. Uma vez que essa troca de nomes (que não era rara) entre personagens pode acabar confundindo o leitor sem necessidade, vou chamá-lo de *Tuor* em minha versão do texto que apresento a seguir.

A ira dos Deuses (os Valar) em relação aos Gnomos e o fechamento de Valinor para todos os que iam até lá, com os quais essa narrativa começa, vem da rebelião dos Noldoli e de seus feitos cruéis no Porto dos Cisnes. Esse fato, conhecido como o Fratricídio, é de grande importância na história da Queda de Gondolin e, de fato, na história posterior dos Dias Antigos.

Turlin [Tuor] e os Exilados de Gondolin

"Então", disse Ilfiniol, filho de Bronweg, "sabei que Ulmo, Senhor das Águas, não esquecia nunca as tristezas das gentes élficas sob o poder de Melko, mas pouco podia fazer por causa da raiva dos outros Deuses, que fecharam seus corações para a raça dos Gnomos e habitavam atrás dos montes velados de Valinor, ignorando o Mundo Exterior, tão grande era seu pesar e remorso pela morte das Duas Árvores. Nenhum deles, apenas Ulmo, temia o poder de Melko, que causava ruína e pesar por toda a Terra, mas Ulmo desejava que Valinor reunisse toda a sua força para apagar esse mal antes que fosse tarde demais e parecia-lhe que ambos os propósitos poderiam talvez se realizar se mensageiros dos Gnomos pudessem chegar a Valinor e suplicar perdão e piedade para a Terra, pois o amor de Palúrien e Oromë, seu filho, por aqueles amplos reinos apenas dormia. Contudo, dura e terrível era a jornada da Terra de Fora até Valinor, e os próprios Deuses tinham enredado os caminhos com magia e velado os montes que os cercavam. Assim, Ulmo buscava incessantemente incitar os Gnomos a mandar mensageiros para Valinor, mas Melko era sagaz e de sabedoria muito profunda e nunca dormia sua vigilância a respeito de todas as coisas que afetavam as gentes élficas, e os mensageiros não sobrepujavam os perigos e tentações daquele que era o mais longo e mais difícil de todos os caminhos, e muitos dos que ousavam partir se perdiam para sempre.

Conta, pois, o conto de como Ulmo perdeu as esperanças de que qualquer um da raça élfica conseguiria passar pelos perigos do caminho e do último e mais profundo desígnio que ele então planejou e das coisas que vieram dele.

Naqueles dias, a maior parte das gentes dos Homens habitavam, depois da Batalha das Lágrimas Inumeráveis, naquela terra do Norte que tem muitos nomes, mas que os Elfos de Kôr chamam de Hisilómë, isto é, a Bruma do Crepúsculo, e que os Gnomos, os quais a conhecem melhor entre a gente dos Elfos, dão o nome de Dor-lómin, a Terra das Sombras. Um povo numeroso havia lá, habitando à volta das águas amplas e pálidas de Mithrim, o grande lago que existe naquelas regiões, e outros grupos o chamavam de Tunglin ou o povo da Harpa, pois seu deleite era a música selvagem e o trabalho de menestrel das colinas e dos bosques, mas eles não conheciam o mar nem o cantavam. Ora, esse povo viera àqueles lugares depois da terrível batalha, sendo convocado tarde demais para lá de muito longe, e não traziam mancha alguma de traição contra a gente dos Elfos, mas, de fato, muitos entre eles mantinham qualquer amizade com os Gnomos escondidos das montanhas e com os Elfos Escuros que fosse possível, apesar da tristeza e da desconfiança nascida daqueles feitos ruinosos no Vale de Ninniach [o local da Batalha das Lágrimas Inumeráveis].

Tuor era um homem daquele povo, filho de Peleg, filho de Indor, filho de Fengel, que era o chefe deles e, ouvindo o chamado, tinha marchado das profundezas do Leste com todo o seu povo. Mas Tuor não habitava muito com sua gente e amava outrossim a solidão e a amizade dos Elfos, cujas línguas conhecia, e vagava só à volta das longas margens de Mithrim, ora caçando em seus bosques, ora fazendo música repentina nas rochas com sua harpa tosca de madeira, cujas cordas eram tendões de ursos. Mas não cantava para os ouvidos dos Homens, e muitos, ouvindo falar do poder de suas canções simples, vinham de longe ouvi-lo tocar, mas Tuor deixou de lado seu canto e partiu para lugares solitários nas montanhas.

Muitas coisas estranhas aprendeu lá, notícias truncadas de coisas distantes, e veio-lhe o anseio por saberes mais profundos, mas por enquanto seu coração não deixava as longas margens e as águas pálidas do Mithrim em meio às brumas. Contudo, não era sua sina habitar para sempre naqueles lugares, pois dizem que a magia e o destino o levaram certo dia para uma abertura cavernosa nas rochas, pela qual descia um rio escondido, vindo de Mithrim. E Tuor entrou naquela caverna buscando descobrir seu segredo, mas, tendo entrado, as águas de Mithrim o levaram adiante, para o coração da rocha, e ele não conseguia voltar à luz. Isso, dizem os homens, não se deu sem a vontade de Ulmo, a cujo pedido, talvez, os Gnomos tenham construído aquele caminho profundo e oculto. Então vieram os Gnomos a Tuor e o guiaram ao longo das passagens escuras em meio às montanhas até que ele saiu mais uma vez à luz.

Pode-se ver que meu pai tinha o texto do *Conto* na frente dele quando escreveu a narrativa acima (que chamarei de "*a versão de Turlin*"), pois frases de um texto reaparecem no outro (tais como "a magia e o destino o levaram certo dia para uma abertura cavernosa", p. 41); mas em vários pontos há avanços em relação ao texto anterior. A genealogia original de Tuor permanece (filho de Peleg, filho de Indor), mas conta-se mais sobre seu povo: eles eram Homens do Leste que vieram ao auxílio dos Elfos na vasta e ruinosa batalha contra as forças de Melko que veio a ser conhecida como a Batalha das Lágrimas Inumeráveis. Mas vieram tarde demais e estabeleceram-se em grandes números em Hisilómë, "Bruma do Crepúsculo" (Hithlum), também chamada de Dor-lómin, "Terra das Sombras". Um elemento importante e decisivo na concepção inicial da história dos Dias Antigos era a natureza avassaladora da vitória de Melko naquela batalha, tão generalizada que uma grande parte do povo chamado de Noldoli se tornou seu escravo aprisionado, diz-se no *Conto* (p. 51): "Sabei então que os Gondothlim [o povo de Gondolin] eram aquela gente dos Noldoli que sozinha escapou do poder de Melko quando, na Batalha das Lágrimas Inumeráveis, ele matou e escravizou o povo deles e teceu feitiços à sua volta e os fez habitar nos Infernos de Ferro, de lá saindo por sua vontade e ordem apenas."

Notável também é o relato, nesse texto, sobre os "desígnios e desejos" de Ulmo, como seu propósito é descrito no *Conto* (p. 49): mas no *Conto* o que se diz é que "disso Tuor pouco entendeu" — e não ficamos sabendo nada mais. Nesse breve texto posterior, *a versão de Turlin*, por outro lado, Ulmo falou de sua incapacidade de convencer os outros Valar, isolado como estava em seu medo do poder de Melko e em seu desejo de que Valinor deveria se levantar contra aquele poder; há também suas tentativas de persuadir os Noldoli a mandar mensageiros a Valinor para pedir compaixão e ajuda, enquanto os Valar "habitavam atrás dos montes velados de Valinor, ignorando o Mundo Exterior". Essa foi a época conhecida como a "Ocultação de Valinor", quando, como se diz na *versão de Turlin* (p. 112), "os próprios Deuses tinham enredado os caminhos [para Valinor] com magia e velado os montes que os cercavam" (sobre esse elemento crucial da história, ver "A Evolução da História", pp. 195-224).

A passagem mais significativa é esta (p. 112): "Conta, pois, o conto de como Ulmo perdeu as esperanças de que qualquer um da raça élfica conseguiria passar pelos perigos do caminho e do último e mais profundo desígnio que ele então planejou e das coisas que vieram dele."

A História
contada no *Esboço*
da Mitologia

Apresento agora a forma da história da Queda de Gondolin que meu pai escreveu em 1926, em uma obra chamada *Esboço da Mitologia*, identificada mais tarde como *O Silmarillion* original. Uma parte desse trabalho foi incluída e sua natureza explicada em *Beren e Lúthien*, e usei outra parte dele para servir de prólogo para este livro. Meu pai fez, mais tarde, certo número de correções (quase todas na forma de acréscimos), e incluo a maioria delas em colchetes.

Ylmir é a forma gnômica de *Ulmo*.

O grande rio Sirion fluía pelas terras a sudoeste, na sua foz havia um grande delta, e seu curso inferior corria por terras amplas, verdes e férteis, pouco povoadas, exceto por aves e feras, por causa das incursões dos Orques; mas não eram habitadas por Orques, que preferiam os bosques do norte, e temiam o poder de Ylmir — pois a foz do Sirion era nos Mares do Oeste.

Turgon, filho de Fingolfin, tinha uma irmã, Isfin. Ela se perdeu em Taur-na-Fuin depois da Batalha das Lágrimas Inumeráveis. Lá foi presa por Eöl, o Elfo Escuro. O filho deles era Meglin. O povo de Turgon, escapando com a ajuda da valentia de Húrin, ocultou-se do conhecimento de Morgoth e, de fato, de todos no mundo, salvo Ylmir. Em um lugar secreto nos montes, seus batedores, escalando até os cumes, [tinham] descoberto um largo vale inteiramente circundado pelos montes em anéis cada vez mais baixos conforme se aproximavam do centro. Em meio a esse anel estava uma terra ampla sem montanhas, exceto por um único monte pedregoso que se erguia da planície, não bem no centro, mas mais perto daquela parte da muralha externa que se aproximava da beira do Sirion. [O monte mais próximo de Angband era guardado pelo marco de Fingolfin.]

As mensagens de Ylmir vêm Sirion acima, ordenando que eles busquem refúgio nesse vale e ensinando feitiços de encantamento a serem postos sobre todos os montes em volta, para deter inimigos e espiões. Ele prediz que a fortaleza deles há de se manter por mais tempo entre todos os refúgios dos Elfos contra Morgoth e, como Doriath, jamais será sobrepujada, salvo por traição. Os feitiços são mais fortes perto do Sirion, ainda que ali as montanhas circundantes sejam as mais baixas. Lá os Gnomos escavam um grande túnel cheio de meandros sob as raízes das montanhas, que sai enfim na Planície Protegida. Sua entrada mais distante é guardada pelos feitiços de Ylmir; a mais próxima, vigiada incessantemente pelos Gnomos. É colocada ali para o caso de os de dentro da cidade algum dia precisem escapar, como uma via de saída mais rápida do vale para batedores, viajantes e mensageiros e também como entrada para fugitivos que escapam de Morgoth.

Thorondor, Rei das Águias, remove seus ninhos para as alturas ao norte das montanhas circundantes e os guarda de espiões Orques [sentado sobre o marco de Fingolfin]. No monte pedregoso do Amon Gwareth, o monte de vigia, cujas encostas são polidas feito a lisura do vidro e cujo topo é plano, constroem a grande cidade de Gondolin, com portões de aço. A planície à volta dela é nivelada de forma a ficar tão plana e lisa quanto um gramado de relva cortada, até os sopés dos montes, e assim nada consegue rastejar por ela sem ser percebido. O povo de Gondolin torna-se poderoso e seus arsenais enchem-se de armas. Mas Turgon não marcha ao auxílio de Nargothrond, ou de Doriath, e depois da morte de Dior ele não trata mais com os filhos de Fëanor. Por fim, fecha o vale a todos os fugitivos e proíbe o povo de Gondolin de deixar o lugar. Gondolin é a única fortaleza dos Elfos que restou. Morgoth não se esqueceu de Turgon, mas o procura em vão. Nargothrond está destruída; Doriath, desolada; os filhos de Húrin, mortos; e só Elfos, dispersos e fugitivos Gnomos e Ilkorins[5] restaram, exceto os que trabalham nas forjas e minas em grandes números. Seu triunfo é quase completo.

Meglin, filho de Eöl e Isfin, irmã de Turgon, foi enviado por sua mãe para Gondolin e lá recebido, embora tivesse metade de sangue ilkorin, e tratado como um príncipe [último dos fugitivos de fora].

Húrin de Hithlum tinha um irmão, Huor. O filho de Huor era Tuor, mais jovem que [> primo de] Túrin, filho de Húrin. Rían, esposa de Huor, buscou o corpo de seu marido entre os mortos no campo das Lágrimas Inumeráveis e lá morreu. Seu filho, permanecendo em Hithlum, caiu nas mãos dos homens infiéis que Morgoth empurrou para Hithlum depois daquela batalha, e fizeram-no servo. Revelando-se rebelde e rude, fugiu para os bosques e tornou-se um fora da lei e um solitário, vivendo sozinho e sem se comunicar com ninguém, salvo raramente com Elfos andarilhos e escondidos. Certo dia, Ylmir fez com que ele fosse levado para o curso subterrâneo de um rio que saía de Mithrim até os barrancos de um rio que fluía e, enfim, para o Mar do Oeste. Dessa maneira, sua passagem não foi vista por Homem, Orque ou espião e ficou desconhecida de Morgoth. Depois de longas andanças pelas costas do oeste, chegou às fozes do Sirion e lá encontrou o Gnomo Bronweg,

---

[5] Ilkorins são os Elfos Escuros, que não foram a Valinor; equivalentes, grosso modo, aos Sindar da versão mais recente de *O Silmarillion*. [N. T.]

que antes tinha estado em Gondolin. Eles viajam juntos secretamente Sirion acima. Tuor se demora muito na doce terra de Nan-tathrin, "Vale dos Salgueiros"; mas lá o próprio Ylmir sobe o rio para visitá-lo e contar-lhe qual é a sua missão. Ele deve avisar Turgon para se preparar para a batalha contra Morgoth, pois Ylmir mudará os corações do Valar para que perdoem os Gnomos e lhes mandem socorro. Se Turgon fizer isso, a batalha será terrível, mas a raça dos Orques perecerá e não mais, nas eras que vierem depois, atormentará Elfos e Homens. Se não, o povo de Gondolin deve se preparar para fugir até a foz do Sirion, onde Ylmir os ajudará a construir uma frota e os guiará de volta a Valinor. Se Turgon fizer a vontade de Ylmir, Tuor deverá permanecer em Gondolin por um tempo e então voltará a Hithlum com uma força de Gnomos e trará os Homens uma vez mais para uma aliança com os Elfos, pois "sem os Homens, os Elfos não hão de prevalecer contra os Orques e os Balrogs". Isso Ylmir faz porque sabe que, antes que sete anos completos tenham passado, a ruína de Gondolin virá por meio de Meglin [se ficarem sentados em seus salões].

Tuor e Bronweg alcançam a via secreta, [que eles encontram por graça de Ylmir] e chegam à planície guardada. Feitos cativos pelos vigias, são levados diante de Turgon. Turgon está velho e muito poderoso e orgulhoso, e Gondolin tão formosa e bela, e seu povo tão orgulhoso dela e confiante em seu segredo e força inexpugnável que o rei e a maioria do povo não desejam ser importunados pelos Gnomos e Elfos de fora, ou se preocupar com os Homens, nem anseiam mais por Valinor. Com a aprovação de Meglin, o rei rejeita a mensagem de Tuor, apesar das palavras de Idril, a que enxerga longe (também chamada de Idril Pé-de-Prata, porque ela amava caminhar descalça), sua filha, e dos mais sábios de seus conselheiros. Tuor continua a viver em Gondolin e torna-se um grande líder. Depois de três anos, desposa Idril — Tuor e Beren apenas, entre todos os mortais, desposaram Elfas e, uma vez que Elwing, filha de Dior, filho de Beren desposou Eärendel, filho de Tuor e Idril, deles apenas a linhagem de Elfinesse adquiriu sangue mortal.

Não muito depois disso, Meglin, viajando para longe através das montanhas, é capturado por Orques e compra sua vida, quando levado a Angband, revelando Gondolin e seus segredos. Morgoth promete-lhe o senhorio de Gondolin e a posse de Idril. O desejo por Idril leva-o com mais facilidade a essa traição, fortalecida por seu ódio a Tuor. Morgoth o envia de volta a Gondolin. Eärendel nasce, tendo a beleza e a luz e a sabedoria de Elfinesse, o vigor e a força dos Homens e o anseio pelo mar que capturara Tuor e o prendera para sempre quando Ylmir lhe falou na Terra dos Salgueiros.

Enfim Morgoth está pronto, e faz-se o ataque a Gondolin com dragões, Balrogs e Orques. Depois de uma luta terrível em volta das muralhas, a cidade é invadida e Turgon perece com muitos dos maiores nobres na luta derradeira na grande praça. Tuor resgata Idril e Eärendel de Meglin e lança-o das ameias. Então lidera o remanescente do povo de Gondolin por um túnel secreto aberto previamente por conselho de Idril, que chega a um ponto distante no norte da Planície. Aqueles que se recusam a vir com ele, mas fogem para a antiga Via de Escape, são pegos pelo dragão enviado por Morgoth para vigiar aquela saída.

Em meio aos fumos do incêndio, Tuor lidera sua companhia nas montanhas, adentrando o passo gélido de Cristhorn (Fenda das Águias). Lá são emboscados, mas se salvam pelo valor de Glorfindel (chefe da casa da Flor Dourada de Gondolin, que morre em duelo com um Balrog sobre um pináculo) e a intervenção de Thorondor. O remanescente alcança o Sirion e viaja para a terra em sua foz — as Águas do Sirion. O triunfo de Morgoth agora está completo.

A história contada nessa forma resumida não tinha mudado muito em relação à sua forma no *Conto da Queda de Gondolin*, mas, mesmo assim, há desenvolvimentos significativos. É aqui que o Tuor do *Conto* é colocado dentro da genealogia dos *Edain*, os Amigos-dos-Elfos: ele se torna o filho de Huor, irmão de Húrin — que era o pai do herói trágico Túrin Turambar.

A HISTÓRIA CONTADA NO *ESBOÇO DA MITOLOGIA*

Assim, Tuor era primo de primeiro grau de Túrin. Aqui também emerge a história de que Huor foi morto na Batalha das Lágrimas Inumeráveis (p. 119), e de que sua esposa, Rían, procurou seu corpo no campo de batalha e morreu lá. Tuor, filho deles, permaneceu em Hithlum e foi escravizado pelos "homens infiéis que Morgoth empurrou para Hithlum depois daquela batalha" (p. 119), mas escapou deles e passou a levar uma vida solitária nos ermos.

Uma diferença grande nas versões iniciais da história, no que diz respeito à história mais ampla dos Dias Antigos, está no que meu pai contou sobre a descoberta do vale de Tumladen, escondido nas Montanhas Circundantes. No *Esboço da Mitologia* (p. 118), diz-se que o povo de Turgon, escapando da grande batalha (*Nirnaeth Arnoediad*, Lágrimas Inumeráveis), ocultou-se do conhecimento de Morgoth, porque "em um lugar secreto nos montes, seus batedores, escalando até os cumes, [tinham] descoberto um largo vale inteiramente circundado pelos montes". Mas, nos dias em que foi escrito o *Conto da Queda de Gondolin*, a história dizia que tinha transcorrido uma longa era depois da batalha terrível, muito antes da destruição de Gondolin. Diz-se (p. 58) que Tuor ouvira, quando chegou até lá, sobre "como o labor incessante por anos e eras não tinha sido suficiente para construí-la e adorná-la, no que o povo ainda labutava". As dificuldades cronológicas levaram meu pai, mais tarde, a situar a descoberta do local de Gondolin — por Turgon — e a construção da cidade em uma época muitos séculos *antes* da Batalha das Lágrimas Inumeráveis: Turgon liderara seu povo, fugindo do campo de batalha para o sul descendo o Sirion, para a cidade oculta que ele tinha fundado muitas eras antes disso. Foi a uma cidade muito antiga que Tuor chegou.

Uma mudança marcante na história do ataque a Gondolin ocorre, conforme creio, no *Esboço da Mitologia*. No *Conto da Queda de Gondolin*, conta-se que Morgoth tinha descoberto Gondolin *antes* que Meglin fosse capturado por Orques (p. 62 e seguintes). Ele ficou muito desconfiado com as estranhas notícias de que um Homem tinha sido visto "vagueando em meio aos vales das águas do Sirion" e por isso reuniu "um poderoso exército de espiões", de animais e aves e répteis, os quais, "incansáveis, por anos a fio", trouxeram-lhe grande volume de informações. Das Montanhas Circundantes seus espiões tinham observado lá embaixo a planície de Tumladen; até a "Via de Escape" tinha sido revelada. Quando Eärendel tinha 1 ano de idade, chegaram notícias a Gondolin sobre como os agentes de Morgoth tinham "cercado o vale de Tumladen" e Turgon fortaleceu as defesas da cidade. No *Conto da Queda de Gondolin*, a traição *seguinte* de Meglin foi descrever em detalhes o plano e todas as preparações para a defesa de Gondolin (p. 68); com Melko, ele "fez seus planos para a derrocada de Gondolin".

Mas, no relato condensado do *Esboço* (p. 121), diz-se que, quando Meglin foi capturado por Orques nas montanhas, "comprou sua vida, quando levado a Angband, *revelando Gondolin e seus segredos*". As palavras "revelando Gondolin" parecem me mostrar claramente que a mudança tinha sido introduzida e que a história mais tardia estava presente: Morgoth não sabia e não conseguia descobrir onde o Reino Escondido estava *até* a captura de Meglin pelos Orques. Mas havia ainda outra mudança a vir (ver pp. 273-274).

A História
contada no *Quenta Noldorinwa*

Chego agora a um grande texto do "Silmarillion" do qual tirei passagens que inseri em *Beren e Lúthien* e repito aqui parte da nota explicativa daquele livro.

> Depois do *Esboço da Mitologia*, este texto, a que me referirei como "o *Quenta*", foi a única versão completa e acabada de *O Silmarillion* que meu pai realizou: um texto datilografado que fez em (ao que parece) 1930. Nenhum rascunho ou esboço preliminar, se é que houve algum, foi preservado, mas está claro que, durante boa parte de sua extensão, ele tinha o *Esboço* diante de si. Ele é mais longo que o *Esboço*, e nele claramente surgiu o "estilo do *Silmarillion*", mas continua sendo um texto conciso, um relato compendioso.

Ao chamar esse texto de conciso, não pretendo sugerir que era uma obra apressada, à espera de um tratamento mais finalizado em algum momento posterior. A comparação das duas versões, Q I e Q II (explicada a seguir) mostra quão atentamente ele ouviu e sopesou o ritmo das frases. Mas compressão havia, de

A HISTÓRIA CONTADA NO *QUENTA NOLDORINWA*

fato: basta ver as cerca de vinte linhas dedicadas à batalha no *Quenta* e compará-las com as doze páginas do *Conto*.

Perto do fim do *Quenta*, meu pai expandiu e datilografou de novo trechos do texto (preservando, ao mesmo tempo, as páginas descartadas); o texto como estava antes de ser reescrito chamarei de "Q I". Perto do fim da narrativa, o Q I acaba e só a versão reescrita ("Q II") continua até o fim. Parece-me claro a partir disso que a reescrita (que diz respeito a Gondolin e sua destruição) pertence à mesma época e apresento o texto Q II de forma contínua, do ponto onde o conto de Gondolin começa. O nome do Rei das Águias, *Thorndor*, foi modificado em todo o texto para *Thorondor*.

Ver-se-á que no manuscrito do *Quenta*, conforme foi escrito, a história contada no *Esboço* (p. 122) ainda estava presente: o vale de Gondolin foi descoberto por batedores do povo de Turgon fugindo da Batalha das Lágrimas Inumeráveis. Em algum momento posterior, não identificável, meu pai reescreveu todas as passagens relevantes, e mostro essas revisões no texto que aqui se segue.

Aqui há que se contar de Gondolin. O grande rio Sirion, o maior nas canções dos Elfos, corria por toda a terra de Beleriand e seu curso ia para o sudoeste, e em sua foz havia um grande delta e seu curso inferior passava por terras verdes e férteis, pouco povoadas salvo por aves e feras. Mas os Orques pouco iam até lá, pois ficava longe dos bosques e montes do norte, e o poder de Ulmo crescia sempre naquela água, conforme se aproximava do mar, pois as embocaduras daquele rio eram no mar do oeste, cujas fronteiras últimas são as costas de Valinor.

Turgon, filho de Fingolfin, tinha uma irmã, Isfin, a de mãos brancas. Ela se perdeu em Taur-na-Fuin depois da Batalha das Lágrimas Inumeráveis. Lá foi capturada pelo Elfo-escuro Eöl, e dizem que ele era de ânimo sombrio e havia desertado das hostes antes da batalha; contudo, não lutara do lado de Morgoth. Mas Isfin ele tomou por esposa e o filho deles era Meglin.

Ora, o povo de Turgon, escapando da batalha, ajudado pela valentia de Húrin, como já foi contado, ocultou-se do conhecimento de Morgoth e desapareceu da vista de todos os homens, e apenas Ulmo sabia para onde tinham ido. [Seus batedores, escalando as alturas, tinham chegado a um lugar secreto nas montanhas: um largo vale >] Pois retornaram para a cidade oculta de Gondolin, que Turgon construíra. Em um lugar secreto das montanhas havia um largo vale inteiramente cercado pelos montes, protegido por uma cerca contínua em anel, mas que ficava cada vez mais baixa conforme se aproximava do meio. No centro desse anel maravilhoso havia uma terra ampla e uma planície verde, na qual não se via monte, exceto por uma única elevação pedregosa. Essa se erguia escura sobre a planície, não bem no centro, mas mais próxima daquela parte da muralha externa que ficava perto das margens do Sirion. Mais altas eram as Montanhas Circundantes na direção do Norte e da ameaça de Angband, e em suas encostas exteriores, no Leste e no Norte, começava a sombra da horrenda Taur-na-Fuin, mas elas eram coroadas com o marco de Fingolfin e nenhum mal chegava ali, por enquanto.

Nesse vale [os Gnomos acharam refúgio >] Turgon tinha achado refúgio e feitiços de esconderijo e encantamento tinham sido postos em todos os montes em volta, para que inimigos e espiões nunca achassem o lugar. Nisso Turgon tinha a ajuda das mensagens de Ulmo, que então subiam o rio Sirion, pois a voz dele ouve-se em muitas águas e alguns dos Gnomos tinham ainda o saber para escutá-la. Naqueles dias, Ulmo estava cheio de misericórdia pelos Elfos exilados em sua necessidade e pela ruína que agora havia quase avassalado a todos eles. Previu que a fortaleza de Gondolin resistiria mais do que todos os refúgios dos Elfos contra o poderio de Morgoth, e que, como Doriath, nunca seria sobrepujada, salvo por traição de dentro dela. Por causa de seu poderio protetor, os feitiços de encobrimento eram mais fortes naquelas partes mais próximas do Sirion, embora ali as Montanhas Circundantes fossem as mais baixas. Naquela região os Gnomos escavaram um grande túnel cheio de meandros debaixo das raízes dos montes, e sua saída ficava em uma encosta íngreme, coberta de árvores e escura, de uma garganta pela qual o rio ditoso corria. Ali ele era ainda um riacho jovem, mas forte, descendo o vale estreito que há entre os ombros das Montanhas Circundantes e as Montanhas de Sombra, Eryd-Lómin [> Eredwethion], as muralhas de Hithlum [*riscado*: em cujas elevações do norte ele tinha sua nascente].

Aquela passagem eles construíram de início para ser uma via de retorno para fugitivos e para aqueles que escapavam do cativeiro de Morgoth e mormente como saída para seus batedores e mensageiros. Pois Turgon julgava, quando pela primeira vez chegaram àquele vale depois da batalha terrível,[6] que Morgoth Bauglir tornara-se poderoso demais para Elfos e Homens e que fora melhor buscar o perdão e a ajuda dos Valar, se algum deles pudesse ser obtido, antes que tudo se perdesse. Donde alguns de seu povo desciam o rio Sirion por vezes, antes que a sombra de Morgoth inda se estendesse pelas partes mais distantes de Beleriand, e um porto pequeno e secreto fizeram na foz; de lá, de quando em quando, navios partiam para o Oeste levando a embaixada do rei dos Gnomos. Alguns houve que voltaram, empurrados por ventos contrários, mas a maioria nunca mais retornou e nenhum alcançou Valinor.

A saída daquela Via de Escape era guardada e ocultada pelos feitiços mais poderosos que conseguiram fazer e pelo poder que habitava no Sirion, amado por Ulmo, e nenhuma coisa maligna a encontrou; porém, seu portão mais interno, que dava para o vale de Gondolin, era vigiado incessantemente pelos Gnomos.

Naqueles dias, Thorondor, Rei das Águias, removeu seus ninhos das Thangorodrim, por causa do poder de Morgoth, e do fedor e dos fumos e do mal nas nuvens escuras que jaziam então sempre sobre as torres das montanhas acima dos salões cavernosos. Mas Thorondor habitava sobre as elevações ao

---

[6]Essa frase foi marcada com um X para ser rejeitada, mas não havia nenhuma outra para substituí-la. [N. E.]

norte das Montanhas Circundantes e ele vigiava e via muitas coisas, sentando-se sobre o marco do Rei Fingolfin. E no vale abaixo habitava Turgon, filho de Fingolfin. Sobre o Amon Gwareth, o Monte da Defesa, uma elevação rochosa em meio à planície, foi construída Gondolin, a grande, cuja fama e glória é a maior nas canções entre todas as moradas dos Elfos nestas Terras de Fora. De aço eram seus portões e de mármore, suas muralhas. As encostas do monte os Gnomos poliram até alcançar a lisura do vidro negro e o topo eles nivelaram para a construção de sua cidade, salvo no centro, onde ficava a torre e o palácio do rei. Muitas fontes havia naquela cidade e águas brancas caíam fulgurantes pelas encostas lustrosas do Amon Gwareth. A planície circunvizinha eles alisaram até que se tornasse como um gramado de relva cortada, das escadarias diante dos portões até os pés da muralha das montanhas, e nada podia caminhar ou rastejar através dela sem ser visto.

Naquela cidade o povo se fez poderoso e seus arsenais estavam repletos de armas e de escudos, pois pretendiam de início sair para a guerra, quando a hora fosse propícia. Mas, conforme os anos se arrastavam, passaram a amar aquele lugar, a obra de suas mãos, como fazem os Gnomos, com um grande amor, e nada desejavam de melhor. Então raro era que alguém deixasse Gondolin em missão de guerra ou de paz de novo. Não mandaram mais mensageiros para o Oeste e o porto do Sirion estava abandonado. Trancaram-se detrás de seus montes impenetráveis e encantados e não permitiam que ninguém entrasse, ainda que fugisse de Morgoth, perseguido pelo ódio; notícias das terras de fora chegavam-lhes vagas e distantes e davam-lhes pouco ouvido e sua habitação tornou-se como que um rumor e um segredo que nenhum homem podia descobrir. Não socorreram nem Nargothrond nem Doriath e os Elfos andarilhos os buscavam em vão, e apenas Ulmo sabia onde o reino de Turgon poderia ser achado. Notícias Turgon ouviu de Thorondor acerca da morte de Dior, herdeiro de Thingol, e dali em diante cerrou seus ouvidos a palavras sobre as dores fora de Gondolin e jurou não marchar nunca ao lado de qualquer filho de Fëanor e seu povo ele proibiu de jamais passar a barreira dos montes.

Gondolin então era a única que restava de todas as fortalezas dos Elfos. Morgoth não se esqueceu de Turgon e sabia que sem conhecimento daquele rei seu triunfo não poderia ser atingido; sua busca incessante, porém, era em vão. Nargothrond estava vazia, Doriath desolada, os filhos de Fëanor forçados a levar uma vida selvagem nos bosques do Sul e do Leste, Hithlum enchera-se de homens malignos, e Taur-na-Fuin era um lugar de horror sem-nome: a raça de Hador estava no fim e assim a casa de Finrod;[7] Beren não saía mais à guerra e Huan estava morto, e todos os Elfos e Homens se curvavam à vontade dele ou trabalhavam como escravos nas minas e forjas de Angband, salvo apenas os selvagens e andarilhos, e poucos havia desses, salvo longe no Leste de Beleriand que um dia fora bela. O triunfo dele era quase completo e, contudo, ainda não era de todo pleno.

Certa vez, Eöl perdeu-se em Taur-na-Fuin e Isfin veio, atravessando grande perigo e terror, a Gondolin, e depois de sua chegada ninguém entrou até o último mensageiro de Ulmo, de quem os contos falam mais antes de seu fim. Com ela veio seu filho, Meglin, e ele foi lá recebido por Turgon como filho de sua irmã e, embora tivesse metade de sangue dos Elfos-escuros, foi tratado como um príncipe da linhagem de Fingolfin. Era moreno, mas formoso, sábio e eloquente e sagaz na conquista dos corações e mentes dos homens.

Ora, Húrin de Hithlum tinha um irmão, Huor. O filho de Huor era Tuor. Rían, esposa de Huor, procurou seu marido entre os mortos no campo das Lágrimas Inumeráveis, e lá o pranteou, antes de morrer. Seu filho não era mais que uma criança e, permanecendo em Hithlum, caiu nas mãos dos

---

[7]Finrod, nessa fase das histórias da Primeira Era, era o nome de Finarfin, filho de Finwë (seu filho mais famoso era chamado Inglor). [N. T.]

Homens infiéis que Morgoth levara àquela terra depois da batalha e se tornou um servo. Já crescido, belo de rosto e de grande estatura e, apesar de sua triste vida, valente e sábio, ele escapou para as matas, e lá tornou-se um fora da lei e um solitário, vivendo sozinho e sem se comunicar com ninguém, salvo, raramente, Elfos andarilhos e escondidos.[8]

Então Ulmo, como está contado no *Conto da Queda de Gondolin,* fez com que ele fosse levado a um curso de rio que fluía debaixo da terra, a partir do Lago Mithrim, no centro de Hithlum, para dentro de um grande abismo, Cris-Ilfing [> Kirith Helvin], a Fenda do Arco-íris, através do qual uma água turbulenta corria enfim para o mar do oeste. E o nome desse abismo foi assim cunhado pela razão do arco-íris que brilhava sempre ao sol naquele lugar, por causa da abundância dos respingos das cachoeiras e quedas d'água.

Desse modo, a fuga de Tuor não foi vista por nenhum Homem ou Elfo, nem era conhecida dos Orques ou de qualquer espião de Morgoth, dos quais a terra de Hithlum estava cheia.

Tuor vagou longamente pelas costas do oeste, viajando sempre para o Sul, e chegou enfim às fozes do Sirion e aos deltas arenosos povoados por muitas aves do mar. Lá topou com um Gnomo, Bronwë, que tinha escapado de Angband e, sendo outrora do povo de Turgon, buscava sempre achar o caminho para os lugares ocultos de seu senhor, sobre os quais corriam rumores entre todos os cativos e fugitivos. Ora, Bronwë chegara até ali por caminhos distantes e cheios de meandros do Leste e, embora pouco lhe agradasse dar qualquer passo para mais perto da servidão da qual viera, dispôs-se então a subir o Sirion e procurar Turgon em Beleriand. Temeroso e muito

---

[8] O texto aqui ficou um pouco confuso por causa de mudanças apressadas. Nessa revisão, conta-se que Rían "partiu para os ermos", onde Tuor nasceu, e que "ele foi adotado pelos Elfos Escuros, mas Rían deitou-se no Monte dos Mortos e faleceu. Mas Tuor cresceu nas matas de Hithlum e era belo de rosto e de grande estatura..." Assim, nessa revisão, não se menciona a escravização de Tuor. [N. E.]

prevenido era Bronwë e auxiliou Tuor na marcha secreta deles, de noite e no crepúsculo, de maneira que não foram descobertos pelos Orques.

Chegaram primeiro à bela Terra dos Salgueiros, Nan-tathrin, que é regada pelo Narog e pelo Sirion; e lá todas as coisas ainda eram verdes e as campinas eram ricas e cheias de flores e havia canto de muitas aves, de modo que Tuor se demorou lá como alguém sob encanto e parecia-lhe doce habitar ali depois das terras duras do Norte e suas andanças exaustivas.

Para lá foi Ulmo e apareceu diante dele, quando estava em meio à grama alta no entardecer, e o poderio e a majestade daquela visão estão contados na canção de Tuor, que ele fez para seu filho, Eärendel. Dali por diante o som do mar e o anseio pelo mar estiveram sempre no coração e nos ouvidos de Tuor, e uma inquietação vinha-lhe por vezes, a qual o levou enfim às profundezas do reino de Ulmo. Mas naquela hora Ulmo ordenou que ele partisse com toda presteza a Gondolin e ensinou-lhe como achar a porta oculta e uma mensagem deu-lhe para que a levasse de Ulmo, amigo dos Elfos, para Turgon, mandando que o rei se preparasse para a guerra e para a batalha contra Morgoth antes que tudo se perdesse e que enviasse de novo seus mensageiros para o Oeste. Chamados também ele deveria lançar para o Leste e reunir, se pudesse, Homens (que estavam agora se multiplicando e se espalhando pela terra) sob suas bandeiras e para essa tarefa Tuor era o mais apto. "Esquece", aconselhou Ulmo, "a traição de Uldor, o maldito, e lembra-te de Húrin, pois sem os Homens mortais os Elfos não hão de prevalecer contra os Balrogs e os Orques." Nem deveria a contenda com os filhos de Fëanor permanecer sem cura, pois esse seria o último ajuntamento da esperança dos Gnomos, quando cada espada contaria. Um conflito terrível e mortal Ulmo previa, mas também a vitória se Turgon assim ousasse, a quebra do poder de Morgoth e a cura de contendas e amizade entre Elfos e Homens, donde o maior dos bens viria ao mundo, e os serviçais de Morgoth não mais iriam atormentá-lo. Mas, se Turgon não partisse para essa guerra, então deveria abandonar

Gondolin e liderar seu povo Sirion abaixo e construir lá suas frotas e buscar a Valinor e a misericórdia dos Deuses. Mas nesse segundo conselho havia perigo mais tremendo do que no outro, embora assim não parecesse, e triste dali por diante seria o fado das Terras de Cá.

Essa demanda realizou Ulmo por seu amor aos Elfos e porque sabia que, antes que muitos anos passassem, a sina de Gondolin viria se seu povo se sentasse detrás de suas muralhas, e assim nada de júbilo ou beleza no mundo ficaria intocado pela maldade de Morgoth.

Obedientes a Ulmo, Tuor e Bronwë viajaram para o Norte e chegaram enfim à porta escondida, e, descendo o túnel, alcançaram o portão interno e foram feitos prisioneiros pela guarda. Lá viram o belo vale de Tumladen posto feito uma joia verdejante em meio aos montes, e, em meio a Tumladen, Gondolin, a grande, a cidade de sete nomes, branca, brilhando ao longe, com o rubor rosado da aurora sobre a planície. Para lá foram conduzidos e passaram os portões de aço e foram levados diante dos degraus do palácio do rei. Lá Tuor deu a conhecer a embaixada de Ulmo e algo do poder e da majestade do Senhor das Águas sua voz tomara, de forma que toda a gente olhou para ele em assombro e duvidou que esse era um Homem de raça mortal, como declarara. Mas soberbo Turgon tornara-se e Gondolin, tão bela quanto uma memória de Tûn e ele confiava em seu segredo e força inexpugnável, de modo que ele e a maior parte de seu povo não queriam colocá-la em perigo ou deixá-la e não desejavam misturar-se às dores de Elfos e Homens de fora, nem mais desejavam retornar sofrendo com o terror e o perigo ao Oeste.

Meglin falava sempre contra Tuor nos conselhos do rei e suas palavras pareciam mais pesadas por seguir o que ia no coração de Turgon. Donde Turgon rejeitou a ordem de Ulmo, embora houvesse entre seus mais sábios conselheiros os que ficassem cheios de inquietação. De coração sábio até mesmo além da medida das filhas de Elfinesse era a filha do rei e falava sempre em favor de Tuor, embora isso não fosse de valia alguma, e o coração da princesa estava pesaroso. Muito bela e alta era ela, quase da estatura de um guerreiro, e seu cabelo era uma fonte d'ouro. Idril era seu nome e chamavam-lhe Celebrindal, Pé-de--Prata, pela brancura de seu pé, e caminhava e dançava sempre descalça nas vias brancas e gramados verdejantes de Gondolin.

Dali em diante Tuor permaneceu em Gondolin e não saiu a convocar os Homens do Leste, pois a bem-aventurança de Gondolin, a beleza e a sabedoria de seu povo tinham se assenhorado dele. E cresceu muito nos favores de Turgon, pois tornou-se homem poderoso em estatura e mente, aprendendo profundamente o saber dos Gnomos. O coração de Idril voltou-se para ele e o dele, para ela, com o que Meglin rangia seus dentes, pois desejava Idril e, apesar do parentesco próximo, pretendia possuí-la, e ela era a única herdeira do rei de Gondolin. De fato, em seu coração, já estava planejando como poderia derrubar Turgon e tomar o trono, mas Turgon o amava e confiava nele. Mesmo assim, Tuor tomou Idril por esposa e o povo de Gondolin fez uma festa alegre, pois Tuor conquistara os corações deles, de todos, menos o de Meglin e de seu séquito secreto. Tuor e Beren apenas, entre os Homens mortais, tomaram Elfas por esposas e, uma vez que Elwing, filha de Dior, filho de Beren depois desposou Eärendel, filho de Tuor e de Idril de Gondolin, apenas deles veio o sangue élfico para uma raça mortal. Mas por enquanto Eärendel era uma criancinha, muitíssimo belo era ele, uma luz estava em seu rosto como a luz do céu e tinha a beleza e a sabedoria de Elfinesse e a força e o vigor dos Homens antigos, e o mar sempre falava em seus ouvidos e coração, assim como a Tuor, seu pai.

Certa vez, quando Eärendel ainda era novo e os dias de Gondolin estavam cheios de júbilo e paz (e, contudo, o coração de Idril alertava-a e agouros vinham sobre seu espírito como uma nuvem), Meglin perdeu-se. Ora, Meglin amava minerar e procurar metais acima de outras artes, e era mestre e líder dos Gnomos que trabalhavam nas montanhas distantes da cidade, buscando metais para suas forjas, para coisas de paz e de guerra. Mas Meglin amiúde ia com alguns de seu povo para além da barreira dos montes, embora o rei não soubesse que suas ordens eram desafiadas; e assim veio a acontecer, como quis o destino, que Meglin foi feito prisioneiro pelos Orques e levado diante de Morgoth. Meglin não era nenhum fracote ou poltrão, mas o tormento com o qual foi ameaçado acovardou sua alma, e ele comprou sua vida e liberdade revelando a Morgoth o local de Gondolin e as vias pelas quais poderia ser achada e atacada. Grande, de fato, foi o regozijo de Morgoth e a Meglin ele prometeu o senhorio de Gondolin, como seu vassalo, e a posse de Idril, quando aquela cidade fosse tomada. O desejo por Idril e ódio a Tuor levaram Meglin com mais facilidade à sua imunda traição. Mas Morgoth mandou-o de volta a Gondolin, para que não suspeitassem da perfídia e para que Meglin ajudasse no assalto de dentro quando a hora chegasse, e Meglin viveu nos salões do rei com um sorriso no rosto e o mal em seu coração, enquanto a treva se juntava cada vez mais profunda sobre Idril.

Enfim, e Eärendel tinha então 7 anos de idade, Morgoth estava pronto e soltou sobre Gondolin seus Orques e Balrogs e suas serpentes e, dessas, dragões de muitas e tremendas formas foram criados para a tomada da cidade. A hoste de Morgoth veio dos montes do Norte, onde a altura era maior e a guarda, menos vigilante, e veio à noite em um tempo de festival, quando todo o povo de Gondolin estava sobre as muralhas para esperar o sol nascente e cantar suas canções à sua subida, pois de manhã era a festa que eles chamavam de Portões do Verão. Mas a luz vermelha elevou-se nos montes do Norte, e não no Leste, e não houve parada no avanço do inimigo até que eles estivessem sob as próprias muralhas de Gondolin e a cidade foi sitiada sem esperança.

Dos feitos de valor desesperado que se deram lá, pelos chefes das casas nobres e seus guerreiros, e não menos por Tuor, muito está contado n'*A Queda de Gondolin*; da morte de Rog fora dos muros; e da batalha de Ecthelion da Fonte com Gothmog, senhor de Balrogs, na própria praça do rei, onde um matou o outro; e da defesa da torre de Turgon pelos homens de sua casa, até que a torre foi derrubada; e grande foi sua queda e a queda de Turgon em sua ruína.

Tuor buscou resgatar Idril do saque da cidade, mas Meglin deitara mãos sobre ela e Eärendel, e Tuor lutou sobre as muralhas com ele e lançou-o para sua morte. Então Tuor e Idril conduziram tais remanescentes do povo de Gondolin como os que conseguiram reunir na confusão do incêndio para uma via secreta que Idril mandara preparar nos dias de seus agouros. Essa ainda não estava completa, mas sua saída já estava muito além das muralhas e no norte da planície, onde as montanhas já estavam bem distantes do Amon Gwareth. Aqueles que não quiseram vir com eles, mas fugiram para a antiga Via de Escape que levava para a garganta do Sirion, foram emboscados e destruídos por um dragão que Morgoth mandara para vigiar aquele portão, sabendo dele por Meglin. Mas da nova passagem Meglin não ouvira falar e não se pensava que fugitivos fossem seguir um caminho na direção do Norte e das partes mais altas das montanhas, mais próximas de Angband.

Os fumos do incêndio e o vapor das belas fontes de Gondolin secando sob as chamas dos dragões do Norte caíram sobre o vale em brumas enlutadas e assim teve auxílio a fuga de Tuor e sua companhia, pois havia ainda uma estrada longa e aberta a seguir da boca do túnel para os sopés das montanhas. Chegaram, apesar disso, às montanhas, em dores e desgraça, pois os lugares altos eram frios e terríveis, e tinham entre eles muitas mulheres e crianças e muitos homens feridos.

Há um passo terrível, Cristhorn [> Kirith-thoronath] era chamado, a Fenda da Águia, onde, sob a sombra dos picos mais altos, um caminho estreito serpenteia, espremido entre um precipício à direita e à esquerda uma queda terrível que desce ao vazio. Ao longo daquela via estreita a marcha deles foi detida quando foram emboscados por forças de um posto avançado do poder de Morgoth e um Balrog liderava-as. Então terrível foi o apuro deles e dificilmente teriam sido salvos pelo valor imortal de Glorfindel dos cabelos louros, chefe da Casa da Flor Dourada de Gondolin, se Thorondor não tivesse vindo ao auxílio dos exilados.

Já se cantaram muitas canções sobre o duelo de Glorfindel com o Balrog sobre um pináculo de rocha naquele lugar alto e ambos caíram para sua ruína no abismo. Mas Thorondor carregou o corpo de Glorfindel e ele foi enterrado em um teso de pedras ao lado do passo, e lá mais tarde cresceu uma relva verde e pequenas flores semelhantes a estrelas amarelas floresceram ali em meio à esterilidade da pedra. E as aves de Thorondor desceram sobre os Orques e eles fugiram aos gritos, e todos foram mortos ou lançados nas profundezas e rumores da fuga de Gondolin não chegaram aos ouvidos de Morgoth até muito tempo depois.

Assim, por marchas cansativas e perigosas, o remanescente de Gondolin chegou a Nan-tathrin e ali repousaram um pouco e curaram-se de suas feridas e cansaço, mas seu pesar não podia ser curado. Lá fizeram uma celebração em memória de Gondolin e daqueles que tinham perecido, belas donzelas, esposas e guerreiros e seu rei, mas para Glorfindel, o bem-amado, muitas e doces foram as canções que cantaram. E lá Tuor falou em canção a Eärendel, seu filho, da vinda de Ulmo muito antes, da visão do mar no meio da terra firme, e o anseio pelo mar despertou em seu coração e no de seu filho. Donde se mudaram, com a maior parte do povo, para as embocaduras do Sirion à beira-mar, e ali habitaram e uniram seu povo à minguada companhia de Elwing, filha de Dior, que fugira para lá pouco antes.

Então Morgoth pensou em seu coração que seu triunfo estava completo, pouco cuidando dos filhos de Fëanor e de seu juramento, que nunca o feriria e se tornava sempre seu maior auxílio. E em seu pensamento negro ele riu, sem remoer a única Silmaril que perdera, pois por ela julgava que os últimos restos da raça élfica ainda haviam de sumir da terra e não mais incomodá-lo. Se sabia da morada à beira das águas do Sirion, não deu sinal disso, aguardando o tempo propício e esperando a ação da jura e da mentira.

Contudo, à beira do Sirion e do mar, crescia ali uma gente élfica, pequena colheita de Gondolin e Doriath, e eles foram às ondas e se puseram a fazer belas naus, habitando sempre perto das costas e sob a sombra da mão de Ulmo.

Estamos agora no mesmo ponto da história de Gondolin no *Quenta Noldorinwa* que havia sido alcançado no *Esboço da Mitologia* (p. 121). Aqui deixarei o *Quenta* e passarei ao último grande texto da história de Gondolin, que também é o último relato da fundação de Gondolin e de como Tuor veio a entrar na cidade.

A ÚLTIMA VERSÃO

Muitos anos se passaram entre a história de Gondolin conforme foi contada no *Quenta Noldorinwa* e este texto, intitulado *De Tuor e Da Queda de Gondolin*.
É certo que ele foi escrito em 1951 (ver "A Evolução da História", p. 199).

Rían, esposa de Huor, morava com o povo da Casa de Hador, mas quando chegaram a Dor-lómin os rumores sobre a Nirnaeth Arnoediad [a Batalha das Lágrimas Inumeráveis] e ainda assim ela recebia nenhuma notícia do seu senhor, ficou desnorteada e saiu a vagar nos ermos sozinha. Lá teria perecido, mas os Elfos-cinzentos vieram em seu socorro. Pois havia uma habitação desse povo nas montanhas a oeste do Lago Mithrim e para lá conduziram-na, e estando lá deu à luz um filho antes do fim do Ano da Lamentação.

E Rían disse aos Elfos: "Que se chame *Tuor*, pois esse nome seu pai escolheu antes que a guerra se colocasse entre nós. E peço a vós que o crieis e que o mantenhais oculto em vossos cuidados, pois pressinto que um grande bem, para os Elfos e para os Homens, há de vir dele. Mas preciso partir em busca de Huor, meu senhor."

Então os Elfos se apiedaram dela, mas um, Annael, o único daquele povo que fora à guerra e retornara da Nirnaeth, disse-lhe: "Ai, senhora, sabe-se agora que Huor tombou ao lado de seu irmão Húrin; e jaz, creio eu, no grande monte de mortos que os Orques ergueram no campo de batalha."

Assim, Rían ergueu-se e deixou a morada dos Elfos e passou pela terra de Mithrim e finalmente chegou ao Haudh-en--Ndengin, no deserto de Anfauglith, e lá se deitou e morreu. Mas os Elfos cuidaram do jovem filho de Huor e Tuor cresceu entre eles, e era belo de rosto e tinha cabelos dourados à maneira da família de seu pai e tornou-se forte e alto e valente, e, sendo criado pelos Elfos, não tinha menos saber e habilidade que os príncipes dos Edain, antes que a ruína se abatesse sobre o Norte.

Porém, com o passar dos anos, a vida do antigo povo de Hithlum, os que ainda permaneciam, Elfos ou Homens, tornou-se cada vez mais dura e perigosa. Pois, como se relatou em outra parte, Morgoth quebrou os juramentos que fizera aos Lestenses que o serviram e negou-lhes as ricas terras de Beleriand que desejavam e expulsou esse povo perverso para Hithlum e lá ordenou que morassem. E, embora não mais amassem a Morgoth, eles ainda o serviam com temor e odiavam todo o povo dos Elfos e desprezavam os remanescentes da Casa de Hador (os velhos e as mulheres e as crianças, em sua maioria), e oprimiam-nos e casavam-se à força com as mulheres deles, tomavam suas terras e seus bens e escravizavam seus filhos. Os Orques iam e vinham pela terra como queriam, perseguindo os Elfos restantes até os refúgios nas montanhas e levando muitos prisioneiros às minas de Angband, para trabalharem como servos de Morgoth.

Então Annael conduziu seu minguado povo até as cavernas de Androth e lá levavam uma vida difícil e vigilante, até que Tuor atingisse a idade de 16 anos e se tornasse forte e capaz de empunhar armas, o machado e o arco dos Elfos-cinzentos, e seu coração inflamou-se ao ouvir a história dos pesares de seu povo e ele quis partir para vingá-los atacando os Orques e os Lestenses. Mas Annael o proibiu.

"Muito longe daqui, creio eu, está teu destino, Tuor, filho de Huor", disse. "E esta terra não há de ser libertada da sombra de Morgoth antes que as próprias Thangorodrim sejam derrubadas. Portanto, resolvemos abandoná-la por fim e partir para o sul, e conosco tu virás."

"Mas como havemos de escapar à rede de nossos inimigos?", perguntou Tuor. "Pois a marcha de tanta gente junta certamente será percebida."

"Não havemos de marchar através da terra abertamente," respondeu Annael, "e, se a sorte estiver do nosso lado, chegaremos ao caminho secreto que chamamos Annon-in-Gelydh, o Portão dos Noldor, pois foi feito pela habilidade dessa gente, muito tempo atrás, nos dias de Turgon."

Ao ouvir esse nome, Tuor agitou-se, apesar de não saber o porquê, e questionou Annael a respeito de Turgon. "É um filho de Fingolfin", respondeu Annael, "e agora é considerado Alto Rei dos Noldor, desde a queda de Fingon. Pois vive, ainda, o mais temido dos inimigos de Morgoth e escapou da ruína das Nirnaeth, quando Húrin de Dor-lómin e Huor, teu pai, defenderam as passagens do Sirion atrás dele."

"Então partirei e irei à busca de Turgon," disse Tuor, "pois não é certo que ele me auxiliará em consideração a meu pai?"

"Isso não podes fazer", disse Annael. "Pois sua fortaleza está oculta dos olhos dos Elfos e dos Homens e não sabemos onde ela se encontra. Dentre os Noldor alguns, talvez, saibam o caminho para lá, mas não falarão sobre isso com ninguém. Porém, se quiseres conversar com eles, vem comigo como te peço, pois nos distantes portos do Sul poderás encontrar errantes vindos do Reino Oculto."

Assim foi que os Elfos abandonaram as cavernas de Androth e Tuor seguiu com eles. Mas seus inimigos seguiam vigiando suas habitações e logo estavam cientes da marcha; não haviam os Elfos avançado muito, das colinas para a planície, quando foram assaltados por grande número de Orques e Lestenses, e eles estavam dispersos, distantes e em todas as direções, fugindo em debandada na noite que caía. No entanto, o coração de Tuor inflamou-se com o fogo da batalha, e não quis fugir, mas menino que era empunhou o machado como seu pai já fizera antes e por muito tempo manteve seu posto e matou muitos que o atacaram, mas por fim foi dominado e feito prisioneiro e foi conduzido à presença de Lorgan, o Lestense. Ora, esse Lorgan era considerado chefe dos Lestenses e afirmava ter sob seu jugo Dor-lómin inteira como feudo sob as ordens de Morgoth e tomou Tuor por escravo. Dura e amarga foi então sua vida, pois aprazia a Lorgan dar a Tuor o tratamento mais cruel por ele pertencer à família dos antigos senhores, e Lorgan buscava quebrar, se possível, o orgulho da Casa de Hador. Mas Tuor agia com sabedoria e suportava todas as dores e provocações com paciência vigilante; assim, após algum tempo sua carga foi um pouco reduzida e pelo menos não passava fome, como muitos dos infelizes servos de Lorgan. Pois era forte e hábil e Lorgan alimentava bem suas bestas de carga enquanto eram jovens e conseguiam trabalhar.

No entanto, após três anos de servidão, Tuor finalmente viu uma chance de escapar. Já havia chegado quase à sua plena estatura, sendo mais alto e mais veloz que qualquer Lestense; e, tendo sido enviado com outros servos a trabalhar na floresta, voltou-se de repente contra os guardas e matou-os com um machado e fugiu para as colinas. Os Lestenses caçaram-no com cães, mas em vão, pois praticamente todos os sabujos de Lorgan eram seus amigos e, se o alcançassem, o adulariam e voltariam correndo para casa ao seu comando. Assim ele finalmente voltou às cavernas de Androth e lá viveu sozinho. E durante quatro anos foi um proscrito na terra de seus pais, lúgubre e solitário, e seu nome era temido, pois costumava sair ao largo e matar muitos dos Lestenses com que cruzava. Então ofereceram um grande prêmio por sua cabeça, mas não ousavam vir a seu esconderijo, mesmo com grande número de homens, pois temiam o povo élfico e evitavam as cavernas onde ele havia morado. Porém, diz-se que as viagens de Tuor não tinham o propósito de vingança; em verdade ele buscava sempre o Portão dos Noldor, do qual falara Annael. Mas não o encontrava, pois não sabia onde buscá-lo, e os poucos Elfos que ainda permaneciam nas montanhas não haviam ouvido falar dele.

Mas Tuor sabia que, embora ainda favorecido pela sorte, no final os dias de um proscrito estão contados e sempre são poucos e sem esperança. Nem estava ele disposto a viver sempre desse modo, um selvagem nas colinas inóspitas, e seu coração o impelia sempre a grandes feitos. Nisso, conta-se, mostrou-se o poder de Ulmo. Pois ele recolhia notícias de tudo que ocorria em Beleriand e cada torrente que corria da Terra-média para o Grande Mar era um mensageiro seu, para levar e trazer, e mantinha também a amizade, como outrora, com Círdan e os Armadores nas Fozes do Sirion. E nessa época mais do que tudo Ulmo atentava para os destinos da Casa de Hador, pois em suas profundas deliberações pretendia que desempenhassem um importante papel em seus desígnios para o auxílio aos Exilados, e bem conhecia ele os apuros de Tuor, pois Annael e muitos de seu povo de fato haviam escapado de Dor-lómin e chegado finalmente até Círdan,[9] no extremo Sul.

Assim aconteceu que, certo dia no início do ano (vinte e três desde as Nirnaeth), Tuor estava sentado junto a uma nascente que brotava perto da entrada da caverna onde habitava e observava a oeste o pôr do sol coberto de nuvens. Então de repente sentiu em seu coração o desejo de não mais esperar, mas de erguer-se e partir. "Deixarei agora a cinzenta terra de minha família que não mais existe", exclamou, "e irei à busca de meu destino! Mas para onde me voltarei? Há muito tempo procuro o Portão e não o encontro."

Então tomou a harpa que sempre carregava consigo, pois era hábil em tanger suas cordas, e, sem se importar com o perigo

---

[9]Este é Círdan, o Armador, que aparece em *O Senhor dos Anéis* como senhor dos Portos Cinzentos no fim da Terceira Era. [N. E.]

de sua clara voz sozinha nos ermos, entoou uma canção élfica do Norte destinada a animar os corações. E, à medida que cantava, a nascente a seus pés começou a borbulhar com grande volume de água e transbordou e um regato passou a descer ruidoso pela encosta rochosa à sua frente. E Tuor considerou-o como um sinal e ergueu-se de pronto e o seguiu. Assim desceu das altas colinas de Mithrim e saiu para a planície de Dor-lómin ao norte, e a torrente crescia conforme ele a seguia para o oeste, até que ao final de três dias ele pôde descortinar no Oeste as longas cristas cinzentas das Ered Lómin, que naquela região avançavam para o norte e para o sul, cercando as distantes costas das Praias do Oeste. Àquelas colinas em todas as suas viagens Tuor jamais chegara.

Agora o terreno tornava-se novamente mais irregular e pedregoso, à medida que se aproximava das colinas, e logo começou a subir diante dos pés de Tuor, enquanto a torrente seguia por um leito escavado. No entanto, bem quando caía o entardecer sombrio no terceiro dia da viagem, Tuor viu diante de si uma parede de rocha, e nela havia uma abertura semelhante a um grande arco, e a torrente por ali entrava e perdia-se. Então Tuor afligiu-se e disse: "E assim sou traído pela minha esperança! O sinal nas colinas só me conduziu a um obscuro fim no meio da terra de meus inimigos." E, em desalento, sentou-se entre os rochedos na alta margem da torrente, vigilante por toda a noite, amarga e sem fogo, pois era ainda o mês de súlimë, e não chegara nenhum sinal da primavera àquela distante terra do norte e soprava um ruidoso vento do Leste.

Mas, quando a própria luz do sol que se avizinhava brilhou pálida nas distantes névoas de Mithrim, Tuor ouviu vozes e, baixando o olhar, espantado, viu dois Elfos que vadeavam a água rasa, e, quando subiram por degraus escavados na margem, Tuor pôs-se de pé e chamou-os. De pronto sacaram suas luzentes espadas e saltaram em direção a ele. Então viu que portavam mantos cinzentos, mas por baixo usavam cotas de malha, e ficou maravilhado, pois eram mais belos e mais ferozes de aparência, em virtude da luz de seus olhos, do que quaisquer outros que já conhecera do povo élfico. Ergueu-se em toda a sua estatura e esperou por eles; porém, quando viram que ele não empunhara arma alguma, mas estava só e saudava-os na língua élfica, embainharam suas espadas e falaram-lhe com cortesia. E disse um deles: "Gelmir e Arminas somos nós, do povo de Finarfin. Não és tu um dos Edain de outrora, que moravam nestas terras antes das Nirnaeth? E de fato creio que sejas da gente de Hador e Húrin, pois assim o declara o ouro de tua cabeça."

E Tuor respondeu: "Sim, sou Tuor, filho de Huor, filho de Galdor, filho de Hador, mas agora enfim desejo deixar esta terra onde sou proscrito e sem família."

"Então," disse Gelmir, "se quiseres escapar e buscar os portos do Sul, teus pés já foram dirigidos para o caminho certo."

"Assim pensei", disse Tuor. "Pois segui uma súbita nascente d'água nas colinas, até que se juntasse a esta torrente traiçoeira. Mas agora não sei para onde me voltar, pois ela desapareceu nas trevas."

"Pelas trevas pode-se chegar à luz", disse Gelmir.

"Porém andar-se-á ao sol enquanto for possível", disse Tuor. "Mas, como vós pertenceis a esse povo, dizei-me, se puderdes, onde fica o Portão dos Noldor. Pois durante muito tempo o busquei, desde que meu pai adotivo Annael, dos Elfos-cinzentos, dele me falou."

Então riram-se os Elfos e disseram: "Tua busca terminou, pois nós mesmos acabamos de passar por esse Portão. Lá está à tua frente!" E apontaram para o arco onde fluía a água. "Vem agora! Pelas trevas chegarás à luz. Nós mostraremos o caminho, mas não podemos guiar-te longe, pois fomos enviados de volta às terras de onde fugimos, com demanda urgente." "Mas não temas," disse Gelmir, "um grande destino está escrito sobre tua fronte e ele te conduzirá para longe destas terras, na verdade para longe da Terra-média, segundo creio."

Então Tuor seguiu os Noldor, descendo os degraus e vadeando na água fria, até chegarem às sombras do outro lado do arco de pedra. E então Gelmir tirou uma daquelas lanternas pelas quais os Noldor eram renomados, pois haviam sido feitas outrora em Valinor, e nem o vento nem a água podiam apagá-las e, quando se removia sua capa, emitiam uma clara luz azul, vinda de uma chama aprisionada em cristal branco. Agora, à luz que Gelmir suspendia sobre a cabeça, Tuor viu que o rio começava repentinamente a descer por um suave declive, entrando em um grande túnel, mas ao lado de seu curso escavado na rocha havia longas escadarias, que se estendiam em descida para uma treva profunda fora do alcance do facho da lanterna.

Quando eles haviam alcançado a base da corredeira, encontravam-se sob uma grande cúpula de pedra e ali o rio se precipitava em íngreme cascata, com intenso ruído que ecoava na abóbada, para depois mais uma vez passar por um grande arco e entrar em outro túnel. Ao lado da cascata os Noldor se detiveram e disseram adeus a Tuor.

"Agora devemos retornar e seguir nossos caminhos a toda pressa," disse Gelmir, "pois questões de grande perigo estão avançando em Beleriand."

"Chegou então a hora em que Turgon há de se mostrar?", perguntou Tuor.

Os Elfos então olharam para ele com espanto. "Esse é um assunto que diz respeito aos Noldor e não aos filhos dos Homens", disse Arminas. "O que sabes de Turgon?"

"Pouco," disse Tuor, "exceto que meu pai o ajudou a escapar das Nirnaeth e que em sua fortaleza reside a esperança dos Noldor. Porém, não sei por que, seu nome sempre se agita em meu coração e me vem aos lábios. E, se eu pudesse fazer o que desejo, iria em sua busca, em vez de trilhar este escuro caminho de terror. A não ser que, talvez, esta estrada secreta seja o caminho até sua morada?"

"Quem há de dizer?", respondeu o Elfo. "Pois, uma vez que a morada de Turgon está escondida, também estão os caminhos até lá. Não os conheço, apesar de tê-los buscado por muito tempo. Mas, se os conhecesse, não haveria de revelá-los a ti, nem a nenhum dentre os Homens."

Mas disse Gelmir: "Ouvi dizer que tua Casa tem o favor do Senhor das Águas. E, se o conselho dele te conduzir a Turgon, então certamente a ele hás de chegar, não importa para onde te voltes. Segue agora a estrada à qual a água te trouxe, desde as colinas, e não temas! Não hás de caminhar por muito tempo nas trevas. Adeus! E não penses que nosso encontro foi por acaso, pois o Habitante das Profundezas ainda movimenta muitas coisas nesta terra. *Anar kaluva tielyanna!* [O sol brilhará sobre teu caminho!]"

Com essas palavras os Noldor deram a volta e retornaram, subindo pela longa escadaria, mas Tuor se manteve imóvel até que a luz de sua lanterna se perdesse, e ficou sozinho em trevas mais profundas que a noite, em meio aos bramidos da cascata. Então, armando-se de coragem, encostou a mão esquerda na parede de pedra e avançou tateando, devagar no começo, e depois mais depressa, à medida que se acostumava mais à escuridão e nada encontrava que o impedisse. E depois de muito tempo, conforme lhe pareceu, quando estava sentindo-se exausto e, no entanto, não querendo descansar no negro túnel, enxergou uma luz longínqua à sua frente e, apressando-se, chegou a uma fenda alta e estreita e seguiu a ruidosa torrente entre as paredes inclinadas, saindo para um dourado entardecer. Pois havia chegado a uma profunda ravina com paredes altas e escarpadas, que se estendia em linha reta para o Oeste; e diante dele o sol poente, descendo por um céu límpido, iluminava a ravina e inflamava suas paredes com um fogo amarelo e as águas do rio reluziam como ouro, quebrando e espumando sobre muitas pedras reluzentes.

Naquele lugar profundo Tuor foi avançando, maravilhado e com grande esperança, tendo encontrado uma trilha por baixo da parede meridional, onde havia uma praia longa e estreita. E, quando chegou a noite e o rio prosseguiu invisível, a não ser por um brilho de altas estrelas refletidas em poças escuras, então ele descansou e dormiu, pois não sentia medo ao lado daquela água onde corria o poder de Ulmo.

Ao chegar o dia, voltou a avançar sem pressa. O sol erguia-se às suas costas e se punha diante do seu rosto, e lá onde a água espumava entre os rochedos, ou se precipitava em súbitas cascatas, pela manhã e ao entardecer teciam-se arco-íris de um lado a outro da torrente. Por esse motivo, chamou aquela ravina de Cirith Ninniach [Fenda do Arco-íris].

Assim Tuor viajou lentamente por três dias, bebendo a água fria, mas sem desejar comida, embora houvesse muitos peixes que brilhavam como ouro e prata, ou reluziam com cores semelhantes às dos arco-íris na névoa acima. E no quarto dia o canal tornou-se mais largo e suas paredes mais baixas e menos íngremes, porém o rio corria mais profundo e caudaloso, pois agora altas colinas o acompanhavam de ambos os lados e dali águas frescas derramavam-se na Cirith Ninniach em cascatas cintilantes. Ali por muito tempo Tuor sentou-se, observando a turbulência da torrente e escutando sua voz infindável, até que voltou a noite e as estrelas brilharam frias e brancas na escura faixa de céu lá no alto. Então ergueu a voz e tangeu as cordas de sua harpa, e, mais alto que o ruído da água, o som de sua canção e os doces acordes da harpa ecoavam na pedra e se multiplicavam, saindo a soar nas colinas envoltas no manto da noite, até que toda a região deserta estivesse repleta de música sob as estrelas. Pois, apesar de não saber, Tuor havia chegado às Montanhas Ressoantes de Lammoth em torno do Estreito de Drengist. Lá, certa vez no passado distante, Fëanor aportara vindo do mar e as vozes de seu povo cresceram em poderoso clamor nas costas do Norte, antes que a Lua se erguesse.

Com isso Tuor encheu-se de espanto e interrompeu a canção, e aos poucos a música morreu nas colinas e fez-se silêncio. Então, em meio ao silêncio, ele ouviu no ar lá no alto um estranho grito e não sabia de que criatura tal grito provinha. Ora dizia: "É uma voz-de-fata", ora: "Não, é um bicho pequeno que geme nos ermos" e depois, escutando-o de novo, disse: "Certamente é o grito de alguma ave noturna que não conheço." E pareceu-lhe um som triste e, no entanto, desejava escutá-lo e segui-lo, pois ele o chamava não sabia para onde.

Na manhã seguinte escutou a mesma voz sobre sua cabeça e erguendo o olhar viu três grandes aves brancas descendo pela ravina contra o vento oeste; suas fortes asas reluziam ao sol que acabara de nascer e, ao passarem acima dele, elas gritaram alto. Assim Tuor divisou pela primeira vez as grandes gaivotas, amadas pelos Teleri. Então ergueu-se para segui-las e, para melhor perceber aonde voavam, escalou um penhasco à sua esquerda, pôs-se de pé no cimo e sentiu um forte vento vindo do Oeste que lhe batia no rosto e fazia seu cabelo tremular. E sorveu aquele ar novo e disse: "Isso eleva o coração como beber vinho fresco!" Mas não sabia ele que o vento vinha direto do Grande Mar.

Tuor então seguiu caminho mais uma vez, buscando as gaivotas, altas sobre o rio e, à medida que andava, as margens da ravina voltaram a se aproximar, e ele chegou a um canal estreito, e este estava repleto de grande ruído d'água. E baixando os olhos Tuor viu um extremo assombro, assim lhe pareceu, pois uma maré incontrolável subia pelo estreito e lutava contra o rio que ainda queria prosseguir, e uma onda como uma parede se ergueu, chegando quase ao topo do penhasco, coroada de cristas de espuma voando ao vento. Então o rio foi forçado a recuar e a maré entrou, subindo o canal com um rugido, afogando-o em águas profundas, e o rolar das pedras era como trovão à medida que ela passava. Assim, Tuor foi salvo, pelo chamado das aves marinhas, da morte na maré enchente, e esta era imensa por causa da estação do ano e do forte vento vindo do mar.

Mas Tuor agora estava amedrontado com a fúria das águas estranhas e mudou de direção rumo ao sul e assim não chegou às longas praias do Estreito de Drengist, mas passou ainda alguns dias vagando em uma região acidentada, desprovida de árvores. Era varrida por um vento do mar, e tudo que lá crescia, capim ou touceira, inclinava-se sempre para onde o sol nascia por causa da preponderância daquele vento Oeste. Dessa forma Tuor cruzou as fronteiras de Nevrast, onde outrora habitara Turgon e por fim, desprevenido (pois os topos dos penhascos na beira daquela região eram mais altos que as encostas que levavam a eles) chegou de repente à negra borda da Terra-média e divisou o Grande Mar, Belegaer, o Sem Margens. E naquela hora o Sol se pôs além da beirada do mundo, como um fogo poderoso, e Tuor estava de pé, sozinho, sobre o penhasco, de braços abertos, e um grande anseio encheu-lhe o coração. Diz-se que ele foi o primeiro dos Homens a alcançar o Grande Mar e que ninguém exceto os Eldar chegou a sentir mais a fundo a saudade que ele traz.

Tuor demorou-se muitos dias em Nevrast e isso lhe pareceu bom, pois aquela terra, protegida do Norte e do Leste por montanhas e próxima ao mar, era mais amena e benfazeja que as planícies de Hithlum. Acostumara-se a viver sozinho como caçador em regiões inóspitas, e não encontrou ali escassez de alimento, pois a primavera estava em curso em Nevrast e o ar estava pleno do barulho das aves, tanto as que viviam em multidões nas praias quanto as que apinhavam os pântanos de Linaewen nas partes baixas da região, mas naqueles tempos não se escutava voz de Elfos ou Homens em toda aquela solidão.

Às margens do grande lago chegou Tuor, mas as águas estavam fora do seu alcance, em virtude dos vastos charcos e dos bosques de caniços, sem qualquer trilha, que existiam em toda a volta, e logo virou-se e retornou à costa, pois o Mar o atraía e Tuor não desejava ficar muito tempo onde não pudesse ouvir o som de suas ondas. E foi nas terras costeiras que Tuor primeiro encontrou vestígios dos Noldor de outrora. Pois entre os altos penhascos escavados pelo mar, ao sul de Drengist, havia muitas baías e enseadas protegidas, com praias de areia branca entre as negras rochas reluzentes, e Tuor muitas vezes encontrou escadas tortuosas, esculpidas na própria pedra, que desciam a esses lugares, e na margem da água havia cais em ruínas, construídos com grandes blocos retirados dos penhascos, onde outrora navios élficos haviam atracado. Naquelas partes Tuor muito se demorou, observando o mar sempre cambiante, enquanto o ano se estendia preguiçoso pela primavera e pelo verão, as trevas se aprofundavam em Beleriand, e o outono do destino de Nargothrond se aproximava.

E talvez as aves tivessem visto de longe o cruel inverno que estava por vir, pois aquelas que costumavam ir para o sul se agruparam para partir cedo, e outras, que normalmente viviam no Norte, vieram de seus lares para Nevrast. E certo dia, quando Tuor estava sentado à praia, ouviu a batida e o uivo de grandes asas e, erguendo os olhos, viu sete cisnes brancos voando velozes para o sul, em formação de cunha. Mas quando passaram acima dele, fizeram uma curva e mergulharam repentinamente, pousando com grande impacto e causando redemoinhos na água.

Ora, Tuor amava os cisnes, que conhecera nos lagos cinzentos de Mithrim, e, ademais, o cisne fora o emblema de Annael e de seu povo adotivo. Ergueu-se, portanto, para saudar as aves e chamou-as, espantando-se em ver que eram maiores e mais altivas que quaisquer outras da mesma raça que jamais vira, mas elas bateram as asas e deram gritos roucos, como se estivessem irritadas com ele e quisessem expulsá-lo da praia. Então, com grande ruído, ergueram-se de novo da água e voaram acima dele, de modo que o ar das suas asas o atingisse como um vento uivante e, descrevendo um amplo círculo, subiram às alturas e foram-se para o sul.

Então Tuor gritou em alta voz: "Eis que me chega outro sinal de que me demorei demasiado!" E imediatamente subiu ao topo do penhasco e lá divisou os cisnes, ainda girando na altitude, no entanto, quando se voltou para o sul e se pôs a segui-los, eles se afastaram voando velozes.

Então Tuor viajou para o sul pelo litoral ao longo de sete dias inteiros e a cada manhã era despertado pelo bater de asas lá no alto, no amanhecer, e a cada dia os cisnes continuavam voando enquanto ele os seguia. E, à medida que avançava, os grandes penhascos tornaram-se mais baixos e seus cimos se cobriam com espessa relva florida; e mais para leste havia florestas que amarelavam enquanto findava o ano. Mas diante dele, aproximando-se mais e mais, viu uma linha de grandes morros que lhe barravam o caminho, estendendo-se para oeste até terminarem em uma alta montanha: uma torre escura e coroada de nuvens, erguida sobre faldas vigorosas acima de um grande cabo verde que entrava mar adentro.

Esses morros cinzentos eram de fato os contrafortes ocidentais de Ered Wethrin, o muro setentrional de Beleriand, e a montanha era o Monte Taras, a mais ocidental de todas as torres daquela região, cujo topo um marujo divisaria primeiro por sobre as milhas do mar, à medida que se aproximasse das praias mortais. Sob suas longas encostas, em dias passados, Turgon habitara nos salões de Vinyamar, a mais antiga de todas as obras de pedra que os Noldor construíram nas terras de seu exílio. Lá se erguia ainda, desolada, mas resistente, alta sobre os grandes terraços que se voltavam para o mar. Os anos não a tinham abalado e os servos de Morgoth a haviam deixado de lado, mas o vento, a chuva e a geada deixaram-lhe marcas e sobre a cimalha de seus muros e as grandes telhas de seu teto haviam crescido abundantes plantas verdes-acinzentadas que, alimentando-se do ar salgado, se multiplicavam até mesmo nas fendas da pedra estéril.

Ora Tuor chegou às ruínas de uma estrada perdida e passou por morros verdes e pedras inclinadas e assim alcançou, quando o dia terminava, o antigo palácio e seus pátios altos e varridos pelo vento. Nenhuma sombra de medo ou malefício espreitava lá, mas um temor abateu-se sobre ele, enquanto pensava nos que lá haviam vivido e desaparecido, sem que ninguém soubesse para onde: a gente altiva, imortal, mas condenada, de muito além do Mar. E ele se voltou e dirigiu o olhar, assim como muitas vezes aquele povo havia voltado os olhos, para o rebrilhar das águas inquietas até onde a visão não mais alcançava. Então virou-se outra vez e viu que os cisnes haviam pousado no mais alto terraço e estavam diante da porta oeste da construção e batiam as asas, e pareceu-lhe que o convidavam a entrar. Então Tuor subiu a ampla escadaria, agora meio oculta por ervas e plantas, e passou sob o majestoso portal e entrou nas sombras da casa de Turgon e chegou por fim a um salão de altas colunas. Se por fora seu tamanho era impressionante, agora por dentro vasto e maravilhoso o palácio parecia a Tuor

e ele, cheio de reverência, não desejava despertar os ecos do seu vazio. Nada conseguia ver ali, a não ser um alto assento sobre uma plataforma, no extremo leste, e caminhou naquela direção com o maior cuidado possível, mas o som de seus pés ressoava no revestimento do piso como os passos da sina e os ecos seguiam à sua frente pelos corredores de colunas.

Quando se pôs diante do grande assento na penumbra e viu que era esculpido de uma só pedra e trazia inscrições de estranhos sinais, o sol poente alinhou-se com uma alta janela sob a cumeeira oeste e um facho de luz atingiu a parede à sua frente, rebrilhando como em metal polido. Então Tuor, maravilhado, viu que na parede atrás do trono estavam suspensos um escudo e uma grande cota de malha, um elmo e uma espada longa em sua bainha. A cota reluzia como se fosse feita de prata sem mancha e o raio de sol a guarnecia de faíscas de ouro. Mas o escudo era de uma forma estranha aos olhos de Tuor, pois era comprido e afilado, e seu campo era azul, em cujo meio estava aplicado um emblema de uma asa branca de cisne. Então Tuor falou e sua voz ressoou no teto como um desafio: "Por este sinal tomo estas armas para mim e aceito qualquer sina que possam carregar." E arriou o escudo, descobrindo-o muito mais leve e manejável do que cria, pois era fabricado, assim parecia, com madeira, mas guarnecido pela arte dos ferreiros élficos com chapas de metal, fortes e ainda assim finas como folhas, que o haviam preservado dos vermes e do tempo.

Então Tuor armou-se com a cota de malha e colocou o elmo sobre a cabeça e cingiu a espada; negros eram a bainha e o cinto, com fivelas de prata. Armado desta maneira, saiu do salão de Turgon e parou nos altos terraços de Taras à luz vermelha do sol. Ninguém lá havia para vê-lo, enquanto contemplava o oeste, reluzente de prata e ouro, e ele não sabia que naquela hora sua aparência era a de um dos Poderosos do Oeste, apto para ser o pai dos reis dos Reis de Homens além do Mar, como de fato era seu destino tornar-se, mas ao se apossar daquelas armas uma mudança dominou Tuor, filho de Huor, e o seu coração cresceu em seu peito. E, quando desceu das portas, os cisnes lhe fizeram reverência e cada um arrancou uma grande pena de suas asas e as ofereceu a Tuor, deitando os longos pescoços sobre a pedra a seus pés, e ele tomou as sete penas e as pôs no cimo de seu elmo, e imediatamente os cisnes ergueram-se e voaram para o norte ao pôr do sol e Tuor não os viu mais.

Agora Tuor sentia os pés atraídos pela beira-mar e desceu por longas escadas até uma ampla praia do lado norte do promontório de Taras e, enquanto caminhava, viu que o sol mergulhava em uma grande nuvem negra que se erguia da borda do mar que se escurecia, e fazia frio e havia uma agitação e um murmúrio como de uma tempestade chegando. E Tuor deteve-se na praia e o sol era como um fogo fumacento por trás da ameaça dos céus, e pareceu-lhe que uma grande onda se levantava ao longe e rolava para a terra, mas o espanto o paralisou e ele lá ficou imóvel. E a onda veio em sua direção e sobre ela havia uma névoa de sombra. Então subitamente, ao se aproximar, ela se enrolou e arrebentou e se precipitou para a frente em longos braços de espuma, mas onde ela arrebentara achava-se de pé, escuro em contraste com a tempestade nascente, um vulto vivo de grande estatura e majestade.

Tuor então curvou-se em reverência, pois lhe parecia que contemplava um poderoso rei. Ele usava uma alta coroa como de prata, da qual caíam seus longos cabelos como espuma brilhando no ocaso, e, quando lançou para trás o manto cinzento que pendia sobre ele como uma névoa, eis que trajava uma cota reluzente, justa como as escamas de um peixe enorme, e uma túnica de verde escuro que brilhava e tremeluzia com o fogo do mar, à medida que ele caminhava devagar em direção à terra. Dessa maneira o Habitante das Profundezas, quem os Noldor chamam de Ulmo, Senhor das Águas, mostrou-se a Tuor, filho de Huor, da Casa de Hador, abaixo de Vinyamar.

Não pisou na praia, mas de pé até os joelhos no mar sombrio falou a Tuor e então, pela luz de seus olhos e pelo som de sua profunda voz que vinha, segundo parecia, das fundações do mundo, o temor apoderou-se de Tuor e ele se prostrou na areia.

"Levanta-te, Tuor, filho de Huor!", exclamou Ulmo. "Não temas minha ira, embora eu muito tenha te chamado sem ser escutado, e por fim, partindo, ainda te demoraste na viagem para cá. Na Primavera devias ter estado de pé aqui, mas agora um inverno cruel logo chegará da terra do Inimigo. Precisas aprender a te apressares e a estrada agradável que te projetei precisa ser mudada. Pois meus conselhos foram desprezados, um grande mal arrasta-se sobre o Vale do Sirion e já uma hoste de adversários se interpôs entre ti e tua meta."

"Mas qual é minha meta, Senhor?", perguntou Tuor.

"Aquilo que teu coração sempre buscou," respondeu Ulmo, "encontrar Turgon e contemplar a cidade oculta. Pois estás assim armado para seres meu mensageiro, nas próprias armas que outrora decretei para ti. Agora, porém, terás sob a sombra de atravessar o perigo. Envolve-te portanto nesta capa e jamais a ponhas de lado até chegares ao fim de tua jornada."

Pareceu então a Tuor que Ulmo partiu seu manto cinzento e dele lançou-lhe um pedaço, que, ao cair sobre ele, era como uma grande capa na qual podia enrolar-se totalmente, da cabeça aos pés.

"Assim caminharás sob minha sombra", disse Ulmo. "Mas não te detenhas mais, pois nas terras de Anar e nos fogos de Melkor ela não resistirá. Assumirás minha missão?"

"Assumirei, Senhor", respondeu Tuor.

"Então porei palavras em tua boca para serem ditas a Turgon", disse Ulmo. "Mas primeiro vou te instruir e ouvirás algumas coisas que nenhum outro Homem ouviu, não, nem mesmo os poderosos entre os Eldar." E Ulmo falou a Tuor de Valinor e seu obscurecer, e do Exílio dos Noldor, e da Sentença de Mandos, e da ocultação do Reino Abençoado. "Mas vê!", disse. "Na armadura do Fado (como os Filhos da Terra o chamam) há sempre uma fenda e nos muros da Sentença, uma brecha, até a plenitude, que chamais de Fim. Assim há de ser enquanto eu durar, uma voz secreta que contradiz e uma luz onde a escuridão foi decretada. Portanto, embora nestes dias de trevas eu pareça me opor à vontade de meus irmãos, os Senhores do Oeste, esse é meu papel entre eles, ao qual fui designado antes que fosse feito o Mundo. No entanto, a Sentença é forte e a sombra do Inimigo cresce, e eu diminuo, até que agora na Terra-média me tornei nada mais que um sussurro secreto. As águas que correm para o oeste fenecem, e suas fontes estão envenenadas, e meu poder retrai-se da terra, pois os Elfos e os Homens tornam-se cegos e surdos para mim por causa do poderio de Melkor. E agora a Maldição de Mandos corre para seu cumprimento e todas as obras dos Noldor hão de perecer e todas as esperanças que eles construírem hão de se esboroar. Resta apenas a última esperança, a esperança que não buscaram e não prepararam. E essa esperança jaz em ti, pois assim escolhi."

"Então Turgon não há de se opor a Morgoth, como todos os Eldar ainda esperam?", perguntou Tuor. "E o que desejais de mim, Senhor, se agora eu chegar até Turgon? Pois apesar de eu querer de fato fazer como fez meu pai e auxiliar esse rei no que necessitar, ainda assim de pouca valia serei, um homem mortal sozinho, entre tantos e tão valorosos do Alto Povo do Oeste."

"Se decidi enviar-te, Tuor, filho de Huor, então não creias que tua única espada não vale o envio. Pois o valor dos Edain sempre será lembrado pelos Elfos à medida que as eras se estenderem, com o assombro de terem dado com tanta generosidade aquela vida da qual tiveram tão pouco na terra. Mas não é apenas por teu valor que te envio, mas sim para trazeres ao mundo uma esperança além da tua visão e uma luz que há de penetrar as trevas."

E, enquanto Ulmo falava, o murmúrio da tempestade alçou-se em grande grito, o vento cresceu e o céu enegreceu, e o manto do Senhor das Águas drapejava como uma nuvem em voo. "Agora vai", disse Ulmo, "para que não te devore o Mar! Pois Ossë obedece à vontade de Mandos e está irado, sendo servidor da Sentença."

"Conforme ordenares", disse Tuor. "Mas, se eu escapar à Sentença, que palavras hei de dizer a Turgon?"

"Se chegares até ele," respondeu Ulmo, "então as palavras hão de surgir em tua mente e tua boca há de falar como eu falaria. Fala e não temas! E depois faze conforme teu coração e valor te conduzirem. Não te apartes de meu manto, pois assim hás de estar protegido. E vou te enviar alguém, salvo da ira de Ossë, e assim hás de ser guiado: sim, o último marujo do último navio que há de buscar o Oeste até que se erga a Estrela. Agora retorna à terra!"

Então ouviu-se um estrondo de trovão, e raios iluminaram o mar, e Tuor contemplou Ulmo de pé entre as ondas, como uma torre de prata reluzindo com chamas dardejantes, e exclamou contra o vento: "Eu me vou, Senhor! Porém agora meu coração na verdade anseia pelo Mar."

A estas palavras Ulmo ergueu uma enorme trompa e nela tocou uma única e poderosa nota, diante da qual o rugido da tempestade era tão somente um arrepio na superfície de um lago. E ao ouvir aquela nota, sendo envolto e preenchido por ela, pareceu a Tuor que a costa da Terra-média desaparecia e que ele divisava todas as águas do mundo em uma grande visão: dos veios das terras até as fozes dos rios e das praias e dos estuários até as profundezas. O Grande Mar enxergou através de suas regiões inquietas pululando de formas estranhas, até seus abismos sem luz, onde em meio à treva eterna ecoavam vozes terríveis aos ouvidos mortais. Divisou suas planícies imensas com a veloz visão dos Valar, jazendo sem vento sob o olho de Anar, ou rebrilhando sob a Lua com seus cornos, ou erguidas em colinas de ira que arrebentavam nas Ilhas Sombrias, até que, no limite remoto da visão e além da contagem das léguas, entreviu uma montanha, erguendo-se além do alcance da sua mente para uma nuvem luminosa, e no seu sopé uma longa arrebentação bruxuleante. E, enquanto se esforçava por escutar o som daquelas ondas longínquas e por ver mais claramente aquela luz distante, a nota chegou ao fim e ele estava de pé sob o trovão da tempestade, e raios de muitos braços rasgavam o céu lá no alto. E Ulmo se fora e o mar estava em tumulto e as selvagens ondas de Ossë quebravam contra as muralhas de Nevrast.

Então Tuor fugiu da fúria do mar e com esforço encaminhou-se de volta aos altos terraços, pois o vento o impelia contra o penhasco e o pôs de joelhos quando ele saiu no topo. Portanto, entrou de novo no salão escuro e vazio para abrigar-se e passou a noite sentado no assento de pedra de Turgon. As próprias colunas tremiam na violência da tempestade, e pareceu a Tuor que o vento estava pleno de lamentos e gritos selvagens. No entanto, como estava exausto, cochilou algumas vezes, e seu sono foi perturbado por muitos sonhos, dos quais ao despertar nenhum permaneceu na memória, exceto um: uma visão de uma ilha e em seu meio havia uma montanha escarpada e atrás dela o sol se punha e sombras saltavam para o céu, mas acima dela brilhava uma única estrela ofuscante.

Após esse sonho, Tuor caiu em sono profundo, pois antes que a noite terminasse a tempestade passou, impelindo as nuvens negras para o Leste do mundo. Despertou por fim na luz cinzenta e levantou-se e deixou o alto assento e, ao percorrer o salão sombrio, viu que ele estava cheio de aves marinhas que a tempestade espantara para lá e saiu quando as últimas estrelas desapareciam no Oeste diante do dia que chegava. Então viu que as grandes ondas durante a noite tinham subido alto pela terra e haviam lançado suas cristas sobre os cimos dos penhascos, e algas e pedregulhos haviam sido lançados mesmo sobre os terraços diante das portas. E Tuor olhou para baixo, do terraço inferior, e viu, encostado ao seu muro entre as pedras e as algas marinhas, um Elfo trajando um manto cinza ensopado de água do mar. Estava sentado em silêncio, olhando além da ruína das praias, por sobre os longos dorsos das ondas. Tudo estava quieto e não se ouvia som algum, exceto o rugido das vagas lá embaixo.

Enquanto estava ali de pé, fitando o silencioso vulto cinzento, Tuor lembrou-se das palavras de Ulmo e um nome que não aprendera veio-lhe aos lábios e exclamou em voz alta: "Bem-vindo, Voronwë! Eu te aguardo."

Então o Elfo voltou-se, erguendo o olhar, e Tuor enfrentou a visão penetrante dos seus olhos cinza-marinhos e soube que ele pertencia ao alto povo dos Noldor. Mas o temor e o espanto cresceram em seu olhar quando ele viu Tuor de pé, alto sobre

a muralha mais acima, trajando seu grande manto como uma sombra de dentro da qual a malha élfica reluzia em seu peito.

Ficaram assim por um momento, cada um examinando o rosto do outro, e então o Elfo levantou-se e curvou-se muito diante dos pés de Tuor. "Quem sois vós, senhor?", perguntou. "Por muito tempo labutei no mar implacável. Dizei-me: ocorreram grandes novas desde que eu pisei a terra firme? A Sombra foi derrotada? O Povo Oculto saiu de seu esconderijo?"

"Não", respondeu Tuor. "A Sombra cresce e os Ocultos permanecem escondidos."

Então, por muito tempo, Voronwë fitou-o em silêncio. "Mas quem sois vós?", perguntou de novo. "Pois muitos anos atrás minha gente abandonou esta terra e desde então ninguém morou aqui. E agora percebo que, a despeito dos vossos trajes, vós não sois um deles, como eu cria, e sim da gente dos Homens."

"Sou", disse Tuor. "E não és tu o último marujo do último navio que buscou o Oeste desde os Portos de Círdan?"

"Sou", disse o Elfo. "Voronwë, filho de Aranwë, eu sou. Mas como sabes meu nome e meu destino, eu não compreendo."

"Eu sei, pois o Senhor das Águas falou comigo na tarde passada", respondeu Tuor, "e disse que havia de te salvar da ira de Ossë e te enviar para cá para ser meu guia."

Então com temor e espanto Voronwë exclamou: "Falastes com Ulmo, o Poderoso? Então devem ser grandiosos de fato vosso valor e vosso destino! Mas aonde haveria de guiar-vos, senhor? Pois em verdade deveis ser um rei dos Homens e muitos devem aguardar vossa palavra."

"Não, sou um servo fugido", disse Tuor, "e sou um proscrito sozinho em uma terra deserta. Mas tenho um mandado para Turgon, o Rei Oculto. Sabes por qual estrada posso encontrá-lo?"

"Muitos que são proscritos e servos, nestes dias perversos, não nasceram assim", respondeu Voronwë. "Um senhor dos Homens és por direito, creio eu. Mas, mesmo que fosses o mais nobre de todo o teu povo, não terias o direito de buscar Turgon e vã seria tua demanda. Pois, ainda que eu te conduzisse aos seus portões, tu não poderias entrar."

"Não te peço para me conduzires além do portão", disse Tuor. "Lá a Sentença há de competir com o Conselho de Ulmo. E, se Turgon não me receber, então minha missão estará encerrada e a Sentença há de prevalecer. Mas no que tange ao meu direito de buscar Turgon: sou Tuor, filho de Huor e parente de Húrin, cujos nomes Turgon não esquecerá. E busco também pelo comando de Ulmo. Turgon esquecerá o que ele lhe disse outrora: *Lembra-te de que a última esperança dos Noldor vem do Mar?* Ou ainda: *Quando o perigo estiver próximo, virá alguém de Nevrast para alertar-te?* Eu sou aquele que haveria de vir e assim estou portando o traje que foi preparado para mim."

Tuor espantou-se de ouvir falar desse modo, pois as palavras de Ulmo a Turgon, quando esse partiu de Nevrast, nem ele nem ninguém as conhecia antes, a não ser o Povo Oculto. Portanto Voronwë assombrou-se ainda mais, porém virou-lhe as costas, contemplou o Mar e deu um suspiro.

"Ai!", disse. "Desejo nunca mais voltar. E muitas vezes jurei, nas profundezas do mar, que se alguma vez voltasse a pôr os pés em terra firme habitaria em tranquilidade longe da Sombra do Norte, ou perto dos Portos de Círdan, ou quem sabe nos belos campos de Nan-tathrin, onde a primavera é mais doce do que se pode desejar. Mas, se o mal cresceu enquanto eu viajava e o último perigo se aproxima deles, então tenho de ir ter com meu povo." Virou-se de volta para Tuor. "Vou conduzir-te aos portões ocultos," disse, "pois os sábios não contradizem os conselhos de Ulmo."

"Então iremos juntos, como nos foi aconselhado", disse Tuor. "Mas não te lamentes, Voronwë! Pois meu coração diz a ti que tua longa estrada há de te conduzir para longe da Sombra e tua esperança há de retornar ao Mar."

"E a tua também", disse Voronwë. "Mas agora devemos afastar-nos dele e partir com pressa."

"Sim", disse Tuor. "Mas aonde me conduzirás e até que distância? Não deveríamos primeiro refletir como viveremos nos ermos, ou, se o caminho for longo, como passaremos o inverno sem abrigo?"

Mas Voronwë nada quis dizer com clareza acerca do caminho. "Tu conheces a força dos Homens", disse. "Quanto a mim, sou um dos Noldor e longa terá de ser a fome e frio o inverno que abaterão o parente daqueles que atravessaram o Gelo Pungente. Mas como pensas que conseguimos labutar por dias intermináveis nos ermos salgados do mar? Ou tu não ouviste falar do pão-de-viagem dos Elfos? E ainda conservo aquilo que todos os marujos mantêm até o fim." Então mostrou, debaixo do manto, uma bolsa selada presa ao cinto. "Nem a água nem as intempéries lhe farão mal enquanto estiver selada. Mas precisamos guardá-la até que a necessidade seja premente, e sem dúvida um proscrito e caçador conseguirá encontrar outros alimentos antes que o ano piore."

"Talvez", disse Tuor. "Mas não é em todas as terras que se pode caçar com segurança, por muito que a caça seja abundante. E os caçadores demoram-se no caminho."

Assim Tuor e Voronwë aprontaram-se para partir. Tuor levou consigo o pequeno arco e as flechas que trouxera, além das armas que tirara do salão, mas sua lança, na qual seu nome estava escrito nas runas élficas do Norte, ele afixou na parede como sinal de que passara por ali. Voronwë não tinha outra arma além de uma espada curta.

Antes que o dia tivesse avançado, deixaram a antiga morada de Turgon e Voronwë conduziu Tuor para longe, a oeste das íngremes encostas de Taras, para atravessar o grande cabo. Lá outrora passara a estrada de Nevrast para Brithombar, que agora se tornara uma trilha verde entre antigos diques cobertos de turfa. Assim entraram em Beleriand, e na região setentrional da Falas, e voltando-se para o leste buscaram as faldas escuras das Ered Wethrin e lá se mantiveram ocultos, descansando até que o dia tivesse terminado no ocaso. Pois, embora Brithombar e Eglarest, as antigas moradias dos Falathrim, ainda estivessem muito distantes, agora lá viviam Orques e toda a terra estava infestada pelos espiões de Morgoth: ele temia os navios de

Círdan que às vezes vinham atacar a costa e se uniam às incursões enviadas de Nargothrond.

Ora, enquanto estavam sentados ocultos em seus mantos, como sombras sob as colinas, Tuor e Voronwë muito falaram entre si. E Tuor questionou Voronwë a respeito de Turgon, mas Voronwë pouco contava de tais assuntos e preferia falar das habitações na Ilha de Balar e do Lisgardh, a terra dos juncos nas Fozes do Sirion.

"Lá os Eldar agora se multiplicam," disse, "pois um número cada vez maior de ambas as gentes foge para lá por temor de Morgoth, exaustos da guerra. Mas não foi por escolha própria que abandonei minha gente. Pois após a Bragollach e o rompimento do Cerco de Angband, a dúvida então surgiu no coração de Turgon que o poderio de Morgoth haveria de se revelar forte demais. Naquele ano enviou os primeiros do seu povo que chegaram a sair por seus portões: apenas alguns, com uma missão secreta. Desceram o Sirion até a costa acima das Fozes e lá construíram navios. Mas isso de nada lhes valeu, exceto para alcançarem a grande Ilha de Balar e lá estabelecerem moradias solitárias, longe do alcance de Morgoth. Pois os Noldor não possuem a arte de construir navios que suportem por muito tempo as ondas de Belegaer, o Grande.

Porém, mais tarde, quando Turgon ouviu falar da destruição da Falas e do saque dos antigos Portos dos Armadores que estão lá longe à nossa frente, e foi dito que Círdan havia salvo um remanescente de seu povo e navegado para o sul até a Baía de Balar, então ele voltou a enviar mensageiros. Isso foi há pouco tempo apenas, porém na lembrança parece a porção mais longa de minha vida. Pois eu fui um dos que ele enviou, visto que era jovem em anos entre os Eldar. Nasci aqui na Terra-média, na região de Nevrast. Minha mãe pertencia aos Elfos-cinzentos da Falas, e era parenta do próprio Círdan — havia muitas uniões entre os povos de Nevrast nos primeiros dias do reinado de Turgon — e tenho o coração marinho da gente de minha mãe. Portanto, fui um dos escolhidos, visto que nossa missão era chegar a Círdan, para buscar seu auxílio na construção de nossos navios, para que alguma mensagem e pedido de ajuda pudesse chegar aos Senhores do Oeste antes que estivesse tudo perdido. Mas me demorei no caminho. Pois eu pouco vira das regiões da Terra-média e chegamos a Nan-tathrin na primavera do ano. Aquela terra é aprazível de encantar o coração, Tuor, como tu descobrirás se alguma vez teus pés pisarem as estradas que vão para o sul, descendo o Sirion. Lá está a cura para todos os anseios pelo mar, exceto para aqueles a quem a Sentença não liberta. Lá, Ulmo é apenas servo de Yavanna e a terra deu vida a uma infinidade de coisas belas que ultrapassa o pensamento dos corações nas duras colinas do Norte. Naquela terra o Narog une-se ao Sirion e os dois não mais se apressam, mas seguem largos e silenciosos através de prados cheios de vida; e em toda a volta do rio reluzente há lírios como um bosque em flor e a relva é repleta de flores, como pedras preciosas, como sinos, como chamas de vermelho e ouro, como uma extensão de estrelas multicores em um firmamento verde. Porém o mais belo de tudo são os salgueiros de Nan-tathrin, de um verde pálido, ou prateados ao vento, e o farfalhar de suas inúmeras folhas é um encanto de música: o dia e a noite passavam palpitando, sem conta, enquanto eu ainda me detinha, submerso em relva até os joelhos, e escutava. Lá fui encantado e esqueci o Mar em meu coração. Lá vagava, dando nomes a flores novas, ou me deitava sonhando entre os cantos dos pássaros, e o zumbido das abelhas e das moscas, e lá poderia ainda estar deliciado, abandonando toda a minha gente, fossem os navios dos Teleri, fossem as espadas dos Noldor, mas minha sina não quis assim. Ou o próprio Senhor das Águas, talvez, pois ele era forte naquela terra.

    Assim veio ao meu coração a ideia de fazer uma jangada de ramos de salgueiro para navegar no luminoso seio do Sirion e assim o fiz e assim fui levado. Pois certo dia, quando estava no meio do rio, veio um vento repentino que me apanhou e me levou da Terra dos Salgueiros, descendo até o Mar. Assim cheguei, último dos mensageiros, a Círdan e, dos sete navios que ele construiu a pedido de Turgon, todos estavam prontos então, exceto um. E, um a um, partiram para o Oeste, sem que nenhum tenha voltado desde então, nem qualquer notícia deles tenha sido ouvida.

Mas o ar salgado do mar voltou então a reavivar dentro de mim o coração da família de minha mãe e eu me comprazia nas ondas, aprendendo todo o saber dos navios, como se já estivesse guardado em minha mente. Assim, quando o último navio, e o maior de todos, foi concluído, eu estava ansioso por partir, dizendo em pensamento: 'Se forem verdadeiras as palavras dos Noldor, então há no Oeste prados aos quais a Terra dos Salgueiros não se pode comparar. Lá nada fenece, nem a Primavera tem fim. E quem sabe até eu, Voronwë, possa chegar lá. E em último caso vagar sobre as águas é muito melhor que a Sombra no Norte.' E eu não sentia medo, pois os navios dos Teleri não podem ser afundados por água alguma.

Mas o Grande Mar é terrível, Tuor, filho de Huor, e odeia os Noldor, pois é instrumento da Sentença dos Valar. Coisas piores reserva do que afundar no abismo e assim perecer: abominação e solidão e loucura; terror do vento e tumulto, e silêncio e sombras onde toda a esperança se perde e todas as formas vivas desapareçam. E banha muitas costas perversas e estranhas, e muitas ilhas de perigo e medo o infestam. Não entristecerei teu coração, filho da Terra-média, com a história de meus sete anos de labuta no Grande Mar, do Norte até o Sul, mas nunca ao Oeste. Pois este nos está barrado.

Por fim, em negro desespero, cansados de todo o mundo, voltamo-nos e fugimos da sina que nos poupara por tanto tempo só para nos golpear com crueldade ainda maior. Pois, no instante em que divisávamos uma montanha de longe e eu exclamava: 'Eis que surge Taras, a minha terra natal', o vento despertou e grandes nuvens carregadas de trovões subiram do Oeste. Então as ondas nos caçaram como se tivessem vida, repletas de malignidade, e os raios abateram-se sobre nós e, quando havíamos sido reduzidos a um casco indefeso, as ondas saltaram sobre nós com fúria. Mas, como vês, fui poupado, pois pareceu-me que veio uma onda, maior e no entanto mais tranquila que todas as demais, e me levou e me ergueu do navio, e conduziu-me alto sobre seus ombros e, rolando em direção à terra, lançou-me sobre a relva e então recolheu-se, derramando-se de volta penhasco abaixo como uma grande cascata. Não fazia mais de uma hora que eu lá estava sentado quando tu topaste comigo, ainda atordoado do mar. E ainda sinto o medo dele e a amarga perda de todos os meus amigos que por tanto tempo e tão longe me acompanharam, além da vista das terras mortais."

Voronwë suspirou, e então falou baixinho, como que para si mesmo. "Mas eram muito brilhantes as estrelas na margem do mundo, quando às vezes se afastavam as nuvens em torno do Oeste. Porém, se vimos apenas nuvens ainda mais remotas ou divisamos de fato, como afirmaram alguns, as Montanhas das Pelóri perto das praias perdidas de nosso lar ancestral, isso não sei. Longe, muito longe estão, e ninguém mais das terras mortais há de voltar para lá, segundo creio." Então Voronwë silenciou, pois chegara a noite e as estrelas brilhavam brancas e frias.

Logo depois Tuor e Voronwë ergueram-se e deram as costas ao mar e partiram em sua longa jornada nas trevas, da qual pouco há que contar, pois a sombra de Ulmo estava sobre Tuor e ninguém os viu passar, pelos bosques ou pelas pedras, pelos campos ou pântanos, entre o pôr do sol e o amanhecer. Mas iam sempre com cuidado, evitando os caçadores de olhos noturnos de Morgoth e desistindo dos caminhos trilhados por Elfos e Homens. Voronwë escolhia a trilha e Tuor o seguia. Não fazia perguntas vás, mas reparou muito bem que iam sempre para o leste ao longo da linha das montanhas que cresciam e nunca se voltavam para o sul, o que lhe causou espanto, pois cria, como quase todos os Elfos e Homens, que Turgon morava longe das batalhas do Norte.

Lenta foi sua caminhada, na penumbra ou de noite nos ermos sem trilha, e o inverno cruel desceu depressa do reino de Morgoth. A despeito da proteção das colinas, os ventos eram fortes e implacáveis e logo a neve estava funda sobre os morros, ou rodopiava através das passagens, e caía sobre os bosques de Núath antes que estes perdessem todas as suas folhas murchas. Assim, apesar de terem partido antes de meados de narquelië, hísimë chegou com geada cortante quando se aproximavam das Fontes do Narog.

Lá detiveram-se no amanhecer cinzento, ao final de uma noite cansativa, e Voronwë desesperou-se, olhando em volta com tristeza e temor. Onde estivera outrora o belo lago de Ivrin em sua grande bacia de pedra escavada pelas águas que caíam e onde fora em toda a volta uma grota repleta de árvores sob as colinas, agora ele via uma terra profanada e desolada. As árvores estavam queimadas ou desenraizadas e as margens de pedra do lago estavam rompidas, de modo que as águas de Ivrin se espalhavam e formavam um grande pântano estéril em meio à ruína. Agora tudo era apenas uma confusão de charco congelado e um odor de decomposição pairava sobre o chão como uma névoa imunda.

"Ai! O mal chegou mesmo até aqui?", exclamou Voronwë. "Outrora distante da ameaça de Angband era este lugar, mas os dedos de Morgoth tateiam cada vez mais longe."

"É bem como Ulmo me falou", disse Tuor: "*As fontes estão envenenadas e meu poder retrai-se das águas da terra.*"

"No entanto," disse Voronwë, "aqui esteve uma malignidade com força maior que a dos Orques. O temor permanece neste lugar." E buscou em torno das bordas do charco, até que subitamente se deteve e exclamou de novo: "Sim, um grande mal!" E acenou para Tuor e Tuor ao chegar viu uma fenda, como um enorme sulco que se estendia para o sul, e de ambos os lados, ora indistintos, ora solidificados com nitidez pela geada, havia sinais de grandes pés com garras. "Vê!", exclamou Voronwë e tinha o rosto pálido de pavor e repugnância. "Não faz muito tempo que esteve aqui a Grande Serpe de Angband, a mais feroz de todas as criaturas do Inimigo! Já tarda nossa missão para Turgon. Precisamos nos apressar."

Enquanto dizia isso, ouviram um grito no bosque e pararam imóveis como pedras cinzentas, escutando. Mas a voz era uma voz bela, embora repleta de tristeza, e parecia que chamava sempre um nome, como alguém que busca outro que está perdido. E enquanto esperavam veio alguém através das árvores e viram que era um Homem alto, armado, trajado de negro, com uma longa espada desembainhada, e espantaram-se, pois a lâmina da espada era também negra, mas as bordas brilhavam luminosas e frias. O pesar estava gravado em seu rosto, e, quando contemplou a ruína de Ivrin, exclamou triste, em alta voz, dizendo: "Ivrin, Faelivrin! Gwindor e Beleg! Aqui certa vez fui curado. Mas agora nunca mais hei de beber o gole da paz."

Então partiu célere para o Norte, como alguém em perseguição ou em missão de grande pressa, e o ouviram gritar *Faelivrin, Finduilas!* até que sua voz se perdesse no bosque. Mas não sabiam que Nargothrond havia caído e que esse era Túrin, filho de Húrin, o Espada-Negra. Assim, apenas por um momento e nunca mais, juntaram-se os caminhos desses parentes, Túrin e Tuor.

Quando o Espada-Negra se fora, Tuor e Voronwë continuaram um pouco em seu caminho, apesar de ter chegado o dia, pois a lembrança de sua tristeza pesava-lhes muito, e não podiam suportar ficar ao lado da profanação de Ivrin. Mas logo procuraram um esconderijo, pois agora toda a região estava plena de um presságio maligno. Dormiram pouco e inquietos, e, com o passar do dia, escureceu e caiu uma grande nevasca e a noite trouxe um gelo esmagador. Depois disso a neve e o gelo não deram mais descanso, e por cinco meses o Inverno Cruel, lembrado por muito tempo, manteve o Norte em seus grilhões. Agora Tuor e Voronwë eram atormentados pelo frio e temiam ser revelados pela neve aos inimigos caçadores ou cair em perigos traiçoeiramente ocultos. Por nove dias persistiram, de forma cada vez mais lenta e dolorosa, e Voronwë voltou-se um pouco para o norte, até que tivessem atravessado as três nascentes do Teiglin; e depois seguiu novamente para o leste, deixando as montanhas, e avançou cauteloso, até passarem o Glithui e chegarem à torrente do Malduin, e ela estava congelada e negra.

Então disse Tuor a Voronwë: "Cruel é este gelo e a morte se aproxima de mim, senão de ti." Pois estavam agora em má situação: fazia tempo que não encontravam alimento nos ermos e o pão-de-viagem chegava ao fim, e estavam enregelados e exaustos. "Terrível é ser apanhado entre a Sentença dos Valar e a Malícia do Inimigo", disse Voronwë. "Escapei às bocas do mar apenas para jazer debaixo da neve?"

Mas perguntou Tuor: "Que distância ainda temos de percorrer? Pois finalmente, Voronwë, tu precisas renunciar ao segredo diante de mim. Estás me conduzindo em linha reta, e para onde? Pois, se eu tiver de gastar minhas últimas forças, gostaria de saber para quê."

"Eu te conduzi tão direto quanto a segurança me permitiu", respondeu Voronwë. "Agora sabe, pois, que Turgon ainda habita no norte da terra dos Eldar, apesar de poucos acreditarem nisso. Já dele nos aproximamos. No entanto, ainda restam percorrer muitas léguas, mesmo a voo de pássaro, e ainda precisamos atravessar o Sirion e um grande mal, quem sabe, não encontraremos daqui até lá? Pois logo devemos chegar à Estrada que outrora descia da Minas do Rei Finrod até Nargothrond. Lá sem dúvida os servos do Inimigo caminham e espreitam."

"Eu me considerava o mais resistente dos Homens", disse Tuor, "e resisti ao tormento de muitos invernos nas montanhas, mas então eu tinha uma caverna às costas e fogo, e agora duvido que eu tenha forças para avançar muito mais, assim faminto, em meio a esse tempo feroz. Mas vamos prosseguir até onde conseguirmos antes que a esperança se desfaça."

"Só nos resta essa escolha," disse Voronwë, "a não ser que nos deitemos aqui e busquemos o sono da neve."

Portanto foram em frente, com dificuldade, durante todo aquele dia cruel, considerando menor o perigo dos inimigos que o do inverno, mas ao prosseguirem encontraram menos neve, pois agora iam de novo para o sul, descendo ao Vale do Sirion, e as Montanhas de Dor-lómin já estavam muito atrás. Na penumbra cada vez mais densa do anoitecer chegaram à

Estrada, no sopé de uma alta encosta coberta de árvores. De repente perceberam vozes e, espreitando cautelosos pelas árvores, viram lá embaixo uma luz vermelha. Uma companhia de Orques estava acampada no meio da via, encolhida em torno de uma grande fogueira.

"*Gurth an Glamhoth!* [Morte aos Orques!]", murmurou Tuor. "Agora a espada há de surgir de debaixo do manto. Arriscarei a morte para conseguir aquele fogo e até mesmo a carne dos Orques seria boa presa."

"Não!", disse Voronwë. "Nesta busca só o manto servirá. Tu deves desistir do fogo ou então de Turgon. Esse bando não está sozinho no ermo: tua visão mortal não consegue enxergar a chama distante de outros postos ao norte e ao sul? Um tumulto trará um exército sobre nós. Escuta-me, Tuor! É contra a lei do Reino Oculto que qualquer um se aproxime dos portões com inimigos em seu encalço; e não desrespeitarei essa lei, nem a pedido de Ulmo, nem para escapar à morte. Alvoroça os Orques e eu vou te abandonar."

"Então vamos deixá-los", disse Tuor. "Mas que eu possa viver para ver o dia em que não tenha de me esgueirar diante de um punhado de Orques como um cão assustado."

"Vem então!", disse Voronwë. "Não discutas mais, ou vão nos farejar. Segue-me!"

Sorrateiro entre as árvores partiu então para o sul, seguindo o vento, até que estivessem a meio caminho entre aquela fogueira dos Orques e a próxima na estrada. Lá ficou imóvel por muito tempo, escutando.

"Não ouço nenhum movimento na estrada," disse, "mas não sabemos o que pode estar à espreita nas sombras." Espiou para diante, na escuridão, e tremeu. "O ar é maligno", murmurou. "Ai! Lá adiante está a terra de nossa busca e da esperança de vida, mas a morte caminha no meio."

"A morte está em toda a nossa volta", disse Tuor. "Mas me restam forças apenas para o caminho mais curto. Aqui preciso atravessar ou perecer. Confiarei no manto de Ulmo, e também a ti ele há de cobrir. Agora irei conduzir!"

A ÚLTIMA VERSÃO

Assim dizendo, aproximou-se furtivo da beira da estrada. Então, segurando Voronwë junto a si, lançou sobre ambos as pregas do manto cinzento do Senhor das Águas e avançou.

Tudo estava em silêncio. O vento frio gemia ao descer veloz pela antiga estrada. Então, de repente, também ele se calou. Na pausa, Tuor sentiu uma mudança no ar, como se o hálito da terra de Morgoth tivesse se interrompido um instante, e, débil como uma lembrança do Mar, veio uma brisa do Oeste. Como uma névoa cinzenta ao vento, os dois passaram sobre o caminho de pedras e entraram em um matagal na sua borda leste.

Subitamente, ouviu-se bem de perto um grito selvagem e muitos outros ao longo das margens da estrada responderam--lhe. Uma trompa rouca tocou e soaram pés a correr. Mas Tuor manteve-se firme. Aprendera o bastante da língua dos Orques, no cativeiro, para saber o significado daqueles gritos: os vigias os haviam farejado e escutado, mas eles não haviam sido vistos. A caça começara. Em desespero, esgueirou-se trôpego em frente, com Voronwë ao seu lado, subindo uma longa encosta com urzes e arandos espessos entre tufos de sorvas e bétulas baixas. No topo da colina pararam, escutando os gritos lá atrás e o barulho dos Orques nas moitas embaixo.

Ao lado deles havia um rochedo que erguia a cabeça a partir de um emaranhado de urzes e sarças, e debaixo dele havia um covil que um animal selvagem poderia procurar para lá ter esperança de escapar à perseguição, ou pelo menos vender caro sua vida com a pedra às costas. Ali para baixo, entrando na sombra profunda, Tuor puxou Voronwë e lado a lado, sob o manto cinzento, deitaram-se ofegantes como raposas exaustas. Não disseram palavra alguma, toda a sua atenção estava nos ouvidos.

Os gritos dos caçadores enfraqueceram, pois os Orques não penetravam muito nas terras selvagens de cada lado, mas percorriam a estrada para cima e para baixo. Pouco se importavam com fugitivos desgarrados, mas temiam espiões e batedores de inimigos armados, pois Morgoth havia posto uma guarda na estrada, não para aprisionar Tuor e Voronwë (dos quais ainda nada sabia), nem ninguém que viesse do Oeste, mas para espreitar o Espada-Negra para que não escapasse e perseguisse os cativos de Nargothrond, trazendo auxílio, talvez, vindo de Doriath.

A noite passou e o silêncio soturno abateu-se de novo sobre as terras vazias. Cansado e esgotado, Tuor dormiu sob o manto de Ulmo, mas Voronwë saiu sorrateiro e parou de pé como uma pedra, silencioso, imóvel, penetrando as sombras com seus olhos élficos. Ao romper do dia, despertou Tuor, que se arrastou para sair e viu que o tempo de fato melhorara um pouco e que as nuvens negras haviam se afastado. A aurora era vermelha e longe à sua frente ele conseguia ver os cimos de estranhas montanhas, reluzindo diante do fogo do leste.

Então disse Voronwë em voz baixa: "*Alae! Ered en Echoriath, ered e·mbar nín!* [as Montanhas Circundantes, as montanhas do meu lar!]" Pois sabia que divisava as Montanhas Circundantes e as muralhas do reino de Turgon. Abaixo deles, a leste, em um vale fundo e sombrio corria o belo Sirion, renomado em canções; e mais além, envolta em névoa, erguia-se uma terra cinzenta do rio até as colinas escarpadas no sopé das montanhas. "Lá longe fica Dimbar", disse Voronwë. "Quisera que estivéssemos lá! Pois lá nossos inimigos raramente ousam caminhar. Ou assim era enquanto o poder de Ulmo tinha força no Sirion. Mas agora tudo pode estar mudado — exceto o perigo do rio: ele já é profundo e caudaloso, e perigoso de atravessar mesmo para os Eldar. Mas te conduzi bem, pois ali brilha o Vau de Brithiach, ainda um pouco ao sul, onde a Estrada Leste, que antigamente vinha desde Taras no oeste, fazia a passagem do rio. Agora ninguém ousa usá-lo, salvo em necessidade desesperada, nem Elfo, nem Homem, nem Orque, pois essa estrada conduz a Dungortheb e à região do terror entre Gorgoroth e o Cinturão de Melian, e há muito desapareceu na mata, ou se reduziu a uma trilha entre ervas daninhas e espinhos rastejantes."

Então Tuor olhou para onde Voronwë apontava e muito longe divisou um brilho, como de águas abertas sob a breve luz da aurora, mas além assomava uma escuridão, lá onde a grande floresta de Brethil subia para um distante planalto ao sul. Então, cautelosos, seguiram caminho descendo pelo lado do vale, até que finalmente chegaram à antiga via que descia do encontro dos caminhos nas fronteiras de Brethil, onde ela cruzava a estrada vinda de Nargothrond. Então Tuor viu que haviam chegado perto do Sirion. As margens de seu profundo canal tornavam-se mais baixas naquele lugar, e suas águas, estranguladas por grande profusão de pedras, espalhavam-se em amplos baixios, cheios do murmúrio de impacientes riachos. Pouco adiante dali, o rio voltava a se estreitar e, escavando um novo leito, corria em direção à floresta para desaparecer ao longe, em uma névoa espessa que seus olhos não conseguiam penetrar, pois lá ficava, sem que ele o soubesse, o limite norte de Doriath dentro da sombra do Cinturão de Melian.

Tuor teria corrido logo para o vau, mas Voronwë o reteve, dizendo: "Sobre o Brithiach não podemos passar à luz do dia, não enquanto restar qualquer suspeita de perseguição."

"Então temos de sentar aqui e apodrecer?", perguntou Tuor. "Pois tal suspeita restará enquanto durar o reino de Morgoth. Vem! Sob a sombra do manto de Ulmo teremos de avançar."

Voronwë ainda hesitava e voltou o olhar na direção do oeste, mas a trilha atrás deles estava deserta e tudo era silencioso em volta, a não ser pelo barulho das águas. Ergueu os olhos e o céu estava cinzento e vazio, pois nem mesmo uma ave se movia. Então de repente seu rosto iluminou-se de alegria e ele exclamou em alta voz: "Está bem! O Brithiach ainda é vigiado pelos inimigos do Inimigo. Os Orques não nos seguirão aqui; e sob a proteção do manto poderemos agora passar sem mais dúvidas."

"O que viste de diferente?", perguntou Tuor.

"Curta é a visão dos Homens Mortais!", disse Voronwë. "Vejo as Águias dos Crissaegrim, e estão vindo para cá. Observa um pouco!"

Tuor então pôs-se a observar, e logo, alto no ar, viu três vultos batendo fortes asas, descendo dos distantes picos das montanhas que agora estavam novamente envoltos em nuvens. Lentamente desceram, em grandes círculos, e então mergulharam de repente sobre os viandantes, mas, antes que Voronwë pudesse chamá-los, fizeram a volta, em uma ampla curva precipitada, e voaram para o norte ao longo da linha do rio.

"Agora vamos", disse Voronwë. "Se houver algum Orque por perto, ficará deitado encolhido, com o nariz no chão, até que as águias estejam bem longe."

Desceram rápido por uma longa encosta, e passaram sobre o Brithiach, muitas vezes caminhando a seco sobre plataformas de seixos, ou vadeando nos baixios, com água não além dos joelhos. A água era límpida e muito fria e havia gelo sobre as poças rasas, onde os riachos errantes haviam se perdido entre as pedras, mas nunca, nem mesmo no Inverno Cruel da Queda de Nargothrond, conseguiu o hálito fatal do Norte congelar a correnteza principal do Sirion.

Do outro lado do vau, chegaram a uma ravina, como se fosse o leito de um antigo rio, onde já não corria água, porém outrora uma torrente havia escavado seu fundo canal, descendo do norte, vinda das montanhas da Echoriath, e trazendo de lá todas as pedras do Brithiach para o Sirion.

"Finalmente o encontramos quando não havia mais esperança!", exclamou Voronwë. "Vê! Aqui está a foz do Rio Seco e aquele é o caminho que temos de trilhar." Então seguiram pela ravina e, à medida que essa se voltava para o norte e as encostas da região subiam íngremes, também suas margens se erguiam de ambos os lados e Tuor seguia trôpego na luz débil entre as pedras que atulhavam seu leito irregular. "Se isto é uma estrada," disse, "é péssima para os que estão cansados."

"No entanto, é a estrada para Turgon", disse Voronwë.

"Então espanta-me ainda mais", disse Tuor, "que sua entrada esteja aberta e sem vigia. Esperava encontrar um grande portão e forte guarda."

"Isso hás de ver ainda", disse Voronwë. "Este é apenas o acesso. De estrada a chamei, mas por ela ninguém passa há mais de trezentos anos, exceto raros e secretos mensageiros e toda a arte dos Noldor foi gasta em escondê-la, desde que o Povo Oculto entrou. Está aberta? Tu irias reconhecê-la, se não tivesses alguém do Reino Oculto por guia? Ou terias imaginado que era apenas obra das intempéries e das águas do ermo? E não há ainda as Águias, como tu viste? São o povo de Thorondor, que outrora habitava nas próprias Thangorodrim antes que Morgoth se tornasse tão poderoso e que agora mora nas Montanhas de Turgon desde a queda de Fingolfin. Apenas elas, além dos Noldor, conhecem o Reino Oculto e guardam os céus acima dele, se bem que até agora nenhum servo do Inimigo tenha ousado voar nas alturas do ar, e trazem muitas notícias ao Rei sobre tudo que se move nas terras de fora. Se fôssemos Orques, não duvide de que teríamos sido agarrados e lançados de grande altura sobre os rochedos impiedosos."

"Não duvido", disse Tuor. "Mas o que gostaria de saber é se as notícias de nossa aproximação agora não chegarão a Turgon mais depressa que nós. E se isso é bom ou mau, apenas tu podes dizer."

"Nem bom, nem mau", disse Voronwë. "Pois não podemos passar pelo Portão Vigiado sem sermos percebidos, quer nos procurem, quer não; e, se lá chegarmos, os Guardas não precisarão de relatos de que não somos Orques. Mas para passarmos necessitaremos de um apelo maior que esse. Pois não imaginas, Tuor, o perigo que havemos de enfrentar nessa hora. Não me culpes, como se não tivesses sido alertado, pelo que poderá acontecer então; tomara que o poderio do Senhor das Águas se mostre de fato! Pois foi apenas com essa esperança que me dispus a te guiar, e, se ela falhar, é mais certo que encontremos a morte que por todos os perigos dos ermos e do inverno."

Mas disse Tuor: "Basta de agouros. A morte nos ermos é certa, e a morte no Portão ainda me é duvidosa, apesar de todas as tuas palavras. Conduze-me ainda em frente!"

Por muitas milhas avançaram penosamente nas pedras do Rio Seco, até que não conseguiram mais prosseguir, e a tardinha trouxe as trevas à profunda fissura; aí saíram, escalando a margem leste, e haviam então chegado às colinas desordenadas que ficavam no sopé das montanhas. E, erguendo os olhos, Tuor viu que elas se erguiam de modo diverso de quaisquer outras montanhas que vira, pois seus flancos eram como muralhas escarpadas, cada um empilhado acima e atrás do mais baixo, como se fossem grandes torres de precipícios com muitos andares. Mas o dia se fora, enquanto todas as terras estavam cinzentas e nebulosas e o Vale do Sirion estava envolto em sombras. Então Voronwë o levou a uma caverna rasa em uma encosta que dava para as solitárias vertentes de Dimbar, ali entraram, sorrateiros, e permaneceram escondidos e comeram suas últimas migalhas e sentiam frio e cansaço extremo, mas não dormiram. Assim Tuor e Voronwë chegaram, ao escurecer do décimo oitavo dia de hísimë, o trigésimo sétimo da sua jornada, às torres das Echoriath e à soleira de Turgon, tendo pelo poderio de Ulmo escapado tanto à Sentença quanto à Malícia.

Quando o primeiro brilho do dia se infiltrou, cinzento, pelas névoas de Dimbar, esgueiraram-se de volta para o Rio Seco, que logo depois voltou seu curso para o leste, subindo tortuoso até as próprias muralhas das montanhas, e bem defronte deles assomou um enorme paredão, erguendo-se escarpado e repentino de uma encosta íngreme na qual crescia uma emaranhada moita de espinheiros. Nessa moita entrava o canal pedregoso e lá ainda estava escuro como a noite, e os dois pararam, pois os espinhos se estendiam muito, descendo pelos lados da ravina, e seus galhos entrelaçados formavam um teto denso sobre ele, tão baixo que muitas vezes Tuor e Voronwë tinham de se arrastar para sob ele passarem, como animais voltando furtivamente ao covil.

Mas por fim, com grande esforço tendo chegado ao próprio sopé do penhasco, encontraram uma abertura, como se fosse a boca de um túnel escavado na dura rocha por águas que tivessem fluído do coração das montanhas. Entraram, e lá dentro não havia luz, mas Voronwë avançava com constância, enquanto Tuor seguia com a mão em seu ombro, um pouco encurvado, pois o teto era baixo. Assim, durante algum tempo prosseguiram às cegas, passo a passo, até que finalmente sentiram o chão sob seus pés tornar-se plano e livre de pedras soltas. Então detiveram-se e respiraram fundo, parados a escutar. O ar parecia fresco e saudável, e eles se deram conta de um grande espaço à sua volta e acima deles, mas o silêncio era total e nem mesmo o pingar da água se podia ouvir. Pareceu a Tuor que Voronwë estava inquieto e inseguro, e sussurrou: "Então onde está o Portão Vigiado? Ou será que agora já passamos por ele?"

"Não", disse Voronwë. "Porém me espanto, pois é estranho que qualquer intruso consiga se esgueirar tão longe sem ser interpelado. Temo algum golpe no escuro."

Mas seus sussurros despertaram os ecos adormecidos e aumentaram e se multiplicaram e percorreram o teto e as paredes invisíveis, aos silvos e murmúrios como o som de muitas vozes furtivas. E, justamente quando os ecos morriam na pedra, Tuor escutou, do coração das trevas, uma voz falando nas línguas élficas: primeiro na alta fala dos Noldor, que ele não conhecia, e depois na língua de Beleriand, porém de maneira um tanto estranha a seus ouvidos, como de um povo há muito separado dos seus parentes.

"Parai!", disse. "Não vos movais! Ou morrereis, sejais inimigos ou amigos."

"Somos amigos", disse Voronwë.

"Então fazei o que mandamos", disse a voz.

O eco das suas vozes desfez-se em silêncio. Voronwë e Tuor ficaram imóveis, e pareceu a Tuor que muitos longos minutos se passaram, enquanto um temor penetrava seu coração como nenhum outro perigo de seu caminho lhe trouxera. Ouviu-se, então, o ruído de passos, crescendo para um tropel alto como a marcha de trols naquele lugar oco. De repente uma lanterna élfica foi destapada e seu raio luminoso voltou-se sobre Voronwë diante dele, mas Tuor nada conseguia ver senão uma estrela ofuscante na escuridão, e sabia que, enquanto aquele facho estivesse sobre ele, não poderia se mexer, nem para fugir nem para correr adiante.

Por um momento ficaram assim retidos no olho da luz e então a voz falou outra vez, dizendo: "Mostrai vossos rostos!" E Voronwë afastou o manto e seu rosto brilhou no raio, duro e claro, como se fosse esculpido em pedra, e Tuor maravilhou-se de ver sua beleza. Então perguntou Voronwë, altivo: "Não sabeis a quem vedes? Sou Voronwë, filho de Aranwë, da Casa de Fingolfin. Ou estou esquecido em minha própria terra depois de alguns anos? Muito além de onde alcança o pensamento da Terra-média vaguei, no entanto me recordo de tua voz, Elemmakil."

"Então Voronwë hás de recordar também as leis da sua terra", disse a voz. "Já que partiste sob comando, tens o direito a retornares. Mas não a trazeres algum estranho para cá. Por esse feito, seu direito és nulo, e deves ser conduzido como prisioneiro ao julgamento do rei. Quanto ao estrangeiro, há de ser morto ou mantido em cativeiro conforme o julgamento da Guarda. Traz-o aqui para que eu possa julgar."

Então Voronwë conduziu Tuor até a luz e, ao se aproximarem, muitos Noldor, trajando cota de malha e armados, saíram da escuridão e os cercaram com espadas desembainhadas. E Elemmakil, capitão da Guarda, que trazia a lanterna luminosa, os olhou longamente e de perto.

"Isso é estranho de tua parte, Voronwë", disse. "Fomos amigos por muito tempo. Então por que me colocas de modo tão cruel entre a lei e a amizade? Se tivesses trazido para cá, sem autorização, alguém das outras casas dos Noldor, já seria bastante. Mas trouxeste ao conhecimento do Caminho um Homem mortal — pois pelos seus olhos percebo sua gente. Ele, porém, nunca mais poderá seguir livre, conhecendo o segredo; e, por ser alguém de gente alheia que ousou entrar, eu deveria matá-lo, por muito que seja teu amigo e te seja caro."

"Na vastidão do mundo lá fora, Elemmakil, podem acontecer-nos muitas coisas estranhas e podemos ser incumbidos de tarefas inesperadas", respondeu Voronwë. "O viandante retorna diverso do que partiu. O que fiz foi feito sob um comando maior que a lei da Guarda. Só o Rei deveria julgar a mim e àquele que vem comigo."

Então Tuor falou e não temeu mais. "Venho com Voronwë, filho de Aranwë, porque ele foi designado pelo Senhor das

Águas para ser meu guia. Com esse fim, foi salvo da ira do Mar e da Sentença dos Valar. Pois trago um mandado de Ulmo para o filho de Fingolfin, e a ele vou dizê-lo."

A essas palavras Elemmakil fitou Tuor com espanto. "Então quem és tu?", perguntou. "E de onde vens?"

"Sou Tuor, filho de Huor da Casa de Hador e da família de Húrin, e estes nomes, segundo me disseram, não são desconhecidos no Reino Oculto. De Nevrast eu vim e muitos perigos atravessei para buscá-lo."

"De Nevrast?", perguntou Elemmakil. "Dizem que ninguém mora lá desde que nossa gente partiu."

"Dizem a verdade", respondeu Tuor. "Desertos e frios estão os pátios de Vinyamar. No entanto, é de lá que venho. Leva-me agora ao que outrora construiu aqueles salões."

"Em assuntos de tal grandeza, o julgamento não é meu", disse Elemmakil. "Portanto vou levar-vos à luz onde mais poderá ser revelado e vos entregarei ao Guardião do Grande Portão."

Então deu uma ordem, e Tuor e Voronwë foram postos entre altos guardas, dois à frente e três atrás deles, e seu capitão os levou da caverna da Guarda Externa, e entraram, ao que pareceu, em um corredor estreito e nele caminharam muito tempo sobre um chão plano, até que uma luz pálida reluziu à frente. Assim chegaram finalmente a um amplo arco, com colunas altas de ambos os lados, esculpidas na rocha, e entre elas estava suspenso um grande portão corrediço de barras de madeira cruzadas, maravilhosamente entalhado e guarnecido de pregos de ferro.

Elemmakil tocou-o e ele se ergueu sem ruído, e eles passaram, e Tuor viu que estavam na extremidade de uma ravina, tal como nunca antes contemplara nem imaginara, embora muito tivesse caminhado nas montanhas selvagens do Norte, pois, comparado com a Orfalch Echor, a Cirith Ninniach era apenas um sulco na rocha. Aqui as mãos dos próprios Valar, nas antigas guerras do princípio do mundo, haviam apartado à força os grandes montes, e as laterais da fenda eram escarpadas como se cortadas a machado e erguiam-se a alturas inimagináveis. No alto, bem longe, corria uma faixa de firmamento, e com seu azul profundo contrastavam picos negros e píncaros recortados, remotos, mas duros, cruéis como lanças. Demasiado altas eram aquelas muralhas enormes para que o sol do inverno lhes espiasse por cima, e embora já fosse dia claro, estrelas brilhavam pálidas sobre os cimos das montanhas, e lá embaixo tudo era penumbra, a não ser pela luz fraca das lanternas colocadas ao longo da estrada ascendente. Pois o piso da ravina apresentava um aclive pronunciado, na direção leste, e à esquerda Tuor viu, ao lado do leito do rio, um caminho largo, calçado e pavimentado com pedras, subindo sinuoso até se perder na sombra.

"Passastes pelo Primeiro Portão, o Portão de Madeira", disse Elemmakil. "Lá está o caminho. Precisamos nos apressar."

A que distância aquela estrada profunda levava Tuor não conseguia imaginar e, enquanto olhava à frente, uma grande exaustão abateu-se sobre ele como uma nuvem. Um vento gélido assobiava sobre as faces das pedras, e ele se enrolou mais no manto. "Sopra frio o vento do Reino Oculto!", disse.

"Sim, de fato," disse Voronwë, "a um estrangeiro poderia parecer que o orgulho tornou impiedosos os serviçais de Turgon. Longas e árduas parecem as léguas dos Sete Portões aos famintos e extenuados."

"Se nossa lei fosse menos rigorosa, há muito a astúcia e o ódio teriam entrado e nos destruído. Isso tu sabes bem", disse Elemmakil. "Mas não somos impiedosos. Aqui não há comida e o desconhecido não pode voltar por um portão que tenha atravessado. Suporta um pouco, pois, e no Segundo Portão receberás alimento."

"Está bem", disse Tuor, e prosseguiu conforme lhe mandaram. Pouco depois virou-se e viu que Elemmakil seguia sozinho com Voronwë. "Não há mais necessidade de guardas", disse Elemmakil, lendo seus pensamentos. "Da Orfalch não há como Elfo ou Homem escapar, e não há retorno."

Assim continuaram subindo o caminho íngreme, às vezes por longas escadarias, às vezes por aclives sinuosos, sob a sombra intimidante do penhasco, até que, a cerca de meia légua do Portão de Madeira, Tuor viu que o caminho estava barrado por um grande muro construído de lado a lado da ravina, com robustas torres de pedra de ambos os flancos. No muro havia um grande arco sobre a estrada, mas parecia que pedreiros o haviam bloqueado com uma única pedra enorme. À medida que se aproximavam, sua superfície escura e polida brilhava à luz de uma lâmpada branca suspensa sobre o meio do arco.

"Aqui está o Segundo Portão, o Portão de Pedra", disse Elemmakil, e, aproximando-se dele, empurrou-o de leve. Ele girou sobre um eixo invisível até ficar com a borda voltada para eles, e o caminho abriu-se de ambos os lados, passaram, entrando em um pátio onde estavam de pé muitos guardas armados, trajados de cinza. Nenhuma palavra se pronunciou, mas Elemmakil levou os que vigiava até uma câmara debaixo da torre setentrional, e lá trouxeram-lhes comida e vinho, e permitiram-lhes descansar um pouco.

"Escasso o alimento pode parecer", disse Elemmakil a Tuor. "Mas, se for provado aquilo que afirmas, no futuro há de ser ricamente compensado."

"É suficiente", disse Tuor. "Fraco seria o coração que necessitasse de melhor cura." E de fato a bebida e comida dos Noldor o restauraram de tal modo que logo estava ansioso por prosseguir.

Logo adiante chegaram a uma muralha ainda mais alta e forte do que a anterior e nela estava instalado o Terceiro Portão, o Portão de Bronze: uma grande porta dupla onde estavam suspensos escudos e placas de bronze, nos quais haviam sido gravados muitas figuras e sinais estranhos. Na muralha acima do seu lintel havia três torres quadradas, com telhados e revestimentos de cobre, que através de algum estratagema da arte de forjar estavam sempre brilhantes e reluziam como fogo aos raios das lâmpadas vermelhas alinhadas como tochas ao longo da muralha. Mais uma vez passaram pelo portão em silêncio e viram no pátio do outro lado uma companhia ainda maior de guardas, em cota de malha que refulgia pálida como fogo baço, e as lâminas de seus machados eram vermelhas. Os que

vigiavam esse portão eram em sua maior parte do povo dos Sindar de Nevrast.

Então chegaram ao caminho mais cansativo, pois no meio da Orfalch o aclive era o mais íngreme, e enquanto subiam, Tuor viu a maior de todas as muralhas assomando sombria acima dele. Assim se aproximaram por fim do Quarto Portão, o Portão de Ferro Forjado. Alta e negra era a muralha e nenhuma lâmpada a iluminava. Quatro torres de ferro estavam assentadas sobre ela e entre as duas torres internas estava colocada uma imagem de uma grande águia, trabalhada em ferro, à semelhança do próprio Rei Thorondor, pousado em uma montanha vindo da altura dos ares. Mas quando Tuor estava parado diante do portão pareceu a seus olhos maravilhados que olhava através de ramos e troncos de árvores imperecíveis, para dentro de uma pálida clareira da Lua. Pois vinha uma luz através das filigranas do portão, que eram forjadas e marteladas em forma de árvores com raízes contorcidas e ramos entrelaçados carregados de folhas e flores. E ao atravessar viu como isso podia acontecer, pois a muralha era de grande espessura e não havia uma grade e sim três alinhadas, dispostas de forma que, para quem se aproximasse no meio do caminho, cada uma formasse parte do desenho, mas a luz além era a luz do dia.

Pois agora haviam subido a grande altura acima das terras baixas de onde haviam partido, e para além do Portão de Ferro a estrada seguia quase nivelada. Ademais, tinham passado pelo cimo e coração da Echoriath, e as torres das montanhas agora desciam rapidamente em direção das colinas internas, enquanto a ravina se abria mais e suas paredes se tornavam menos íngremes. Suas longas margens estavam recobertas de neve branca, e a luz do firmamento, espelhada pela neve, passava branca como o luar através de uma névoa tremeluzente que enchia o ar.

Passaram então pelas fileiras dos Guardas de Ferro que estavam atrás do Portão; negros eram seus mantos, bem como suas malhas e seus longos escudos; e seus rostos eram mascarados por viseiras que ostentavam cada uma um bico de águia. Então Elemmakil andou à frente e eles o seguiram, entrando na luz pálida, e Tuor viu ao lado do caminho um gramado, onde cresciam como estrelas as flores brancas de *uilos*, a Sempre-em-mente que não conhece estação e não murcha, e assim, maravilhado e de coração leve, foi conduzido ao Portão de Prata.

O muro do Quinto Portão era construído de mármore branco e era baixo e largo e seu parapeito era uma treliça de prata entre cinco grandes globos de mármore, e lá estavam parados muitos arqueiros de vestes brancas. O portão tinha a forma de três quartos de círculo e era trabalhado de prata e pérolas de Nevrast à semelhança da Lua, mas acima do Portão, sobre o globo central, havia uma imagem da Árvore Branca Telperion, trabalhada de prata e malaquita, com flores feitas de grandes pérolas de Balar. E além do Portão, em um amplo pátio calçado de mármore verde e branco, estavam parados arqueiros em cotas de malha de prata e elmos de cristas brancas, cem de cada flanco. Então Elemmakil conduziu Tuor e Voronwë por suas fileiras silenciosas, e os três entraram em uma longa estrada branca que seguia reto para o Sexto Portão, e, à medida que avançavam, o gramado tornava-se mais largo e entre as estrelas brancas de *uilos* abriam-se muitas florezinhas como olhos de ouro.

Assim chegaram ao Portão Dourado, o último dos antigos portões de Turgon que foram feitos antes das Nirnaeth, e era muito semelhante ao Portão de Prata, exceto que o muro era construído de mármore amarelo e os globos e o parapeito eram de ouro vermelho, e havia seis globos e no meio, sobre uma pirâmide dourada, estava posta uma imagem de Laurelin, a Árvore do Sol, com flores trabalhadas em topázio, em longos cachos em correntes de ouro. E o próprio Portão era adornado com discos de ouro, de muitos raios, à semelhança do Sol, colocados entre desenhos de granadas e topázios e diamantes amarelos. No pátio do outro lado estavam perfilados trezentos arqueiros com arcos longos e suas malhas eram cobertas de ouro, altas plumas douradas erguiam-se de seus elmos e seus grandes escudos redondos eram vermelhos como chamas.

Agora caía a luz do sol sobre o restante da estrada, pois as muralhas das colinas eram baixas de ambos os lados, e verdes, exceto pela neve nos cimos, e Elemmakil apressou-se em prosseguir, pois era um caminho curto até o Sétimo Portão, chamado o Grande, o Portão de Aço que Maeglin construiu após o retorno das Nirnaeth, atravessado na ampla entrada da Orfalch Echor.

Não havia muro lá, mas dos dois lados havia torres redondas de grande altura, com muitas janelas, que convergiam em sete andares até um torreão de aço brilhante, e entre as torres erguia-se uma enorme cerca de aço que não enferrujava, mas rebrilhava fria e branca. Sete grandes colunas de aço lá havia, esguias, da altura e diâmetro de árvores jovens e fortes, mas encimadas por pontas acres que subiam aguçadas como agulhas, e entre as colunas havia sete barras transversais de aço e em cada espaço sete vezes sete hastes de aço verticais, com cabeças como as lâminas largas de lanças. Mas no centro, sobre a coluna do meio, a maior, erguia-se uma enorme imagem do elmo real de Turgon, a Coroa do Reino Oculto, cravejada de diamantes.

Nem portão ou porta Tuor conseguia ver naquela enorme sebe de aço, mas, à medida que se aproximava, parecia-lhe que saía pelos espaços entre as barras uma luz ofuscante, e cobriu os olhos, permanecendo imóvel de temor e espanto. Mas Elemmakil avançou e nenhum portão abriu-se ao seu toque, mas ele tangeu uma barra e a cerca ressoou como uma harpa de muitas cordas, emitindo notas nítidas em harmonia, que correram de torre a torre.

De pronto saíram cavaleiros das torres, mas à frente dos da torre norte vinha um montado em um cavalo branco, e apeou e veio caminhando em direção deles. Por alto e nobre que fosse Elemmakil, maior e mais soberbo era Ecthelion, Senhor das Fontes, naquela época Guardião do Grande Portão. Todo de prata estava trajado, e em seu elmo brilhante estava fixada uma ponta de aço encimada por um diamante e, quando seu escudeiro lhe tomou o escudo, este cintilou como se estivesse orvalhado de gotas de chuva, que eram na verdade mil pinos de cristal.

Elemmakil saudou-o e disse: "Trago aqui Voronwë Aranwion, retornado de Balar, e eis o estrangeiro que ele conduziu para cá, que exige ver o Rei."

Então Ecthelion voltou-se para Tuor, mas este se enrolou no manto e permaneceu em silêncio, encarando-o, e pareceu a Voronwë que uma névoa envolvia Tuor e que sua estatura aumentava, de modo que o cimo do seu alto capuz sobrepujou o elmo do senhor élfico, como se fosse a crista de uma onda cinzenta do mar, rolando para terra. Mas Ecthelion voltou seu olhar luzidio para Tuor e depois de uma pausa falou com gravidade:[10] "Tu chegaste ao Último Portão. Sabe, pois, que qualquer estranho que o atravesse jamais há de sair outra vez, exceto pela porta da morte."

"Não pronuncies maus agouros! Se o mensageiro do Senhor das Águas passar por essa porta, então todos os que aqui habitam o seguirão. Senhor das Fontes, não impeças o mensageiro do Senhor das Águas!"

Então Voronwë e todos os que estavam por perto outra vez fitaram Tuor com assombro, maravilhando-se com suas palavras e sua voz. E pareceu a Voronwë que ouvia uma alta voz, mas como se fosse de alguém que chamasse de muito longe. Mas a Tuor parecia que ouvia a si próprio falando, como se outro falasse por sua boca.

Por algum tempo, Ecthelion quedou-se em silêncio, olhando para Tuor, e lentamente seu rosto encheu-se de pasmo, como se na sombra cinzenta do manto de Tuor enxergasse visões de muito longe. Então fez uma reverência, foi à cerca e pôs as mãos sobre ela, e abriram-se portões para dentro, de ambos os lados da coluna da Coroa. Então Tuor passou e, chegando a um alto gramado de onde se divisava o vale mais além, contemplou uma visão de Gondolin em meio à branca neve. E ficou tão encantado que por muito tempo não conseguiu olhar para

---

[10] Aqui o manuscrito redigido cuidadosamente termina e o que se segue é apenas um rascunho inicial escrito em um pedaço de papel. [N. E.]

nada mais, pois diante de si via afinal a visão do seu desejo, saída de anseios sonhados.

Assim ficou parado e não disse palavra. Em silêncio, de ambos os lados, estava postada uma hoste do exército de Gondolin; lá estavam representadas todas as sete gentes dos Sete Portões, mas seus capitães e comandantes montavam cavalos, brancos e cinzentos. Então, enquanto fitavam Tuor com espanto, seu manto caiu e lá estava ele diante deles na imponente libré de Nevrast. E muitos que estavam ali haviam visto o próprio Turgon pendurar aqueles objetos na parede por trás do Alto Assento de Vinyamar.

Então disse Ecthelion por fim: "Agora não é necessária mais nenhuma prova e mesmo o nome que afirma ter, como filho de Huor, importa menos que a clara verdade de que ele vem do próprio Ulmo."

Aqui esse texto chega ao fim, mas seguem-se algumas notas escritas rapidamente, esboçando elementos da narrativa conforme meu pai a previa naquela época. Tuor perguntava o nome da cidade e contavam-lhe seus sete nomes (ver "O Conto Original", p. 52). Ecthelion dava ordens de soar o sinal e trombetas eram tocadas nas torres do Grande Portão, então trombetas em resposta eram ouvidas bem longe, nas muralhas da cidade.

A cavalo eles partiram para a cidade, da qual devia seguir uma descrição: o Grande Portão, as árvores, a Praça da Fonte e a casa do Rei, e então seria descrita a recepção de Tuor da parte de Turgon. Ao lado do trono seriam vistos Maeglin à direita e Idril à esquerda e Tuor declararia a mensagem de Ulmo. Há também uma anotação dizendo que viria uma descrição da cidade conforme vista por Tuor de longe, e que seria contado por que não havia uma rainha de Gondolin.

A Evolução da História

Essas notas (i.e. no final do manuscrito do "Tuor mais tardio") não são muito significativas para a lenda de *A Queda de Gondolin*, mas pelo menos mostram que meu pai não abandonou essa obra de repente, de maneira apressada e imprevista, para nunca mais retomá-la. Mas qualquer ideia de que tenha sido perdida uma continuação posterior da história, totalmente desenvolvida, depois das palavras de Ecthelion a Tuor no Sétimo Portão de Gondolin, está fora de questão.

Aí está, portanto. Meu pai de fato abandonou essa forma e esse tratamento essenciais e (pode-se dizer) definitivos da lenda, no momento exato em que ele tinha levado Tuor enfim a "contemplar uma visão de Gondolin em meio à branca neve". Para mim, esse é talvez o mais triste de seus muitos abandonos de textos. Por que ele parou ali? É possível encontrar uma espécie de resposta.

Essa foi uma época profundamente incômoda para ele, uma época de frustração intensa. Pode-se dizer com certeza que, quando *O Senhor dos Anéis* finalmente foi completado, ele retornou às lendas dos Dias Antigos com energia renovada e vigor. Citarei aqui partes de uma carta marcante que ele escreveu para Sir Stanley Unwin, presidente da editora Allen & Unwin, em 24 de fevereiro de 1950, pois ela apresenta claramente os prospectos de publicação da maneira como eles os via naquele momento.

> Em uma de suas cartas mais recentes, o senhor expressou um desejo de ainda ver o ms. de minha obra sugerida, *O Senhor dos Anéis*, originalmente esperada como uma continuação para *O Hobbit*? Por dezoito meses tenho esperado pelo dia em que eu poderia dizer que ela estava terminada. Mas foi só depois do Natal que esse objetivo foi finalmente alcançado. Ela está terminada, ainda que parcialmente sem revisão, e está, creio eu, em uma condição na qual um leitor poderia lê-la se ele não esmorecesse à vista dela.
> Como a estimativa para datilografá-la estava na casa das £100 (das quais não disponho para gastar), fui obrigado a fazer quase tudo eu mesmo. E agora que olho para ela, a magnitude do desastre é evidente para mim. Minha obra escapou do meu controle e produzi um monstro: um romance imensamente longo, complexo, um tanto amargo e muito aterrorizante, bastante inadequado para crianças (se é que é adequado para alguém); e não é realmente uma continuação para *O Hobbit*, mas para *O Silmarillion*. Minha estimativa é de que possua, mesmo sem certos adendos necessários, cerca de 600.000 palavras. Uma datilógrafa estimou mais alto. Posso ver de modo muito claro o quão impraticável ele é. Mas estou cansado. Afastei-o de mim e não sinto que eu possa fazer mais alguma coisa a respeito dele além de uma pequena revisão de inconsistências. Pior ainda: sinto que ele está ligado ao *Silmarillion*.
> Talvez o senhor possa lembrar-se dessa obra, um longo legendário de épocas imaginárias em um "estilo elevado" e repleto de Elfos (de um tipo). Ele foi rejeitado segundo o conselho de seu leitor muitos anos atrás. Pelo que me lembro, ele concedeu à obra uma espécie de beleza celta intolerável aos anglo-saxões em grandes

doses.[11] Ele provavelmente foi perfeitamente correto e justo. E o senhor comentou que essa era uma obra para se extrair material, não para ser publicada.

Infelizmente, eu não sou um anglo-saxão e, embora posto de lado (até um ano atrás), o *Silmarillion* e tudo o mais se recusaram a serem suprimidos. Ele veio à tona, infiltrou-se e provavelmente arruinou tudo (que mesmo remotamente aproximava-se de "Feéria") que tentei escrever desde então. Foi mantido fora de *Mestre Gil* com esforço, mas impediu sua continuação. Sua sombra foi profunda nas partes finais de *O Hobbit*. Ele capturou *O Senhor dos Anéis*, de maneira que este tornou-se simplesmente sua continuação e finalização, exigindo *O Silmarillion* para ser completamente inteligível — sem muitas referências e explicações que o deixam confuso em um ou dois lugares.

Por mais ridículo e cansativo que o senhor pense que sou, desejo publicar ambos — *O Silmarillion* e *O Senhor dos Anéis* — em conjunto ou em ligação. "Desejo" — seria mais sábio dizer "gostaria", visto que não é muito provável que um pacotinho de, digamos, um milhão de palavras, de assuntos apresentados por extenso que os anglo-saxões (ou o público falante de inglês) só conseguem aguentar de forma moderada, venha a público, mesmo se o papel estivesse disponível à vontade.

Mesmo assim, é disso que eu gostaria. Ou deixarei tudo isso em paz. Não consigo contemplar qualquer reescrita ou compressão drástica. É claro que, sendo um escritor, eu gostaria de ver meus textos impressos, mas aí estão eles. Para mim, o principal é

---

[11] Na verdade, esse leitor tinha visto apenas algumas páginas de *O Silmarillion*, embora não soubesse disso. Como mencionei em *Beren e Lúthien*, ele comparou essas páginas com *A Balada de Leithian*, de forma muito desfavorável para a obra em versos, sem entender a relação entre os dois textos; e, em seu entusiasmo pelas páginas do *Silmarillion*, disse de forma absurda que o conto "é contado com uma brevidade e dignidade pitorescas que retêm o interesse do leitor apesar de seus nomes celtas de embaralhar a vista. Tem algo daquela beleza louca, de olhos brilhantes, que deixa perplexos todos os anglo-saxões diante da arte celta". [N. E.]

que sinto que toda a questão está agora "exorcizada" e não mais me atormenta. Posso agora dedicar-me a outras coisas...

Não detalharei a história intrincada e dolorosa que veio nos dois anos seguintes. Meu pai nunca deixou de lado sua opinião de que, em suas palavras em outra carta, "*O Silmarillion* etc. e *O Senhor dos Anéis* estão intimamente relacionados, como uma única longa Saga das Joias e dos Anéis": "Eu estava decidido a tratá-los como uma coisa só, seja como fossem lançados formalmente."

Mas os custos de produção dessa obra imensa nos anos depois da Segunda Guerra estavam totalmente contra ele. Em 22 de junho de 1952, ele escreveu para Rayner Unwin:

> Quanto a *O Senhor dos Anéis* e *O Silmarillion*, estão onde estavam. Um terminado (e o final revisado) e o outro ainda inacabado (ou não revisado), e ambos juntando poeira. De vez em quando tenho estado tanto doente demais como sobrecarregado demais para fazer muita coisa a respeito deles, e desanimado demais. Observando a falta de papel e os preços contra mim. Mas mudei bastante minhas opiniões. Melhor alguma coisa do que nada! Ainda que para mim tudo seja uma única coisa, e *O Senhor dos Anéis* ficaria muito melhor (e mais fácil) como parte do todo, eu consideraria alegremente a publicação de qualquer parte desse material. Os anos estão se tornando preciosos. E a aposentadoria (que não está longe), pelo que vejo, trará não tempo livre, mas uma pobreza que exigirá que eu ganhe a vida a duras penas com a "correção" de provas e serviços similares.

Como eu disse em *O Anel de Morgoth*: "Desse modo, curvou-se à necessidade, mas foi uma tristeza para ele."

Acredito que a explicação para seu abandono da "Última Versão" deve ser encontrada nos excertos de correspondência apresentados acima. Em primeiro lugar, temos as suas palavras na carta a Stanley Unwin, de 24 de fevereiro de 1950. Ele anunciou com toda a firmeza que *O Senhor dos Anéis* estava terminado: "depois do Natal esse objetivo foi finalmente alcançado."

E disse: "Para mim, o principal é que sinto que toda a questão está agora 'exorcizada' e não mais me atormenta. Posso agora dedicar-me a outras coisas..."

Em segundo lugar, há uma data essencial. A página do manuscrito da "Última Versão" de *Tuor e da Queda de Gondolin*, trazendo anotações sobre elementos da história que nunca foram alcançados naquele texto (p. 193), foi tirada de um calendário de compromissos com data de setembro de 1951, e outras páginas desse calendário foram usadas para reescrever passagens.

No Prefácio de *O Anel de Morgoth*, escrevi:

> Mas pouco de todo esse trabalho chegou a ser completado. A nova *Balada de Leithian*, o novo conto de Tuor e a Queda de Gondolin, os *Anais Cinzentos* (de Beleriand), a revisão do *Quenta Silmarillion*, foram todos abandonados. Tenho poucas dúvidas de que a falta de esperança em relação à publicação, pelo menos da forma que ele julgava essencial, foi a principal causa disso.

Como ele disse na carta a Rayner Unwin de 22 de junho de 1952, citada acima: "Quanto a *O Senhor dos Anéis* e *O Silmarillion*, estão onde estavam. De vez em quando tenho estado tanto doente demais como sobrecarregado demais para fazer muita coisa a respeito deles, e desanimado demais."

Resta-nos, portanto, analisar de novo o que de fato temos dessa última história, que nunca se tornou "a Queda de Gondolin", mas mesmo assim é única entre as evocações da Terra-média nos Dias Antigos, de modo particularmente especial na intensa percepção de detalhes, atmosfera e cenas sucessivas que foi conseguida por meu pai. Lendo seu relato da vinda até Tuor do Deus Ulmo, Senhor das Águas, de sua aparência e de como ele se postou "de pé até os joelhos no mar sombrio", é possível ficar absorto imaginando quais descrições haveria dos confrontos colossais na batalha de Gondolin.

A EVOLUÇÃO DA HISTÓRIA

Da maneira como está — e como termina —, é a história de uma jornada. Uma jornada cujo motivo é uma missão extraordinária, concebida e ordenada por um dos maiores dos Valar, e expressamente imposta sobre Tuor, de uma grande casa dos Homens, a quem o Deus acaba aparecendo na beira do oceano em meio a uma vasta tempestade. Essa missão extraordinária vai ter um resultado ainda mais extraordinário, que mudaria a história do mundo imaginado.

A importância profunda dessa jornada cria grande pressão sobre Tuor e Voronwë, o Elfo noldorin que se torna seu companheiro, a cada passo, e meu pai sentiu o crescimento do cansaço mortal dos dois, no Inverno Cruel daquele ano, como se ele mesmo, em sonho, tivesse se arrastado de Vinyamar a Gondolin, faminto e exausto, temendo os Orques, nos últimos anos dos Dias Antigos da Terra-média.

A história de Gondolin agora foi repetida desde sua origem, em 1916, até esta versão, que é final, mas estranhamente abandonada, cerca de 35 anos depois. No que segue, normalmente vou me referir à história original como "o Conto Perdido" ou, por razões de brevidade, simplesmente como "o *Conto*", e ao texto abandonado como "a Última Versão" ou, de forma abreviada, "UV". Desses dois textos separados por muitos anos pode-se dizer isto de imediato: parece inquestionável que ou meu pai tivesse o manuscrito do "Conto Perdido" na frente dele, ou que ao menos o estivesse lendo não muito antes, quando escreveu a "Última Versão". Essa conclusão vem da similaridade muito próxima, ou mesmo quase identidade, de passagens aqui e ali nos dois textos. Para citar um único exemplo:

(O "Conto Perdido", p. 43)
Então Tuor viu-se em uma região agreste, nua de árvores e varrida por um vento vindo do lado do pôr do sol, e todas as moitas e todos os arbustos inclinavam-se para o lado da aurora por causa da prevalência daquele vento.

(A "Última Versão", p. 151)
[Tuor] passou ainda alguns dias vagando em uma região acidentada, desprovida de árvores. Era varrida por um vento do mar, e tudo que lá crescia, capim ou touceira, inclinava-se sempre para onde o sol nascia por causa da preponderância daquele vento Oeste.

Ainda mais interessante é comparar os dois textos, até onde são comparáveis, e observar como traços essenciais da história mais antiga foram mantidos, mas transformados em seu significado, enquanto elementos e dimensões totalmente novos foram inseridos.

No *Conto*, Tuor anuncia seu nome e linhagem assim (p. 55):

Sou Tuor, filho de Peleg, filho de Indor, da casa do Cisne dos filhos dos Homens do Norte que vivem longe daqui.

Também se diz dele no *Conto* (p. 44) que, quando ele construiu uma morada para si na cava de Falasquil, na costa do oceano, adornou-a com muitos entalhes, "e sempre entre eles o Cisne era o principal, pois Tuor amava esse emblema e ele se tornou o sinal dele próprio, de sua gente e de seu povo desde então". Além do mais, de novo no *Conto*, conta-se dele (p. 60) que, quando estava em Gondolin, fizeram uma armadura para Tuor e que "o elmo era adornado com um detalhe de metais e joias semelhante a duas asas de cisne, uma de cada lado, e uma asa de cisne foi colocada no escudo".

E, mais uma vez, no momento do ataque a Gondolin, todos os guerreiros de Tuor que estavam em torno dele "usavam asas como se fossem de cisnes ou gaivotas em seus elmos e o emblema da Asa Alva sobre seus escudos" (p. 73); eram "o povo da Asa".

Já no *Esboço da Mitologia*, entretanto, a figura de Tuor foi trazida para o *Silmarillion* em evolução. A casa do Cisne dos Homens do Norte tinha desaparecido. Ele se tornara um membro da Casa de Hador, o filho de Huor, morto na Batalha das Lágrimas Inumeráveis, e o primo de Túrin Turambar. Contudo, a associação de Tuor com o Cisne e a asa do Cisne de modo algum se perdeu nessa transformação. Como se diz na "Última Versão" (p. 153):

> Ora, Tuor amava os cisnes, que conhecera nos lagos cinzentos de Mithrim, e, ademais, o cisne fora o emblema de Annael e de seu povo adotivo [sobre Annael, ver a "Última Versão", p. 142].

Então, em Vinyamar, na antiga casa de Turgon antes da descoberta de Gondolin, o escudo que Tuor encontrou trazia nele o emblema da asa alva de um cisne, e ele disse: "*Por este sinal* tomo estas armas para mim e aceito qualquer sina que possam carregar" (UV, p. 157).

O "Conto Original" começa (p. 41) com pouco mais do que uma introdução muito breve acerca de Tuor, "que habitava, em mui antigos dias, naquela terra do Norte chamada Dor-lómin ou a Terra das Sombras". Ele vivia só, um caçador nas terras em volta do Lago Mithrim, cantando as canções que fazia e tangendo sua harpa, e travou contato com "os Noldoli vagantes", com quem aprendeu muito, em especial a língua deles.

Mas "conta-se que a magia e o destino o levaram certo dia para uma abertura cavernosa, no fundo da qual um rio escondido corria a partir do Mithrim", e Tuor entrou nela. Isso, diz-se, "era a vontade de Ulmo, Senhor das Águas, que levara os Noldoli a abrir aquele caminho escondido".

Quando Tuor se mostrou incapaz de recuar da caverna contra a força do rio, os Noldoli vieram e guiaram-no ao longo de passagens escuras em meio às montanhas, até que saiu à luz uma vez mais.

No *Esboço* de 1926, onde, como ressaltado acima, a linhagem de Tuor como um descendente da casa de Hador emergiu, conta-se (pp. 119-120) que, depois da morte de Rían, sua mãe, ele se tornou um escravo dos homens infiéis que Morgoth confinara em Hithlum depois da Batalha das Lágrimas Inumeráveis, mas Tuor escapou deles, e Ulmo fez com que fosse levado a um curso de rio subterrâneo que saía de Mithrim para um rio em meio a ravinas que fluía, enfim, para o Mar do Oeste. No *Quenta* de 1930 (pp. 130-131), esse relato é seguido de perto e em ambos os textos o único significado na história que é atribuído a esse fato é que ele permitiu a fuga de Tuor, totalmente desconhecida de todos os espiões de Morgoth. Mas ambos os textos eram de natureza bastante condensada.

Voltando ao *Conto*, a passagem de Tuor pelo abismo do rio é contada em detalhes, até o ponto em que a enchente da maré encontrou o rio que fluía velozmente do Lago Mithrim, em um tumulto assustador para quem estava no caminho: "mas os Ainur puseram em seu coração a ideia de escalar a garganta naquela hora, ou ele teria sido engolfado pela maré que subia" (p. 43). Parece que os guias Noldoli deixaram Tuor quando ele saiu da caverna escura: "[Os Noldoli] o guiaram por passagens escuras em meio às montanhas, até que ele saiu à luz mais uma vez" (p. 42).

Saindo do rio e ficando de pé acima de sua ravina, Tuor, pela primeira vez, pôs seus olhos sobre o mar. Depois de encontrar uma cava protegida na costa (que veio a ser chamada de *Falasquil*), construiu ali uma habitação com a lenha que os Noldoli faziam flutuar rio abaixo para ele (sobre o Cisne em meio aos entalhes da morada dele, ver p. 201). Em Falasquil, ele "passou tempo mui grande" (*Conto*, pp. 44-45) até que se cansou da solidão, e aqui de novo se afirma que os Ainur tinham um dedo nisso ("pois Ulmo amava Tuor", *Conto*, p. 45); deixou Falasquil e seguiu o voo de três cisnes que passaram na direção sul, descendo a costa, e claramente buscavam conduzi-lo. Sua grande jornada ao longo do inverno até a primavera é descrita, até que ele chegou ao Sirion. De lá foi adiante até alcançar a Terra dos Salgueiros (*Nan-tathrin*, *Tasarinan*), onde as borboletas e as abelhas, as flores e as aves canoras o encantaram, e ele lhes deu nomes, e demorou-se lá durante a primavera e o verão (*Conto*, pp. 46-47).

Os relatos no *Esboço* e no *Quenta* são extremamente breves, como seria de se esperar. No *Esboço* (pp. 119-120), diz-se de Tuor apenas que "depois de longas andanças pelas costas do oeste, chegou às fozes do Sirion e lá encontrou o Gnomo Bronweg [Voronwë], que antes tinha estado em Gondolin. Eles viajam secretamente Sirion acima juntos. Tuor demora-se muito na doce terra de Nan-tathrin, 'Vale dos Salgueiros'". A passagem do *Quenta* (p. 131) tem conteúdo essencialmente igual. O Gnomo, cujo nome aparece como Bronwë, agora é descrito como tendo escapado de Angband e "sendo outrora do povo de Turgon, buscava sempre achar o caminho para os lugares ocultos de seu senhor", e assim ele e Tuor subiram o Sirion e chegaram à Terra dos Salgueiros.

É curioso que nesses textos a entrada de Voronwë na narrativa tem lugar antes da chegada de Tuor à Terra dos Salgueiros, pois, na fonte primária, o *Conto*, Voronwë tinha aparecido muito mais tarde, sob circunstâncias totalmente diferentes, *depois* da aparição de Ulmo. No *Conto* (pp. 48-49), o longo enlevo de Tuor em Nan-tathrin levou Ulmo a temer que ele jamais deixaria o lugar e, em sua instrução a Tuor, ele disse que os Noldoli iriam escoltá-lo secretamente até a cidade do povo chamado de *Gondothlim* ou "habitantes da pedra" (sendo essa a primeira referência a Gondolin no *Conto*: tanto no *Esboço* quanto no *Quenta*, um pequeno relato sobre a cidade oculta é apresentado antes que haja qualquer menção a Tuor). No fim das contas, de acordo com o *Conto* (p. 50), os Noldoli que guiavam Tuor em sua jornada para o leste desertaram dele por medo de Melko, e ele se perdeu. Mas um dos Elfos voltou a ele e ofereceu-se para acompanhá-lo em sua busca por Gondolin, da qual esse Noldo ouvira rumores, mas nada mais. Ele era Voronwë.

Avançando agora muitos anos, chegamos à "Última Versão" (UV) e ao que se conta sobre a juventude de Tuor. Nem no *Esboço* nem no *Quenta* há alguma referência à adoção de Tuor pelos Elfos-cinzentos de Hithlum, mas, nessa versão final, introduz-se um relato detalhado disso (pp. 141-145). Conta-se a criação dele entre os Elfos sob Annael, de suas vidas oprimidas e de sua fuga para o sul pelo caminho secreto conhecido como Annon-in-Gelydh, "o Portão dos Noldor, pois foi feito pela habilidade dessa gente, muito tempo atrás, nos dias de Turgon". Há também um relato da escravização de Tuor e de sua fuga, com os anos seguintes de vida como um perigoso proscrito.

O desenvolvimento mais significativo nisso tudo vem da determinação de Tuor de fugir de sua terra. Seguindo o que aprendera com Annael, buscou por toda parte o Portão dos Noldor e o misterioso reino oculto de Turgon (UV, p. 145). Esse era o objetivo expresso de Tuor: mas não sabia o que aquele "Portão" seria. Chegou à fonte de um riacho que nascia nas colinas de Mithrim e foi ali que ele tomou sua decisão final de partir de Hithlum, "a cinzenta terra de minha família", embora sua busca pelo Portão dos Noldor tivesse falhado. Seguiu o riacho até que chegou a um muro de pedra onde ele desaparecia em uma "abertura semelhante a um grande arco". Ali se sentou em desespero durante a noite, até que ao nascer do sol viu dois Elfos subindo do arco.

Eram Elfos noldorin chamados Gelmir e Arminas, engajados em uma missão urgente que não quiseram precisar. Por eles Tuor descobriu que o grande arco de fato era o Portão dos Noldor, e que, sem o saber, conseguira encontrá-lo. Tomando o lugar dos Noldoli que o guiavam no antigo *Conto* (p. 45), Gelmir e Arminas orientaram-no através do túnel até um lugar onde pararam, e ele lhes perguntou o que sabiam de Turgon, dizendo que o nome o comovia de forma estranha sempre que o ouvia. A isso eles não deram resposta, mas lhe disseram adeus e voltaram a subir as longas escadas na escuridão (p. 149).

A "Última Versão" introduziu poucas alterações na narrativa do *Conto* no relato da jornada de Tuor, depois que ele emergiu do túnel, descendo a ravina de encostas íngremes. É notável, entretanto, que enquanto no *Conto* (p. 43) "os Ainur puseram em seu coração a ideia de escalar a garganta naquela hora, ou ele teria sido engolfado pela maré que subia", na UV (p. 151), ele a escalou porque desejava seguir as três grandes gaivotas, e "Tuor foi salvo, pelo chamado das aves marinhas, da morte na maré enchente". A cava do mar chamada de Falasquil (*Conto*, pp. 44-45), onde Tuor construiu para si uma morada e "lá passou tempo mui grande", "com lento labor" adornando com entalhes, tinha desaparecido na "Última Versão".

Naquele texto, Tuor, assustado com a fúria das águas estranhas (UV p. 151), partiu para o sul da ravina do rio e passou às fronteiras da região de Nevrast, no extremo oeste, "onde outrora habitara Turgon", e enfim chegou, no pôr do sol, às costas da Terra-média e viu o Grande Mar. Aqui a "Última Versão" diverge radicalmente da história de Tuor como contada até então.

Voltando para o *Conto* e para a chegada de Ulmo para se encontrar com Tuor na Terra dos Salgueiros (p. 47), ali começa a descrição original feita por meu pai da aparência do grande Vala (*Conto*, pp. 47-48). Senhor de todos os mares e rios, ele veio para alertar Tuor a não se demorar mais naquela área. Essa descrição é uma imagem elaborada e precisamente definida do próprio deus, chegado após vasta viagem através do oceano. Ele habita um "palácio" debaixo das águas do Oceano de Fora, avança em sua "carruagem", feita à semelhança de uma baleia, com velocidade estupenda. Seu cabelo e sua grande barba são observados, sua cota de malha "semelhante às escamas de peixes azuis e prateados", sua túnica de "verdes brilhosos", seu cinto de grandes pérolas, seus sapatos de pedra. Deixando seu "carro" na foz do Sirion, ele subiu à margem do grande rio e "se sentou entre os caniços no crepúsculo" perto do lugar onde Tuor estava "com a grama até os joelhos"; tocou seu estranho instrumento musical, que era "feito de muitas conchas compridas e vazadas com furos" (*Conto*, p. 48).

Das características de Ulmo, talvez a mais notável fosse a profundidade imensurável de seus olhos e de sua voz quando ele falou a Tuor, enchendo-o de medo. Deixando a Terra dos

Salgueiros, Tuor, escoltado secretamente pelos Noldoli, precisa procurar a cidade dos Gondothlim (ver p. 48 e seguintes). No *Conto* (p. 49), Ulmo disse: "Palavras porei em tua boca e lá residirás por um tempo." Sobre o que seriam as palavras de Tuor a Turgon não há indicações nessa versão — mas se diz que Ulmo falou a Tuor "algo de seus desígnios e desejos", coisas que ele pouco compreendeu. Ulmo também emitiu uma profecia extraordinária sobre o futuro filho de Tuor, "que, mais do qualquer homem, há de conhecer as últimas profundezas, sejam elas do mar ou do firmamento do céu". Esse filho era Eärendel.

No *Esboço* de 1926, por outro lado, há uma afirmação clara (p. 120) a respeito do propósito de Ulmo que Tuor deve proclamar em Gondolin: em resumo, Turgon precisa se preparar para uma batalha terrível contra Morgoth, na qual "a raça dos Orques perecerá", mas, se Turgon não aceitar isso, então o povo de Gondolin deve fugir de sua cidade e ir para a foz do Sirion, onde Ulmo os auxiliará a construir uma frota e guiá-los de volta a Valinor. No *Quenta Noldorinwa* de 1930 (p. 132), as possibilidades que Ulmo apresenta são essencialmente as mesmas, embora o resultado de tal batalha, "um conflito terrível e mortal", seja apresentado como a destruição do poder de Morgoth e muito mais, "donde o maior dos bens viria ao mundo, e os serviçais de Morgoth não mais iriam atormentá-lo".

É conveniente, neste ponto, voltarmo-nos para o importante manuscrito do fim dos anos 1930 intitulado *Quenta Silmarillion*. A ideia é que ele fosse uma nova versão em prosa da história dos Dias Antigos, seguindo o *Quenta Noldorinwa* de 1930, mas chegou a um fim abrupto em 1937, com o advento da "nova história sobre hobbits" (apresentei um relato sobre essa história estranha em *Beren e Lúthien*).

Acrescento aqui passagens dessa obra relacionadas à história prévia de Turgon, como ele descobriu Tumladen e construiu Gondolin, mas que não aparecem nos textos d'*A Queda de Gondolin*.

Conta-se no *Quenta Silmarillion* que Turgon, um líder dos Noldor que enfrentara o terror do *Helkaraksë* (o Gelo Pungente) durante a travessia para a Terra-média, habitava em Nevrast. Nesse texto ocorre esta passagem:

> Certa vez, Turgon deixou Nevrast, onde habitava, e foi visitar Inglor, seu amigo, e eles viajaram para o sul ao longo do Sirion, estando cansados, por algum tempo, das montanhas do norte e, conforme viajavam, a noite caiu sobre eles para além dos Alagados do Crepúsculo, ao lado das águas do Sirion, e dormiram ao lado de suas barrancas sob as estrelas do verão. Mas Ulmo, subindo o rio, lançou sobre eles sono profundo e sonhos pesados, e a perturbação daqueles sonhos permaneceu depois que despertaram, mas nenhum disse nada ao outro, pois a lembrança não era clara e cada um julgava que Ulmo mandara uma mensagem apenas para si próprio. Mas a inquietação estava sobre eles sempre depois disso e dúvidas sobre o que ocorreria e vagavam amiúde sozinhos em regiões inexploradas, buscando por toda parte lugares de fortaleza oculta, pois a cada um deles parecia que lhes tinha sido ordenado se preparar para um dia maligno e estabelecer um refúgio, caso Morgoth avançasse de Angband e sobrepujasse os exércitos do Norte.
>
> Assim veio a acontecer que Inglor achou a ravina profunda do Narog e as cavernas em sua margem oeste, e construiu lá uma fortaleza e arsenais à moda das mansões profundas de Menegroth. E ele chamou a esse lugar Nargothrond e lá fez seu lar com muitos de seu povo; e os Gnomos do Norte, de início em chiste, chamaram-no, por isso, de Felagund, ou Senhor de Cavernas, e esse nome ele portou dali por diante até seu fim. Mas Turgon foi sozinho para lugares ocultos e, pela guia de Ulmo, achou o vale secreto de Gondolin, e disso não disse nada por um tempo, mas voltou a Nevrast e a seu povo.

Numa passagem posterior do *Quenta Silmarillion*, conta-se de Turgon, segundo filho de Fingolfin, que ele regia um povo numeroso, mas que "a inquietação de Ulmo que estava sobre ele aumentou":

> ele se levantou e tomou consigo uma grande hoste dos Gnomos, que chegava a um terço do povo de Fingolfin, e seus bens e esposas e filhos, e partiu para o leste. Sua viagem foi à noite e sua marcha, veloz e silenciosa, e dele sua gente não soube mais nada. Mas chegou a Gondolin e construiu lá uma cidade à semelhança de Tûn de Valinor e fortificou os montes em volta, e Gondolin jazeu oculta por muitos anos.

Uma terceira e essencial citação vem de uma fonte diferente. São dois textos, trazendo os títulos *Os Anais de Beleriand* e *Os Anais de Valinor*. Começaram a ser escritos por volta de 1930 e existem também versões subsequentes. Sobre eles, eu disse: "Os Anais começaram, talvez, em paralelo com o *Quenta* como uma forma conveniente de fazer avançar em conjunto e de rastrear os diferentes elementos de uma teia narrativa cada vez mais complexa." O texto final d'*Os Anais de Beleriand*, também chamado de *Anais Cinzentos*, deriva da época no começo dos anos 1950, quando meu pai se voltou de novo para a matéria dos Dias Antigos depois da conclusão de *O Senhor dos Anéis*. Foram uma fonte central para o *Silmarillion* publicado.

Segue aqui uma passagem dos *Anais Cinzentos*; refere-se ao ano "em que Gondolin foi completada, depois de cinquenta e dois anos de trabalho secreto".

> Então, portanto, Turgon preparou-se para partir de Nevrast e deixar seus belos salões em Vinyamar, sob o Monte Taras; e então Ulmo veio até ele uma segunda vez e disse: "Agora irás enfim para Gondolin, Turgon, e porei meu poder sobre o Vale do Sirion, de modo que ninguém há de perceber tua passagem, nem ninguém há de achar lá a entrada escondida de tua terra contra tua vontade. Mais do que todos os reinos dos Eldalië haverá Gondolin de resistir a Melkor. Mas não a ames demais

e lembra-te de que a verdadeira esperança dos Noldor jaz no Oeste e vem do Mar."[12]

E Ulmo alertou Turgon de que ele também estava sob a Sentença de Mandos, que Ulmo não tinha poder para remover. "Assim, pode vir a se dar", disse ele, "que a maldição dos Noldor venha a te achar também antes do fim, e que a traição desperte dentro de tuas muralhas. Então correrão perigo de fogo. Mas, se esse perigo se aproximar, então da própria Nevrast há de vir aquele que vai te alertar e dele, para além da ruína e do fogo, esperança há de nascer para Elfos e Homens. Deixa, portanto, nesta casa, armadura e uma espada, para que em anos vindouros ele possa achá-las e assim haverás de conhecê-lo sem ser enganado." E Ulmo mostrou a Turgon de que feitio e estatura deveria ser a cota de malha e o elmo e a espada que ele deixaria para trás.

Então Ulmo retornou ao Mar; e Turgon mandou adiante todo o seu povo... e eles passaram avante, companhia por companhia, secretamente, sob as sombras de Eryd Wethion, e chegaram sem ser vistos com suas esposas e bens a Gondolin, e ninguém soube para onde tinham ido. E, último de todos, Turgon levantou-se e partiu com seus senhores e casa silenciosamente, através dos montes, e passou os portões das montanhas e os trancou. Mas Nevrast esvaziara-se de gente e assim permaneceu até a ruína de Beleriand.

Nessa última passagem se vê a explicação do escudo e da espada, da armadura e do elmo que Tuor encontrou quando entrou no grande salão de Vinyamar (UV, p. 157).

Depois da conclusão do encontro de Ulmo com Tuor na Terra dos Salgueiros, todos os textos mais antigos (o *Conto*, o *Esboço*, o *Quenta Noldorinwa*) seguem com a jornada de Tuor e

---

[12]Essas palavras, ligeiramente alteradas, são ditas por Tuor a Voronwë em Vinyamar, UV, p. 166. [N. E.]

Voronwë em busca de Gondolin. Sobre a jornada para o leste, em si, de fato quase não há menção, com o mistério da cidade oculta relacionado ao segredo da entrada de Tumladen (a respeito da qual, no *Esboço* e no *Quenta Noldorinwa*, Ulmo lhes dá auxílio).

Mas aqui retornarei à "Última Versão", que deixei de lado, durante esta discussão, no momento da chegada de Tuor à costa do Mar na região de Nevrast (UV, p. 154). Aqui vemos a grande casa abandonada de Vinyamar sob o Monte Taras ("a mais antiga de todas as obras de pedra que os Noldor construíram nas terras de seu exílio"), onde Turgon habitara de início, e na qual Tuor agora entrava. De tudo o que vem depois ("Tuor em Vinyamar", UV, p. 154 e seguintes) não há indício ou traço precedente nos textos mais antigos — salvo, é claro, o advento de Ulmo, contado mais uma vez depois de um lapso de 35 anos.

Paro aqui para observar o que se conta em outro lugar acerca da orientação e, na verdade, das exigências feitas a Tuor por Ulmo como instrumento de seus desígnios.

A origem desses "desígnios", que vieram a se centrar em Tuor, vem do evento maciço e de amplas consequências que veio a ser chamado *A Ocultação de Valinor*. Existe uma história da fase inicial, um dos Contos Perdidos, que leva esse título, e descreve a origem e a natureza dessa alteração do mundo nos Dias Antigos. Ela surgiu da rebelião dos Noldoli (Noldor) sob a liderança de Fëanor, criador das Silmarils, contra a liderança dos Valar, e de sua intenção de deixar Valinor. Descrevi muito brevemente as consequências dessa decisão em *Beren e Lúthien* e repito essa descrição aqui.

Antes de sua partida de Valinor ocorreu o terrível evento que maculou a história dos Noldor na Terra-média. Fëanor exigiu daqueles Teleri, da terceira hoste dos Eldar na Grande Jornada [desde o local de seu despertar], que estavam morando na costa de Aman, que entregassem aos Noldor sua frota de navios, seu grande orgulho, pois sem navios a travessia de tal hoste para a

Terra-média não seria possível. Os Teleri recusaram completamente. Então Fëanor e sua gente atacaram os Teleri em sua cidade de Alqualondë, o Porto dos Cisnes, e tomaram a frota à força. Nessa batalha, conhecida por Fratricídio, muitos dos Teleri foram mortos.

N'*A Ocultação de Valinor* há uma descrição marcante de um encontro muito acalorado e, de fato, extraordinário dos Valar que tem implicações para o presente tema. Nessa ocasião, estava presente um Elfo de Alqualondë chamado Ainairos, cuja gente tinha perecido na batalha do Porto, "e ele buscava incessantemente, com suas palavras, persuadir os [Teleri] a maior amargura de coração". Isto Ainairos falou durante o debate, e suas palavras ficaram registradas n'*A Ocultação de Valinor*.

> Ele dispôs diante dos Deuses o que pensavam os Elfos [i.e. os Teleri] acerca dos Noldoli e da nudez da terra de Valinor diante do mundo fora dela. Disso se levantou muito tumulto, e vários dos Valar e de seu povo o apoiaram ruidosamente, e alguns outros dos Eldar gritaram que Manwë e Varda haviam levado sua gente a habitar em Valinor prometendo a eles alegria infinda naquela terra — agora, que os Deuses cuidassem para que o contentamento deles não diminuísse até se tornar coisa pequena, vendo que Melko tomara o mundo e que eles não ousavam ir para os lugares de seu despertar mesmo que quisessem.
>
> A maioria dos Valar, além do mais, amava sua antiga quietude e queria apenas a paz, não desejando nem ouvir rumores de Melko e sua violência nem que o murmúrio dos Gnomos inquietos viesse jamais de novo entre eles a perturbar sua felicidade; e, por tais razões, também eles clamavam pelo encobrimento da terra. Não menores entre esses eram Vána e Nessa, ainda que a maioria, até mesmo entre os grandes Deuses, fosse da mesma opinião. Em vão Ulmo, por sua presciência, pleiteou diante deles piedade e perdão para os Noldoli, ou Manwë desvelou os segredos da Música dos Ainur e o propósito do mundo; e longo e cheio de alarido foi aquele conselho e mais cheio de amargor e palavras

renhidas do que quaisquer outros tinham sido, donde Manwë Súlimo partiu afinal do meio deles, dizendo que muro algum nem baluarte podia agora afastar o mal de Melko, o qual já vivia no meio deles e nublava as mentes de todos.

Assim foi que os inimigos dos Gnomos venceram no conselho dos Deuses e o sangue do [Porto dos Cisnes] começava já sua obra cruel; pois então começou aquela que é chamada a Ocultação de Valinor, e Manwë e Varda e Ulmo dos Mares não tiveram parte nela, mas nenhum outro dos Valar ou dos Elfos disso se abstiveram...

Ora, Lórien e Vána lideraram os Deuses e Aulë emprestou seu engenho e Tulkas, sua força, e os Valar não saíram naquela hora a derrotar Melko e o maior arrependimento aquilo foi para eles desde então, e ainda é, pois a grande glória dos Valar, por razão daquele erro, não chegou à sua plenitude em muitas eras da Terra e ainda o mundo a aguarda.

É uma passagem muito impressionante, com sua representação clara dos Deuses como os que se preocupam indolentemente apenas com a própria segurança e bem-estar, como expressão da visão de que eles cometeram um "erro" colossal pois, ao evitar fazer guerra a Melko, deixaram a Terra-média aberta às ambições destrutivas e ódios de seu arqui-inimigo. Mas tal condenação dos Valar não se encontra em escritos posteriores. A Ocultação de Valinor está presente apenas como um fato grandioso da antiguidade lendária.

Segue-se n'*A Ocultação de Valinor* uma passagem na qual as obras de defesa gigantescas e multifacetadas são descritas — "novos e poderosos labores tais como não tinham sido vistos entre eles desde os dias em que primeiro construíram Valinor", tais como a criação das montanhas circundantes ainda mais impenetráveis nas encostas do leste.

De Norte a Sul marcharam os encantamentos e a magia inacessível dos Deuses, mas não ficaram eles contentes e disseram:

"Eis que faremos todos os caminhos que levam a Valinor, tanto conhecidos quanto secretos, desvanecerem de todo do mundo, ou vagarem traiçoeiramente rumo à confusão cega."

Isso então fizeram, e nenhum canal dos mares restou que não estivesse cercado de redemunhos perigosos ou com correntes de força avassaladora para a confusão de todos os navios. E espíritos de tempestades repentinas e ventos inesperados lá aguardavam por vontade de Ossë e outros de bruma inextricável.

Para ler sobre os efeitos da Ocultação de Valinor sobre Gondolin, pode-se conferir as palavras de Turgon a Tuor no *Conto*, falando sobre a sina dos muitos mensageiros que tinham sido enviados de Gondolin para construir navios para a viagem a Valinor (p. 57):

"... mas os caminhos para lá estão esquecidos e as sendas esvanecidas do mundo e os mares e as montanhas a cercam, e eles que lá dentro se sentam em divertimento pouco cuidam do terror de Melko ou do pesar do mundo, mas escondem sua terra e tecem à volta dela magia inacessível para que nenhuma notícia sobre o mal chegue jamais a seus ouvidos. Não, bastantes de meu povo, por anos incontáveis, já partiram para as vastas águas e nunca retornaram, mas pereceram nos lugares profundos ou vagam agora perdidos nas sombras que não têm caminhos, e, com a chegada do próximo ano, ninguém mais irá até o mar..."

(É um fato muito curioso que as palavras de Turgon sejam emitidas como repetição irônica das de Tuor, pronunciadas conforme Ulmo lhe ordenara, na passagem imediatamente anterior (*Conto*, p. 57):

"... eis que os caminhos para lá estão esquecidos e as estradas sumidas do mundo, e os mares e montanhas a cercam, mas lá ainda habitam os Elfos no monte de Kôr e os Deuses sentam-se em Valinor, embora seu regozijo esteja diminuído pela tristeza e pelo temor de Melko e eles ocultem sua terra e teçam à sua volta magia inacessível para que nenhum mal chegue a suas costas.")

Em "Turlin e os Exilados de Gondolin" (pp. 111-115), apresentei um texto breve que logo foi abandonado, mas que claramente deveria ser o começo de uma nova versão do *Conto* (mas ainda com a versão antiga da genealogia de Tuor, substituída pela da casa de Hador no *Esboço* de 1926). É um traço marcante desse texto o fato de que Ulmo é representado como totalmente sozinho entre os Valar por sua preocupação com os Elfos que viviam sob o poder de Melko: "nenhum deles, salvo Ulmo apenas, temia o poder de Melko, que causava ruína e pesar por toda a Terra, mas Ulmo desejava que Valinor reunisse toda a sua força para apagar esse mal antes que fosse tarde demais, e lhe parecia que ambos os propósitos poderiam talvez se realizar se mensageiros dos Gnomos pudessem chegar a Valinor e suplicar perdão e piedade para a Terra."

Foi aqui que o "isolamento" de Ulmo entre os Valar apareceu pela primeira vez, pois não há indício dele no *Conto*. Concluirei este relato com uma repetição de como Ulmo via a situação por meio de suas palavras a Tuor, conforme ele se postou à beira d'água na tempestade que se alçava em Vinyamar (UV, pp. 159-160).

E Ulmo falou a Tuor de Valinor e seu ocaso e do Exílio dos Noldor e da Sentença de Mandos e da ocultação do Reino Abençoado. "Mas vê!", disse. "Na armadura do Fado (como os Filhos da Terra o chamam) há sempre uma fenda e nos muros da Sentença, uma brecha, até a plenitude, que chamais de Fim. Assim há de ser enquanto eu durar, uma voz secreta que contradiz e uma luz onde a escuridão foi decretada. Portanto, embora nestes dias de trevas eu pareça me opor à vontade de meus irmãos, os Senhores do Oeste, esse é meu papel entre eles, ao qual fui designado antes que fosse feito o Mundo. No entanto, a Sentença é forte e a sombra do Inimigo cresce, e eu diminuo, até que agora na Terra-média me tornei nada mais que um sussurro secreto. As águas que correm para o oeste fenecem, suas fontes estão envenenadas, e meu poder retrai-se da terra, pois os Elfos e os Homens tornam-se cegos e surdos para mim por causa do poderio de Melkor. E agora a Maldição de Mandos corre para seu cumprimento e todas as obras dos Noldor hão de perecer e todas as esperanças que eles construírem hão de se esboroar. Resta apenas a última esperança, a esperança que não buscaram e não prepararam. E essa esperança jaz em ti, pois assim escolhi."

Isso nos leva a outra questão: por que ele escolheu Tuor? Ou mesmo: por que escolheu um Homem? A essa segunda questão temos uma resposta no *Conto* (p. 62):

Eis que então muitos anos tinham passado desde que Tuor se perdera em meio aos sopés dos montes e fora abandonado por aqueles Noldoli; contudo, muitos anos também tinham transcorrido desde que aos ouvidos de Melko primeiro chegaram aquelas estranhas notícias — distantes eram, várias em forma — sobre um homem vagueando em meio aos vales das águas do Sirion. Ora, Melko não tinha muito receio da raça dos Homens naqueles dias de seu grande poder e por essa razão Ulmo agiu por meio de um dessa gente para melhor iludir Melko, vendo que nenhum dos Valar e quase nenhum dos Eldar ou dos Noldoli podia se deslocar sem ser percebido pela vigilância dele.

Contudo, quanto à questão mais significativa, creio que a resposta está nas palavras de Ulmo a Tuor em Vinyamar (UV, p. 160), quando Tuor lhe disse: "De pouca valia serei, um Homem mortal sozinho, entre tantos e tão valorosos do Alto Povo do Oeste." A isso Ulmo respondeu:

"Se decidi enviar-te, *Tuor, filho de Huor*, então não creias que tua única espada não vale o envio. Pois o valor dos Edain sempre será lembrado pelos Elfos à medida que as eras se estenderem, com o assombro de terem dado com tanta generosidade aquela vida da qual tiveram tão pouco na terra. Mas não é apenas por teu valor que te envio, mas sim para trazeres ao mundo uma esperança além da tua visão e uma luz que há de penetrar as trevas."

Qual era aquela esperança? Acredito que era o evento declarado com presciência tão miraculosa a Tuor no *Conto* (p. 49):

"... e com certeza um filho virá de ti que, mais do que qualquer homem, há de conhecer as últimas profundezas, sejam elas do mar ou do firmamento do céu."

Como observei (p. 207), esse filho era Eärendel.

Não há como duvidar que as palavras proféticas de Ulmo, "uma luz que há de penetrar as trevas", mandada pelo próprio Ulmo e trazida ao mundo por Tuor, é Eärendel. Mas, por estranho que isso pareça, há uma passagem em outro lugar mostrando que a "presciência miraculosa" de Ulmo, como a chamei, tinha emergido muitos anos antes, independentemente de Ulmo.

Essa passagem ocorre na versão do texto *Os Anais de Beleriand* conhecido como os *Anais Cinzentos*, do período que se seguiu à conclusão de *O Senhor dos Anéis* (a respeito do qual ver "A Evolução da História", p. 209). A cena é a Batalha das Lágrimas Inumeráveis, perto do fim, com a morte de Fingon, o rei élfico.

> A luta estava perdida; todavia, Húrin e Huor, com os homens de Hador, estavam firmes, e os Orques ainda não conseguiam ganhar os passos do Sirion... A última peleja de Húrin e Huor é a proeza de guerra de maior renome entre os Eldar que os Pais de Homens fizeram em favor deles. Pois Húrin falou a Turgon, dizendo: "Ide-vos agora, senhor, enquanto há tempo! Pois o último sois da Casa de Fingolfin e em vós vive a última esperança dos Noldor. Enquanto Gondolin resiste, forte e vigiada, Morgoth inda há de conhecer o medo em seu coração."
>
> "Não muito mais, porém, pode Gondolin ficar oculta e, sendo descoberta, deverá cair", disse Turgon.
>
> "Porém, se resistir que seja um pouco mais," disse Huor, "então de vossa casa há de vir a esperança de Elfos e Homens. Isto eu vos digo, senhor, com os olhos da morte, embora aqui

nos separemos para sempre e eu não haja de ver vossas muralhas brancas, <u>de vós e de mim uma nova estrela há de surgir</u>."

Turgon aceitou o conselho de Húrin e Huor. Recuou com todos os guerreiros que conseguiu reunir da hoste de Fingon e de Gondolin e desapareceu nas montanhas, enquanto Húrin e Huor defenderam o passo atrás deles contra o enxame da hoste de Morgoth. Huor tombou com uma flecha envenenada em um dos olhos.

Não há como superestimar os poderes divinos de Ulmo — o mais poderoso dos Deuses com exceção apenas de Manwë: em seu vasto conhecimento e presciência, e em sua habilidade inconcebível de entrar nas mentes de outros seres e de influenciar seus pensamentos e mesmo seu entendimento à distância. O mais notável de tudo é, claro, a sua fala através de Tuor quando ele chega a Gondolin. Isso remonta ao *Conto*: "Palavras porei em tua boca" (p. 49); e, na "Última Versão" (pp. 160-161), quando Tuor pergunta "Que palavras hei de dizer a Turgon?", Ulmo responde: "Se chegares até ele, então as palavras hão de surgir em tua mente e tua boca há de falar como eu falaria." No *Conto*, essa capacidade de Ulmo vai ainda mais além: "Então falou Tuor e Ulmo pôs poder em seu coração e majestade em sua voz."

Nesta discussão detalhada dos desígnios de Ulmo para Tuor, chegamos a Vinyamar e à segunda aparição do Deus nessa narrativa, que difere profundamente daquela no *Conto* (p. 47 e pp. 206-207). Ele não mais vem subindo o grande rio Sirion e faz música sentado entre os caniços, mas, conforme uma grande tempestade do mar se aproxima, ele sai andando de uma onda, "um vulto vivo de grande estatura e majestade", parecendo aos olhos de Tuor um rei poderoso que usava uma alta coroa, e o Deus fala ao Homem "de pé até os joelhos no mar sombrio". Mas o episódio inteiro da chegada de Tuor a Vinyamar estava ausente da história da maneira como ela existia anteriormente, e o mesmo vale para o elemento essencial, na "Última Versão", das armas deixadas para ele na casa de Turgon (ver UV, p. 157 e p. 210).

É concebível, entretanto, que o germe dessa história esteja presente em uma fase tão remota quanto a do *Conto* (p. 56), quando Turgon saúda Tuor diante das portas de seu palácio: "Bem-vindo, ó Homem da Terra das Sombras. Eis que tua vinda estava disposta nos nossos livros de sabedoria e está escrito que viriam a acontecer muitas e grandes coisas nos lares dos Gondothlim quando aqui chegasses."

Na "Última Versão" podemos ver (p. 162) o Elfo noldorin Voronwë em um papel que o enlaça, desde sua primeira aparição na narrativa, à história de Tuor e Ulmo, de forma totalmente distinta de sua entrada nos textos mais antigos (ver p. 50). Depois da partida de Ulmo

> Tuor olhou para baixo, do terraço inferior [de Vinyamar], e viu, encostado ao seu muro entre as pedras e as algas marinhas, um Elfo trajando um manto cinza ensopado de água do mar... Enquanto estava ali de pé, fitando o silencioso vulto cinzento, Tuor lembrou-se das palavras de Ulmo e um nome que não aprendera veio-lhe aos lábios, e exclamou em voz alta: "Bem-vindo, Voronwë! Eu te aguardo."

Estas palavras de Ulmo foram as últimas que disse a Tuor antes de sua partida (UV, p. 161):

> "Vou te enviar alguém, salvo da ira de Ossë, e assim hás de ser guiado: sim, o último marujo do último navio que há de buscar o Oeste até que se erga a Estrela."

E esse marinheiro era Voronwë, que contou sua história a Tuor na praia em Vinyamar (UV, pp. 165-167). O relato de suas viagens durante sete anos pelo Grande Mar era algo sombrio de se transmitir a Tuor, tão enamorado do oceano. Mas, antes de partir em sua missão, ele disse (UV, p. 169):

"Mas me demorei no caminho. Pois eu pouco vira das regiões da Terra-média e chegamos a Nan-tathren na primavera do ano. Aquela terra é aprazível de encantar o coração, Tuor, como tu descobrirás se alguma vez teus pés pisarem as estradas que vão para o sul, descendo o Sirion. Lá está a cura para todos os anseios pelo mar..."

A história no *Conto* sobre a estadia longa demais de Tuor em Nan-tathrin, a Terra dos Salgueiros, enfeitiçado pela beleza do lugar, causa da vinda de Ulmo conforme contado originalmente, já tinha, é claro, desaparecido da narrativa, mas não se perdeu. Na "Última Versão" foi Voronwë, falando a Tuor em Vinyamar, quem tinha passado um tempo em Nan-tathrin e ficara absorto, "submerso em relva até os joelhos" (UV, p. 169); na história mais antiga, tinha sido Tuor que "ficou com a grama até os joelhos" na Terra dos Salgueiros (*Conto*, p. 48). Tanto Tuor quanto Voronwë dão seus próprios nomes para as flores, as aves e as borboletas que não conheciam.

Já que não havemos mais, nesta "Evolução da História", de encontrar Ulmo em pessoa, anexo aqui um retrato do grande Vala que meu pai escreveu em sua obra *A Música dos Ainur* (fim dos anos 1930):

> Ulmo habitou sempre no Oceano de Fora e governou o fluir de todas as águas e os cursos de todos os rios, o provimento das fontes e o destilar da chuva e do orvalho por todo o mundo. Nos lugares profundos, ele se põe a pensar em música grandiosa e terrível, e o eco disso corre por todas as veias do mundo e seu júbilo é como o júbilo de uma fonte ao sol cujas nascentes são as nascentes de tristeza desmesurada nas fundações do mundo. Os Teleri aprenderam muito com Ulmo e por essa razão a música deles tem tanto tristeza quanto encantamento.

Chegamos agora à jornada de Tuor e Voronwë de Vinyamar, em Nevrast, à beira-mar no extremo Oeste, em busca de Gondolin. Essa viagem haveria de levá-los para o leste, ao longo do lado sul da grande cadeia de montanhas das Ered Wethrin, as Montanhas de Sombra, que formava uma vasta barreira entre Hithlum e Beleriand Ocidental, conduzindo-os enfim ao grande rio Sirion, que corria do norte para o sul.

A primeira referência, no *Conto* (p. 51), diz apenas que "Por longo tempo Tuor e Voronwë [que, na versão mais antiga, nunca tinha estado em Gondolin] buscaram a cidade daquele povo [os Gondothlim], até que, depois de muitos dias, chegaram a um vale profundo em meio aos montes". Da mesma maneira, o *Esboço*, sem surpresa alguma, diz muito simplesmente (p. 120) que "Tuor e Bronweg alcançam a via secreta... e chegam à planície guardada". E o *Quenta Noldorinwa* é igualmente breve: "Obedientes a Ulmo, Tuor e Bronwë viajaram para o Norte e chegaram enfim à porta escondida."

Se comparado a essas descrições sucintas, o relato na "Última Versão" sobre os dias temerosos que Tuor e Voronwë passaram sob os ventos cortantes e as geadas mordazes da região desabitada, sobre sua fuga dos bandos de Orques e de seus acampamentos, sobre a chegada das águias, pode ser visto como um elemento significativo da história de Gondolin. (Sobre a presença das águias naquela região, ver *Quenta Noldorinwa*, p. 128 e UV, p. 180.). O ponto mais notável é a chegada deles ao Lago de Ivrin (p. 172), o lago onde nascia o rio Narog, agora profanado e desolado por causa da passagem do dragão Glaurung (chamado por Voronwë de "Grande Serpe de Angband"). Aqui os que buscavam Gondolin resvalaram na maior história dos Dias Antigos: pois viram um homem alto passando, carregando uma espada longa desembainhada e a lâmina era negra. Não falaram com esse homem trajado de negro e não sabiam que ele era Túrin Turambar, o Espada-Negra, fugindo do norte, do saque de Nargothrond, do qual não tinham ouvido falar. "Assim, apenas por um momento e nunca mais, juntaram-se os caminhos desses parentes, Túrin e Tuor." (Húrin, pai de Túrin, era irmão de Huor, pai de Tuor.)

Chegamos agora ao último passo da "Evolução da História" (já que a "Última Versão" não vai além dele): a primeira visão de Gondolin, por meio da entrada oculta e vigiada na planície de Tumladen — uma "porta" ou "portão" de renome na história da Terra-média. No *Conto* (p. 51), Tuor e Voronwë chegam a um lugar onde o rio (Sirion) passava "por um leito mui pedregoso". Esse era o Vau de Brithiach, que ainda não tinha esse nome; "debaixo de uma cortina formada por espesso bosque de amieiros", mas as encostas eram íngremes. Ali na "parede verde" Voronwë achou "uma abertura semelhante a uma grande porta de batentes inclinados, e essa estava coberta com arbustos espessos e plantas rasteiras há muito enroscadas".

Passando por essa abertura (p. 52) eles se viram em um túnel escuro e cheio de curvas. Nele tatearam para achar o caminho até verem uma luz distante, "e indo rumo a esse brilho chegaram a um portão semelhante àquele pelo qual tinham entrado". Ali foram cercados por guardas armados e viram-se à luz do sol aos pés de montes íngremes que perfaziam um círculo em volta de uma planície ampla, e nela ficava uma cidade, no cimo de um grande monte que estava sozinho.

No *Esboço* não há, é claro, descrição dessa entrada, mas no *Quenta Noldorinwa* isto é o que se diz sobre a Via de Escape: na região onde as Montanhas Circundantes eram mais baixas, os Elfos de Gondolin "escavaram um grande túnel cheio de meandros debaixo das raízes dos montes, e sua saída ficava em uma encosta íngreme, coberta de árvores e escura, de uma garganta pela qual o rio ditoso [Sirion] corria". Diz-se no *Quenta* (p. 135) que, quando Tuor e Bronwë (Voronwë) chegaram à porta escondida, eles desceram o túnel e "alcançaram o portão interno", onde foram feitos prisioneiros.

Os dois "portões" e o túnel entre eles, assim, estavam presentes quando meu pai escreveu o *Quenta Noldorinwa*, em 1930, e foi nessa concepção que ele baseou a versão final de 1951. É aí que termina a semelhança.

Mas veremos que na versão final (UV, p. 179 e seguintes), meu pai introduziu uma grande diferença na topografia. A entrada não mais ficava na margem leste do Sirion, vinha de um curso d'água tributário. Mas eles fizeram a travessia perigosa do Brithiach, sendo fortificados pela presença das águias.

> Do outro lado do vau, chegaram a uma ravina, como se fosse o leito de um antigo rio, onde já não corria água, porém outrora uma torrente havia escavado seu fundo canal, descendo do norte, vinda das montanhas da Echoriath e trazendo de lá todas as pedras do Brithiach para o Sirion.
> "Finalmente o encontramos quando não havia mais esperança!", exclamou Voronwë. "Vê! Aqui está a foz do Rio Seco e aquele é o caminho que temos de trilhar."

Mas o "caminho" estava cheio de pedras e era muito inclinado, e Tuor expressou a Voronwë sua frustração e seu espanto de que aquela trilha descuidada fosse a via de entrada para a cidade de Gondolin.

Depois de muitas milhas e de uma noite passada no Rio Seco, ele os conduziu às muralhas das Montanhas Circundantes e, entrando por uma abertura, foram levados enfim ao que sentiam ser um grande espaço silencioso, no qual não conseguiam ver nada. A recepção sinistra a Tuor e Voronwë mal pode ser igualada nos demais escritos sobre a Terra-média: a luz ofuscante lançada sobre Voronwë naquela ampla escuridão, a voz fria, ameaçadora e questionadora. Terminado aquele interrogatório terrível, foram levados para outra entrada, ou saída.

No *Quenta Noldorinwa* (p. 135), Tuor e Voronwë saíram do túnel negro, longo e tortuoso, onde tinham sido feitos prisioneiros pela guarda, e viram Gondolin "brilhando ao longe, com o rubor rosado da aurora sobre a planície". Assim, a concepção daquela época foi rapidamente descrita: a ampla planície de Tumladen totalmente circundada pelas montanhas, as Echoriath, e um túnel vindo do mundo exterior a atravessá-las. Mas, na "Última Versão", quando deixaram o lugar do interrogatório, Tuor percebeu que estavam "na extremidade de uma ravina, tal como nunca antes contemplara nem imaginara". Subindo essa ravina, chamada de Orfalch Echor, uma longa estrada subia por uma sucessão de enormes portões magnificamente adornados, até que o topo foi alcançado na sétima porta, o Grande Portão. Foi só então que Tuor "contemplou uma visão de Gondolin em meio à branca neve", e foi ali que Ecthelion disse de Tuor que era certa a sua vinda "do próprio Ulmo" — as palavras com as quais o último texto d'*A Queda de Gondolin* termina.

Conclusão

Já mencionei (na p. 25) que o título original do Conto, *Tuor e os Exilados de Gondolin*, foi seguido pelas palavras "que traz consigo o Grande Conto de Eärendel". Ademais, o "Último Conto", que seguia *A Queda de Gondolin*, era *O Conto do Nauglafring* (O Colar dos Anões, no qual foi posta a Silmaril), do qual citei as palavras que concluem *Beren e Lúthien*:

> E assim todos os destinos das fadas foram então entretecidos em um filamento, e esse filamento é o grande conto de Eärendel, e ao verdadeiro começo desse conto chegamos agora.

Podemos supor que o "verdadeiro começo" do *Conto de Eärendel* deveria se seguir às palavras com as quais o Conto d'*A Queda de Gondolin* terminava (p. 108):

> Contudo, agora aqueles exilados de Gondolin habitavam a foz do Sirion, perto das ondas do Grande Mar... e, belo entre os Lothlim, Eärendel cresce na casa de seu pai, e o grande conto de Tuor é chegado a seu fim.

CONCLUSÃO

Mas o Conto Perdido de Eärendel nunca foi escrito. Há muitas anotações e resumos do período inicial e vários poemas muito antigos, mas nada que mesmo remotamente corresponda ao Conto d'*A Queda de Gondolin*. Apresentar e discutir esses roteiros frequentemente contraditórios, com suas frases truncadas, seria contrário ao propósito destes dois livros: as histórias comparativas de *narrativas*, conforme elas evoluíam. Por outro lado, a história da destruição de Gondolin está contada de forma muito completa no "Conto Original"; a história dos sobreviventes é uma continuação essencial da história dos Dias antigos. Decidi, portanto, retornar às duas narrativas antigas nas quais os eventos do fim dos Dias Antigos são contadas: o *Esboço da Mitologia* e o *Quenta Noldorinwa*. (Como afirmei em outro lugar: "Parecerá de fato estranho constatar que o *Quenta Noldorinwa* foi o único texto completado — depois do *Esboço* — que meu pai já fez.")

Por essa razão, segue-se aqui a conclusão do *Esboço* de 1926, depois destas palavras (p. 121): "O remanescente [do povo de Gondolin] alcança o Sirion e viaja para a terra em sua foz — as Águas do Sirion. O triunfo de Morgoth agora está completo."

A Conclusão do Esboço da Mitologia

Na foz do Sirion habitava Elwing, filha de Dior, que recebeu os sobreviventes de Gondolin. Esses se tornam um povo de navegantes, construindo muitos barcos e vivendo na parte mais distante do delta, aonde os Orques não ousam vir.

Ylmir [Ulmo] admoesta os Valar e pede que eles resgatem os remanescentes dos Noldor e as Silmarils, apenas nas quais agora vive a luz dos velhos dias de bem-aventurança quando as Árvores estavam brilhando.

Os filhos dos Valar, comandados por Fionwë, filho de Tulkas, lideram uma hoste para a batalha, na qual todos os Quendi marcham, mas, lembrando-se de Porto-cisne, poucos dos Teleri vão com eles. Kôr fica deserta.

Tuor, envelhecendo, não consegue ignorar o chamado do mar e constrói Eäráme e veleja para o Oeste com Idril, e dele não se ouve mais nada. Eärendel desposa Elwing. O chamado do mar nasce também nele. Constrói Wingelot e deseja velejar em busca de seu pai. Aqui se seguem as maravilhosas aventuras de Wingelot nos mares e nas ilhas e de como Eärendel matou

Ungoliant no Sul. Ele retornou para casa e achou as Águas do Sirion despovoadas. Os filhos de Fëanor, ao ficar sabendo da habitação de Elwing e do Nauglafring [no qual fora posta a Silmaril de Beren], tinham caído sobre o povo de Gondolin. Em uma batalha, todos os filhos de Fëanor, salvo Maidros e Maglor, foram mortos, mas a última gente de Gondolin foi destruída ou forçada a ir embora e se juntar ao povo de Maidros. Maglor sentou-se e cantou à beira-mar em arrependimento. Elwing lançou o Nauglafring no mar e saltou atrás dele, mas foi transformada em uma ave marinha branca por Ylmir e voou a buscar Eärendel, buscando-o por todas as costas do mundo.

O filho deles, Elrond, que é parte mortal e parte élfico, uma criança, foi salvo, entretanto, por Maidros. Quando, mais tarde, os Elfos retornam para o Oeste, preso à sua metade mortal, ele escolhe ficar na terra...

Eärendel, ao saber dessas coisas por Bronweg, que habitava em uma cabana, como ermitão, na foz do Sirion, é sobrepujado pelo pesar. Com Bronweg ele alça velas em Wingelot mais uma vez, em busca de Elwing e de Valinor.

Chega às ilhas mágicas, e à Ilha Solitária, e enfim à Baía de Feéria. Escala o monte de Kôr e caminha nas vias desertas de Tûn, e sua vestimenta fica incrustada do pó de diamantes e joias. Não ousa ir mais adiante em Valinor. Constrói uma torre em uma ilha dos mares do norte, à qual todas as aves marinhas do mundo se dirigem. Navega, com o auxílio das asas delas, até mesmo sobre os ares em busca de Elwing, mas é chamuscado pelo Sol e caçado do céu pela Lua e por muito tempo vaga pelo céu como estrela fugitiva.

A marcha de Fionwë para o Norte é então narrada, assim como a Terrível ou Última Batalha. Os Balrogs são todos destruídos e os Orques destruídos ou dispersados. O próprio Morgoth faz uma última investida com todos os seus dragões, mas eles são destruídos, todos menos dois que escapam, pelos filhos dos Valar, e Morgoth é sobrepujado e preso com a corrente Angainor, e sua coroa de ferro é transformada em coleira para seu pescoço. As duas Silmarils são resgatadas. As partes norte e oeste do mundo são dilaceradas e despedaçadas no confronto, e o feitio de suas terras, alterado.

Os Deuses e Elfos liberam os Homens de Hithlum e marcham pelas terras convocando os remanescentes dos Gnomos e Ilkorins para se juntar a eles. Todos o fazem, exceto o povo de Maidros. Maidros prepara-se para pôr em prática seu juramento, ainda que agora esmagado pela tristeza por causa dele. Manda uma mensagem a Fionwë, lembrando-o do juramento e implorando que lhe desse as Silmarils. Fionwë responde que ele perdeu o direito a elas por causa dos feitos malignos de Fëanor e do assassinato de Dior e do saque do Sirion. Ele tem de se submeter e voltar para Valinor; em Valinor apenas, e sob o julgamento dos Deuses, elas hão de lhe ser entregues...

Na última marcha, Maglor diz a Maidros que restam dois filhos de Fëanor e duas Silmarils; uma é dele. Rouba-a e foge, mas ela o queima e assim sabe que não tem mais direito a ela. Vaga em dor pela terra e a lança em uma cova em chamas. Uma Silmaril agora está no mar, e outra, na terra. Maglor agora canta para sempre em pesar perto do oceano.

É realizado o julgamento dos Deuses. A terra caberá aos Homens e os Elfos que não velejarem para a Ilha Solitária ou para Valinor hão de desvanecer e fenecer lentamente. Por um tempo os últimos dragões e Orques trarão pesar à Terra, mas no fim todos hão de perecer graças ao valor dos Homens.

Morgoth é lançado através da Porta da Noite na escuridão exterior para além das Muralhas do Mundo, e uma guarda fica postada para sempre naquela Porta. As mentiras que ele semeou nos corações de Homens e Elfos não morrem e não podem ser todas mortas pelos Deuses, mas vivem ainda e trazem muito mal até mesmo nos dias de hoje. Alguns dizem também que, secretamente, Morgoth ou sua sombra e seu espírito negros, apesar dos Valar, rastejam por sobre as Muralhas do Mundo no Norte e no Leste e visitam de novo o mundo, outros que esse é Thû, grande capitão de Morgoth, que escapou da Última

A CONCLUSÃO DO *ESBOÇO DA MITOLOGIA*

Batalha e habita ainda em lugares escuros e perverte os Homens, trazendo-os para seu horrendo culto. Quando o mundo estiver muito mais velho e quando os Deuses se cansarem, Morgoth voltará pela Porta e a última batalha de todas acontecerá. Fionwë lutará contra Morgoth na planície de Valinor, e o espírito de Túrin estará ao lado dele, há de ser Túrin aquele que, com sua espada negra, matará Morgoth e assim os filhos de Húrin hão de ser vingados.

Naqueles dias, as Silmarils hão de ser reavidas do mar e da terra e do ar, e Maidros há de quebrá-las e Palúrien, com o fogo delas, há de reacender as Duas Árvores e a grande luz há de vir de novo e as Montanhas de Valinor hão de ser aplainadas, de modo que essa luz chegará a todo o mundo, e Deuses e Elfos hão de se tornar jovens de novo e todos os seu mortos vão despertar. Mas dos Homens, naquele Dia, a profecia não fala.

E assim foi que a última Silmaril chegou ao ar. Os Deuses decretaram que última Silmaril seria de Eärendel — "até que muitas coisas hajam de se passar" — por causa dos feitos dos filhos de Fëanor. Maidros é enviado a Eärendel e, com a ajuda da Silmaril, Elwing é encontrada e se recupera. O barco de Eärendel é trazido por sobre Valinor até os Mares de Fora e Eärendel o lança na escuridão externa, muito acima do Sol e da Lua. Lá veleja com a Silmaril sobre sua fronte e Elwing a seu lado, a mais brilhante de todas as estrelas, montando guarda contra Morgoth e a Porta da Noite. Assim ele há de velejar até que veja a última batalha deflagrada nas planícies de Valinor. Então descerá.

E este é o fim último dos contos dos dias antes dos dias, nas regiões do Norte do mundo Ocidental.

> Seria um desvio grande demais para esta história entrar em qualquer discussão geral dessa que é a parte mais complexa e obscura das narrativas da "Primeira Era": seu fim. Mencionarei apenas alguns aspectos da narração do *Esboço da Mitologia* apresentada aqui. O pouco que foi escrito sobre o tema e que sobreviveu do período mais antigo da obra de meu pai tinha sido quase totalmente abandonado, e o relato no *Esboço* é efetivamente o

primeiro testemunho de elementos totalmente novos, entre eles, o aparecimento do destino das Silmarils como ponto central da história da última guerra. Isso pode ser demonstrado com uma pergunta que meu pai se fez em uma anotação muito antiga e isolada: "O que aconteceu com as Silmarils depois da captura de Melko?" (De fato, pode-se muito bem dizer que a própria existência das Silmarils tinha um significado bem menos radical na concepção original da mitologia do que o assumido por elas depois.)

No relato do *Esboço*, Maglor diz a Maidros (p. 229) que "restam dois filhos de Fëanor e duas Silmarils; uma é dele". A terceira está perdida, porque, conforme contado no *Esboço* (p. 228): "Elwing lançou o Nauglafring no mar e saltou atrás dele." Essa era a Silmaril de Beren e Lúthien. Quando Maglor lançou em uma cova em chamas a Silmaril da Coroa de Ferro que ele tinha roubado da guarda de Fionwë, "uma Silmaril agora está no mar, e outra, na terra" (p. 229). A terceira era a outra Silmaril da Coroa de Ferro, e foi essa que os Deuses decretaram que caberia a Eärendel, o qual, usando-a em sua fronte, "lançou-se na escuridão externa, muito acima do Sol e da Lua".

Que a Silmaril tirada por Beren e Lúthien de Morgoth em Angband seria a usada por Eärendel e tornar-se-ia a Estrela da Manhã e da Tarde é algo que ainda não tinha sido formulado nesse estágio, ainda que, quando escrito, parece uma necessidade na lógica do mito.

Também é muito marcante o fato de que Eärendel Meio-Elfo não seja ainda a voz que intercede diante dos Valar em favor de Homens e Elfos.

A Conclusão do Quenta Noldorinwa

Retomo esta segunda citação do *Quenta* do ponto na qual a primeira citação terminou (p. 140), em que se conta que os Elfos que sobreviveram à destruição de Doriath e de Gondolin se tornaram um pequeno povo de construtores de navios nas fozes do Sirion, onde habitavam "sempre perto das costas e sob a sombra da mão de Ulmo". Apresento agora o *Quenta* até seu fim, seguindo, como antes (p. 126), o texto reescrito "Q II".

Em Valinor, Ulmo falou aos Valar da necessidade dos Elfos e chamou-os a perdoá-los e mandar socorro a eles e resgatá-los do poder avassalador de Morgoth e recuperar as Silmarils, somente nas quais então floria a luz dos dias de bem-aventurança, quando as Duas Árvores ainda estavam brilhando. Ou assim se diz, entre os Gnomos, que mais tarde tiveram notícias de muitas coisas de seus parentes, os Quendi, os Elfos-da-luz, bem-amados de Manwë, que sempre sabiam algo da mente do Senhor dos Deuses. Mas naquele tempo Manwë não agiu e dos conselhos de seu coração que história se há de contar?

A CONCLUSÃO DO *QUENTA NOLDORINWA*

Os Quendi dizem que a hora ainda não era chegada e que apenas alguém falando em pessoa pela causa de Elfos e Homens, suplicando perdão por seus malfeitos e piedade por suas dores, poderia mudar os conselhos dos Poderes; e o juramento de Fëanor, quiçá, nem mesmo Manwë podia afrouxar, até que chegasse a seu fim, e os filhos de Fëanor deixassem de lado as Silmarils, as quais, de modo desapiedado, exigiam para si. Pois a luz que acendia as Silmarils os Deuses tinham feito.

Naqueles dias, Tuor sentiu a idade avançada vir sobre si, e sempre um anseio pelas profundezas do mar ficava mais forte em seu coração. Donde construiu um grande navio, Eärámë, Ala de Águia, e com Idril içou vela na direção do pôr do sol e do Oeste, e não constou mais de qualquer história ou canção. [*Acrescentado mais tarde*: Mas Tuor apenas, entre os homens Mortais, foi contado entre a raça mais antiga e unido aos Noldoli, a quem amava, e depois disso habitava ainda, ou assim se diz, em seu navio, viajando pelos mares das terras élficas, ou descansando por um tempo nos portos dos Gnomos de Tol Eressëa, e seu destino foi separado do destino dos Homens.] O luzente Eärendel era então senhor do povo do Sirion e de seus muitos navios e tomou por esposa Elwing, a bela, e ela deu à luz Elrond Meio-Elfo [> Elrond e Elros, que são chamados os Meio-Elfos]. Contudo, Eärendel não conseguia descansar, e suas viagens em torno das costas das Terras de Cá [Terra-média] não acalmavam sua inquietação. Dois propósitos cresciam em seu coração, misturados em um só em anseio pelo vasto mar: buscava navegar adiante, procurando Tuor e Idril Celebrindal, que não retornavam, e pensava achar talvez a última costa e levar, antes que morresse, a mensagem de Elfos e Homens aos Valar do Oeste, para que se comovessem os corações de Valinor e dos Elfos de Tûn e tivessem piedade do mundo e dos pesares da Raça dos Homens.

Wingelot ele construiu, o mais belo dos navios em todas as canções, a Flor-da-espuma, branco era seu lenho feito a lua argêntea, dourados seus remos, prateados seus panos, seus mastros coroados com joias feito estrelas. Na balada de Eärendel canta-se muita coisa de suas aventuras nas profundezas e em terras ignotas, e em muitos mares e muitas ilhas. Ungoliant, no Sul, ele matou, e sua escuridão foi destruída, e a luz chegou a muitas regiões que por muito tempo tinham ficado ocultas. Mas Elwing sentava-se em pesar em sua casa.

Eärendel não achou Tuor nem Idril, nem chegou ele jamais naquelas jornadas às costas de Valinor, derrotado por sombras e encantamento, varrido por ventos que o repeliam, até que, com saudade de Elwing, voltou-se para casa, na direção do Leste. E seu coração mandava-lhe ter pressa, pois um medo repentino caíra sobre ele em sonho, e os ventos com os que antes lutara não conseguiam levá-lo de volta tão rápido quanto era seu desejo.

Sobre os portos do Sirion uma nova desdita caíra. A habitação de Elwing ali e o fato de que ela ainda possuía o Nauglamír e a gloriosa Silmaril chegaram ao conhecimento dos filhos de Fëanor que restavam, Maidros e Maglor e Damrod e Díriel; e eles se ajuntaram de suas trilhas de caça errantes e mensagens de amizade e, contudo, de severa demanda enviaram à terra do Sirion. Mas Elwing e o povo do Sirion não queriam ceder aquela joia que Beren ganhara e Lúthien usara, e pela qual Dior, o Belo, morrera, e menos ainda enquanto Eärendel, senhor deles, estivesse no mar, pois lhes parecia que naquela joia estava a dádiva de bem-aventurança e cura que sobreviera a suas casas e a seus navios.

E assim veio a se dar, no fim, a última e mais cruel das matanças de Elfos por Elfos, e essa foi a terceira das grandes injustiças que vieram do juramento maldito. Pois os filhos de Fëanor caíram sobre os exilados de Gondolin e os remanescentes de Doriath e destruíram-nos. Embora alguns do povo deles tenham ficado de lado, e uns poucos tenham se rebelado e morrido do outro lado, ajudando Elwing contra seus próprios senhores (pois tais eram o pesar e a confusão nos corações de Elfinesse naqueles dias), ainda assim Maidros e Maglor venceram. Apenas eles então restavam dos filhos de Fëanor, pois naquela batalha Damrod e Díriel foram mortos, mas a gente do Sirion pereceu ou fugiu ou foi forçada a partir para se

A CONCLUSÃO DO *QUENTA NOLDORINWA*

juntar ao povo de Maidros, que reivindicava então o senhorio de todos os Elfos das Terras de Cá. E, contudo, Maidros não ganhou a Silmaril, pois Elwing, vendo que tudo estava perdido e que seu filho Elrond fora feito cativo, evadiu-se da hoste de Maidros e, com a Nauglamír em seu peito, lançou-se no mar e pereceu, ou assim pensaram as gentes.

Mas Ulmo não a deixou afundar e lhe deu a semelhança de uma grande ave branca, e sobre seu peito brilhava como estrela a luzente Silmaril, conforme ela voava por sobre a água a buscar Eärendel, seu bem-amado. E, em certa hora da noite, Eärendel, no leme, viu que ela vinha na direção dele, como uma nuvem branca sob a lua, sobremaneira veloz, como uma estrela sobre o mar que se move em curso estranho, uma chama pálida nas asas da tempestade. E canta-se que ela caiu do ar sobre o lenho de Wingelot, em um desmaio, perto da morte pela urgência de sua velocidade, e Eärendel a tomou no colo. E, n'alvorada, com olhos maravilhados, ele contemplou sua mulher, com a forma que ela sempre tivera, a seu lado, com o cabelo sobre o rosto e ela dormia.

Mas grande foi o pesar de Eärendel e Elwing pela ruína dos portos do Sirion e pelo cativeiro de seu filho, cuja morte temiam, e, entretanto, não foi assim. Pois Maidros teve piedade de Elrond e acalentou-o, e cresceu o amor entre eles, por mais impensável que isso fosse, mas o coração de Maidros estava enfermo e cansado com o fardo do terrível juramento.

[*Essa passagem foi reescrita assim*:
Mas grande foi o pesar de Eärendel e Elwing pela ruína dos portos do Sirion e pelo cativeiro de seus filhos, e temiam que fossem mortos. Mas não foi assim. Pois Maglor teve piedade de Elros e Elrond e acalentou-os, e o amor cresceu depois entre eles, por mais impensável que isso fosse, mas o coração de Maglor estava enfermo e cansado etc.]

Contudo, Eärendel não via mais chance de auxílio nas terras do Sirion e voltou-se de novo em desespero e não foi para casa, mas buscou outra vez a Valinor com Elwing a seu lado. Postava-se agora amiúde na proa e a Silmaril ele atou à sua testa, e a luz dela ficava cada vez mais intensa conforme iam para o Oeste. Talvez tenha sido em parte por causa do poderio daquela sacra joia que eles chegaram após certo tempo a águas que, até então, nenhuma nave além daquelas dos Teleri conhecera e chegaram até as Ilhas Mágicas, escaparam de sua magia e chegaram aos Mares Sombrios, passaram por suas sombras e viram a Ilha Solitária e lá não se demoraram e lançaram âncora na Baía de Feéria [> Baía de Casadelfos] sobre as fronteiras do mundo. E os Teleri viram a chegada daquele navio e ficaram cheios de assombro, fitando de longe a luz da Silmaril, e ela era muito grande.

Mas Eärendel desembarcou nas costas imortais, único a fazê-lo entre os Homens viventes, e nem Elwing nem ninguém de sua pequena companhia quis ele que o seguissem para que não caíssem sob a ira dos Deuses, e ele chegou em um tempo de festival, tal como Morgoth e Ungoliant haviam chegado em eras passadas, e os vigias sobre o monte de Tûn eram poucos, pois os Quendi, em sua maioria, estavam nos salões de Manwë nas alturas de Tindbrenting.

Os vigias partiram, portanto, apressados para Valmar, ou se esconderam nos passos dos montes, e todos os sinos de Valmar soaram, mas Eärendel subiu o maravilhoso monte de Kôr e encontrou-o desnudo e entrou nas ruas de Tûn, e elas estavam vazias, e seu coração pesava. Caminhava então pelas vias desertas de Tûn, e o pó em sua vestimenta e seus sapatos era um pó de diamantes, mas ninguém ouvia seu chamado. Donde voltou para as costas e ia subir uma vez mais a Wingelot, seu navio, mas veio alguém à praia e gritou-lhe: "Salve, Eärendel, estrela radiantíssima, mensageiro mais belo! Salve, ó tu, portador da luz antes do Sol e da Lua, esperado que vens repentino, ansiado que vens para além da esperança! Salve, ó tu, esplendor dos filhos do mundo, tu, destruidor da escuridão! Estrela do pôr do sol, salve! Salve, arauto d'alvor!"

E aquele era Fionwë, o filho de Manwë, e ele convocou Eärendel a vir diante dos Deuses, e Eärendel foi até Valinor e

A CONCLUSÃO DO *QUENTA NOLDORINWA*

aos salões de Valmar e nunca mais voltou às terras dos Homens. Mas Eärendel apresentou a embaixada das duas gentes diante dos rostos dos Deuses e pediu perdão para os Gnomos e piedade para os Elfos exilados e para os infelizes Homens, e socorro para sua necessidade.

Então os filhos dos Valar prepararam-se para a batalha, e o capitão de sua hoste era Fionwë, filho de Manwë. Sob sua bandeira branca marchou também a hoste dos Quendi, os Elfos-da-luz, o povo de Ingwë, e entre eles aqueles dos Gnomos de outrora que nunca tinham partido de Valinor, mas, recordando Porto Cisne, os Teleri não partiram, salvo uns poucos, e esses tripulavam os navios com os quais a maioria daquele exército chegou às terras do Norte, mas eles próprios não pisaram jamais naquelas costas.

*Eärendel era o guia deles, mas os Deuses não permitiriam que ele retornasse, e ele construiu para si uma torre branca nos confins do mundo exterior, nas regiões do Norte dos Mares Divisores, e para lá todas as aves marinhas da terra por vezes se dirigiam. E amiúde tinha Elwing a forma e semelhança de uma ave e ela construiu asas para o navio de Eärendel, e ele foi elevado até mesmo aos oceanos do ar. Maravilhoso e mágico era aquele navio, uma flor estrelada no céu, trazendo uma chama sacra e ondeante, e o povo da Terra a contemplava de longe e ficava absorto e deixava de lado o desespero, dizendo, decerto uma Silmaril está no céu, uma nova estrela ergueu-se no Oeste. Maidros disse a Maglor:

> [*Essa passagem, marcada pelo asterisco, foi reescrita assim:*]
> Naqueles dias, o navio de Eärendel foi levado pelos Deuses para além da borda do mundo e foi elevado até mesmo aos oceanos do ar. Maravilhoso e mágico era aquele navio... [*etc. como escrito inicialmente*]... uma nova estrela ergueu-se no Oeste. Mas Elwing pranteou Eärendel; contudo, nunca mais o achou, e eles estão separados até que o mundo finde. Portanto, ela construiu uma torre branca nos confins do mundo exterior, nas regiões do Norte dos Mares Divisores, e para lá todas as aves marinhas

da terra por vezes se dirigiam. E Elwing fez asas para si, e desejava voar até o navio de Eärendel. Mas [*ilegível: ?ela caiu para trás........*] Mas quando a chama apareceu nas alturas, Maglor disse a Maidros:]

"Se for aquela a Silmaril que se alevanta por algum divino poder do mar onde a vimos cair, então alegremo-nos, pois que sua glória é vista agora por muitos." Assim surgiu esperança e uma promessa de melhora, mas Morgoth ficou cheio de dúvida.

Contudo, diz-se que ele não esperava o ataque que lhe sobreveio do Oeste. Tão grande seu orgulho se tornara que julgava que ninguém jamais viria de novo contra ele em guerra aberta; além do mais, pensava que tinha apartado para sempre os Gnomos dos Deuses e de seus parentes e que, contentes em seu Reino Abençoado, os Valar não mais dariam ouvido a seus domínios no mundo de fora. Pois coração desapiedado não conta com o poder que tem a piedade, da qual fúria severa pode ser forjada, e um aceso relâmpago diante do qual tombam montanhas.

Da marcha da hoste de Fionwë para o Norte pouco se diz, pois em seus exércitos não vinha nenhum daqueles Elfos que tinham habitado e sofrido nas Terras de Cá e que fizeram estas histórias, e notícias só muito depois esses tiveram de tais coisas de seus parentes, os Elfos-da-luz de Valinor. Mas Fionwë veio, e o desafio de suas trombetas encheu o céu, e ele convocou todos os Homens e Elfos, de Hithlum até o Leste, e Beleriand inflamou-se com a glória de suas armas, e as montanhas ecoaram.

O encontro das hostes do Oeste e do Norte recebe o nome de Grande Batalha, a Terrível Batalha, a Batalha da Ira e do Trovão. Lá se reuniu o poderio inteiro do Trono de Ódio, e quase imensurável tinha se tornado, de modo que Dor-na-Fauglith não o podia conter, e todo o Norte estava em chamas com a guerra. Mas de nada valeu. Todos os Balrogs foram destruídos, e as hostes incontáveis dos Orques pereceram feito palha no fogo, ou foram varridas feito folhas despedaçadas diante de um vento ardente. Poucos restaram para atormentar

A CONCLUSÃO DO *QUENTA NOLDORINWA*

o mundo desde então. E se diz que lá muitos Homens de Hithlum, arrependidos de sua servidão maligna, operaram feitos de valor, além de muitos Homens recém-saídos do Leste, e assim foram cumpridas, em parte, as palavras de Ulmo, pois por Eärendel, filho de Tuor, foi o auxílio dado aos Elfos, e pelas espadas dos Homens foram eles fortalecidos nos campos de guerra. [*Acréscimo posterior*: Mas a maioria dos Homens, e especialmente aqueles que tinham acabado de sair do Leste, ficou do lado do Inimigo.] Mas Morgoth tremeu e não veio à luta e lançou seu último ataque, e era o dos dragões alados [*Acréscimo posterior*: pois até então não tinha nenhuma dessas criaturas de seu pensamento cruel assolado o ar]. Tão repentino e rápido e ruinoso foi o avanço daquela frota, como uma tempestade de cem trovões com asas de aço, que Fionwë foi rechaçado, mas Eärendel veio, e uma miríade de aves estava à volta dele, e a batalha durou toda uma noite de dúvida. E Eärendel matou Ancalagon, o negro, mais poderoso de toda a horda dos dragões, e o lançou do céu, e em sua queda as torres das Thangorodrim foram derrubadas. Então nasceu o sol do segundo dia, e os filhos dos Valar prevaleceram, e todos os dragões foram destruídos, salvo dois apenas, e fugiram para o Leste. Então foram todas as covas de Morgoth destroçadas e destelhadas, e o poderio de Fionwë desceu até as profundezas da Terra, e lá Morgoth foi derrubado.

[As palavras *e lá Morgoth foi derrubado* foram rejeitadas e substituídas por esta passagem:
e lá Morgoth estava enfim encurralado e, contudo, não tinha valentia. Fugiu para a mais profunda de suas minas e suplicou paz e perdão. Mas seus pés foram-lhe cortados debaixo de si, e lançaram-no sobre sua face.]

Foi atado com a corrente Angainor, que há muito estava preparada, e à sua coroa de ferro deram forma de coleira para seu pescoço, e curvaram-lhe a cabeça até os joelhos. Mas Fionwë tomou as duas Silmarils que restavam e guardou-as.

Assim pereceu o poder e o opróbrio de Angband no Norte, e sua multidão de servos saiu, para além de toda a esperança, à luz do dia e viram um mundo de todo mudado, pois tão grande foi a fúria daqueles adversários que as regiões do Norte do Mundo Ocidental foram rasgadas e quebradas, e o mar rugiu para dentro de muitos abismos, e houve confusão e grande barulho, e os rios pereceram ou acharam novos leitos, e os vales foram elevados, e os montes, derrubados, e Sirion não existia mais. Então os Homens fugiram, aqueles que não pereceram na ruína daqueles dias, e muito tardou antes que voltassem pelas montanhas onde Beleriand existira antes, e não antes que a história daquelas guerras se esvanecesse em um eco que pouco se ouvia.

Mas Fionwë marchou pelas terras do Oeste convocando os remanescentes dos Gnomos, e os Elfos-escuros que ainda não tinham visto Valinor, a se unir aos servos libertados e partir. Mas Maidros não quis ouvir e preparou-se, ainda que com desgosto cansado e desespero, para realizar mesmo assim as obrigações de seu juramento. Pois Maidros e Maglor teriam batalhado pelas Silmarils, se lhes fossem negadas, mesmo contra a hoste vitoriosa de Valinor, e ainda que estivessem sozinhos contra o mundo todo. E mandaram dizer a Fionwë que lhes cedesse então aquelas joias que outrora Morgoth roubara de Fëanor. Mas Fionwë disse que o direito à obra de suas mãos o qual Fëanor e seus filhos antes tinham possuído havia perecido, por causa de seus muitos e malignos feitos, cegados por seu juramento e, mais do que tudo, pela morte de Dior e o ataque deles a Elwing; a luz das Silmarils deveria agora ir para os Deuses, de onde viera, e para Valinor deviam Maidros e Maglor retornar e lá aguardar o julgamento dos Deuses, por cujo decreto apenas Fionwë cederia as joias a seus cuidados.

Maglor tinha em mente se submeter, pois estava triste em seu coração e disse: "O juramento não diz que não possamos aguardar nossa hora, e pode ser que em Valinor tudo seja perdoado e esquecido, e que tenhamos nossa herança." Mas Maidros respondeu que, se chegassem a retornar e o favor dos

Deuses lhes fosse recusado, então seu juramento mesmo assim permaneceria a ser cumprido em desespero ainda maior; "e quem pode dizer a que sina horrenda chegaremos, se desobedecermos os Poderes em sua própria terra, ou pretendermos de novo trazer a guerra a seu Reino Guardado?" E assim se deu que Maidros e Maglor se insinuaram nos acampamentos de Fionwë e deitaram mãos sobre as Silmarils e mataram os guardas e ali se prepararam para se defender até a morte. Mas Fionwë deteve sua gente, e os irmãos partiram e fugiram para longe.

Cada um tomou uma única Silmaril, dizendo que uma se perdera para eles, e duas restavam, havendo só dois irmãos. Mas a joia queimou a mão de Maidros com dor insuportável (e ele tinha apenas uma mão, como se contou antes), e ele percebeu que era como Fionwë dissera e que seu direito se tornara nulo e que o juramento era vão. E, estando cheio de angústia e desespero, lançou-se em um abismo que se abria cheio de fogo, e esse foi seu fim, e sua Silmaril foi levada ao seio da Terra.

E conta-se também de Maglor que ele não podia suportar a dor com a qual a Silmaril o atormentava; e lançou-a enfim ao mar e depois disso vagou sempre pela costa cantando em dor e arrependimento à beira das ondas, pois Maglor era o mais poderoso dos cantores de outrora, mas nunca mais voltou ao meio do povo de Elfinesse.

Naqueles dias houve uma grande armação de navios nas costas do Mar do Oeste, e especialmente nas grandes ilhas, as quais, na ruptura do mundo do Norte, foram formadas a partir da antiga Beleriand. De lá, em muitas frotas, os sobreviventes dos Gnomos e das companhias ocidentais dos Elfos-escuros içaram vela para o Oeste e não mais voltaram às regiões de pranto e de guerra, mas os Elfos-da-luz marcharam para casa sob as bandeiras de seu rei, no séquito vitorioso de Fionwë, e foram levados em triunfo a Valinor. [*Acréscimo posterior*: Contudo, pouco júbilo tiveram em seu retorno, pois vieram sem as Silmarils, e essas não podiam ser achadas outra vez, a menos que o mundo fosse despedaçado e refeito de todo.] Mas o Oeste os Gnomos e Elfos-escuros habitaram de novo, em sua maior parte, na Ilha Solitária, que olha tanto para o Leste quanto para o Oeste, e mui bela tornou-se aquela terra e assim permanece. Mas alguns retornaram até mesmo a Valinor, como todos eram livres para fazer se desejassem, e os Gnomos foram de novo admitidos ao amor de Manwë e ao perdão dos Valar, e os Teleri perdoaram sua antiga mágoa e a maldição foi posta de lado.

Porém, nem todos queriam abandonar as Terras de Fora, onde longamente sofreram e habitaram; e alguns se demoraram por muitas eras no Oeste e no Norte, e especialmente nas ilhas ocidentais. E entre esses estava Maglor, como foi contado; e com ele Elrond, o Meio-Elfo, que depois veio entre os Homens mortais de novo e de quem apenas o sangue dos Primogênitos e a divina semente de Valinor chegou à Gente dos Homens (pois ele era filho de Elwing, filha de Dior, filho de Lúthien, filha de Thingol e Melian; e Eärendel, que o gerou, era filho de Idril Celebrindal, a bela donzela de Gondolin). Mas sempre, conforme as eras passavam e o povo dos Elfos se esvanecia na Terra, ainda içavam vela ao anoitecer de nossas costas do Oeste, como ainda fazem, quando agora se demoram poucas em qualquer lugar de suas companhias solitárias.

Este foi o julgamento dos Deuses, quando Fionwë e os filhos dos Valar tinham retornado a Valmar: dali por diante as Terras de Fora seriam da Gente dos Homens, os filhos mais novos do mundo, mas apenas para os Elfos os portões do Oeste ficariam sempre abertos, e, se não fossem para lá e tardassem no mundo dos Homens, então deveriam desvanecer e fraquejar lentamente. Este é o mais doloroso dos frutos das mentiras e das obras de Morgoth, que os Eldalië fossem apartados e alheados dos Homens. Por um tempo seus Orques e seus Dragões, procriando de novo em lugares escuros, aterraram o mundo e, em regiões várias, ainda o fazem, mas, antes do Fim, todos hão de perecer pelo valor dos Homens Mortais.

Mas Morgoth os Deuses lançaram através da Porta da Noite Atemporal que dá para o Vazio, para além das Muralhas do

Mundo, e uma guarda está a postos sempre naquela porta, e Eärendel mantém vigia sobre os baluartes do céu. Contudo, as mentiras que Melko, Moeleg, o poderoso e amaldiçoado, Morgoth Bauglir, o Terrível e Sombrio Poder semeou nos corações de Elfos e Homens não morreram todas e não podem pelos Deuses ser mortas e vivem a operar muito mal até mesmo nestes dias posteriores. Alguns dizem também que Morgoth, por vezes, secretamente como uma nuvem que não pode ser vista nem sentida, mas ainda assim é venenosa, insinua-se, escalando as Muralhas e visita o mundo, *mas outros dizem que essa é a sombra negra de Thû, que foi feito por Morgoth e que, escapando da Terrível Batalha, habita em lugares escuros e perverte os Homens para seu domínio horrendo e seu culto imundo.

[*Essa passagem, a partir do asterisco, foi reescrita assim*:
mas outros dizem que essa é a sombra negra de Sauron, que servia a Morgoth e se tornou o maior e mais maligno de seus lacaios; e Sauron escapou da Grande Batalha e habitou em lugares escuros e perverteu os Homens para seu domínio horrendo e seu culto imundo.]

Depois do triunfo dos Deuses, Eärendel navegou ainda os mares do firmamento, mas o Sol o queimava e a Lua o caçava no céu. Então os Valar trouxeram seu navio branco, Wingelot, por sobre a terra de Valinor, e o encheram de radiância e o abençoaram, e lançaram-no através da Porta da Noite. E por longo tempo Eärendel içou velas na vastidão sem estrelas, [riscado: *Elwing a seu lado*, ver a passagem reescrita na pp. 238-239], a Silmaril sobre sua fronte, viajando pelas Trevas detrás do mundo, uma estrela faiscante e fugidia. E de quando em vez ele retorna e brilha atrás dos cursos do Sol e da Lua acima dos baluartes dos Deuses, mais brilhante que todas as outras estrelas, o marinheiro do céu, montando guarda contra Morgoth sobre os confins do mundo. Assim ele há de velejar até que veja a Última Batalha ser lutada sobre as planícies de Valinor.

Assim falou a profecia de Mandos, que ele declarou em Valmar no julgamento dos Deuses, e o rumor dela virou um sussurro entre todos os Elfos do Oeste: quando o mundo for velho e os Poderes estiverem cansados, então Morgoth há de voltar pela Porta da Noite Atemporal e ele há de destruir o Sol e a Lua, mas Eärendel há de vir sobre ele como uma chama branca e tirá-lo dos ares. Então há de se ajuntar a última batalha nos campos de Valinor. Naquele dia, Tulkas há de combater com Melko, e à sua direita há de estar Fionwë e à sua esquerda, Túrin Turambar, filho de Húrin, Conquistador do Destino; e há de ser a espada negra de Túrin a dar a Melko sua morte e fim definitivo, e assim hão de ser vingados os filhos de Húrin e todos os Homens.

Depois disso, haverão as Silmarils de ser recuperadas do mar e da terra e do ar, pois Eärendel há de descer e abrir mão daquela chama que está sob sua guarda. Então Fëanor levará as Três para dá-las a Yavanna Palúrien, e ela vai quebrá-las e, com seu fogo, reacenderá as Duas Árvores, e uma grande luz virá, e as Montanhas de Valinor serão aplainadas, de modo que a luz chegue a todo o mundo. Naquela luz os Deuses ficarão jovens de novo, e os Elfos despertarão, e todos os seus mortos levantar-se-ão, e o propósito de Ilúvatar acerca deles será cumprido.

Tal é o fim das histórias dos dias antes dos dias
nas regiões do Norte do Mundo Ocidental.

Minha história de uma história, assim, termina com uma profecia, a profecia de Mandos. Concluirei o livro com uma repetição do que escrevi em minha edição do Grande Conto d'*Os Filhos de Húrin*. "É preciso lembrar que naquela época o *Quenta* representava (apenas numa estrutura um tanto simples, é bem verdade) a plena extensão do 'mundo imaginado' de meu pai. Não era a história da Primeira Era, como mais tarde viria a ser, pois ainda não havia Segunda Era nem Terceira Era e não havia Númenor, nem Hobbits, e naturalmente nem Anel."

LISTA DE NOMES

Após esta lista principal, incluí sete notas adicionais mais longas às quais alguns dos nomes desta lista são estendidos. Nomes que aparecem no mapa de Beleriand são seguidos de um asterisco.

Ainairos Um Elfo de Alqualondë.
Ainur Ver nota adicional na p. 269.
Alagados do Crepúsculo Aelin-uial, região de grandes lagoas e pântanos, envolta em brumas, onde o Aros, saindo de Doriath, encontrava o Sirion.
Almaren A ilha de Almaren foi a primeira habitação dos Valar em Arda.
Alqualondë Ver *Porto-cisne*.
Aman A terra no Oeste além do Grande Mar onde ficava Valinor.
Amnon As palavras da Profecia de Amnon, "Grande é a queda de Gondolin", pronunciadas por Turgon em meio à batalha pela cidade, são citadas em duas formas muito similares em anotações isoladas com esse título. Ambas começam com as palavras "Grande é a queda de Gondolin" e então

são seguidas no primeiro caso por "Turgon não esvanecerá até que o lírio do vale esvaneça" e no outro por "Quando o lírio do vale fenecer, então Turgon há de esvanecer". O lírio do vale é Gondolin, um dos setes nomes da cidade, a Flor da Planície. Há também referências em anotações às profecias de Amnon e aos lugares citados nelas, mas em nenhum lugar, ao que parece, há alguma explicação sobre quem ele era ou quando pronunciou essas palavras.

Amon Gwareth "O Monte de Vigia", ou "O Monte de Defesa", uma elevação rochosa muito alta e isolada na Planície Guardada de Gondolin, em cima da qual a cidade foi construída.

Anar O Sol.

Anais Cinzentos Ver pp. 209-210.

Ancalagon, o negro O maior dos dragões alados de Morgoth, destruído por Eärendel na Grande Batalha.

A Andorinha Nome de uma das gentes dos Gondothlim.

Androth Cavernas nas montanhas de Mithrim onde Tuor morou com Annael e os Elfos-cinzentos, e depois como proscrito solitário.

Anfauglith* Antes a grande planície cheia de relva de Ard-galen, ao norte de Taur-na-Fuin, antes de ser devastada por Morgoth.

Angainor O nome da corrente, feita por Aulë, com a qual Morgoth foi atado duas vezes: pois tinha sido forçado a usá-la quando aprisionado pelos Valar em uma época muito remota e, novamente, em sua derrota definitiva.

Angband A grande fortaleza-masmorra de Morgoth no Noroeste da Terra-média.

Annael Elfo-cinzento de Mithrim, pai adotivo de Tuor.

Annon-in-Gelydh "Portão dos Noldor": a entrada para o rio subterrâneo que nascia no lago de Mithrim e levava à Fenda do Arco-Íris.

Aranwë Elfo de Gondolin, pai de Voronwë.

Aranwion "Filho de Aranwë". Ver *Voronwë*.

Arco Celestial Nome de um dos grupos dos Gondothlim.

Arlisgion Uma região, cujo nome é traduzido como "o lugar dos caniços", pela qual Tuor passou em sua grande jornada rumo ao sul, mas o nome não aparece em nenhum mapa. Parece impossível traçar o caminho que Tuor tomou até alcançar a Terra dos Salgueiros depois de muitos dias, mas está claro que, nesse relato, Arlisgion estava em algum lugar ao norte daquela terra. A única outra referência a esse lugar parece estar na "Última Versão" (p. 168), em que Voronwë fala a Tuor sobre a Lisgardh, "a terra dos juncos nas Fozes do Sirion". Arlisgion, "lugar de caniços", é claramente a mesma região que Lisgardh, "terra dos juncos", mas a geografia dessa região nessa época é muito obscura.

Arvalin Uma região desolada de planícies amplas e cheias de bruma entre as Pelóri (as Montanhas de Valinor) e o mar. Seu nome, com o significado de "próxima de Valinor", mais tarde foi substituído por *Avathar*, "as sombras". Foi aqui que Morgoth encontrou Ungoliant, e diz-se que a Sentença de Mandos foi pronunciada em Arvalin. Ver *Ungoliant*.

A Árvore Nome de uma das gentes dos Gondothlim. Ver *Galdor*.

Árvores de Valinor Silpion, a Árvore Branca, e *Laurelin*, a Árvore Dourada; ver p. 26, onde elas são descritas, e *Glingol e Bansil*.

A Asa Emblema de Tuor e seu séquito.

Aulë Ele é um dos grandes Valar, chamado "o Ferreiro", de poder pouco menor que o de Ulmo. O que segue é tirado do retrato dele no texto chamado de *Valaquenta*:

> Seu senhorio é sobre todas as substâncias das quais Arda é feita. No princípio ele criou muito em companhia de Manwë e Ulmo e a feição de todas as terras foi seu labor. Ele é um ferreiro e um mestre de todos os ofícios e deleita-se com obras de engenho, por menores que sejam, tanto quanto com a construção poderosa de outrora. Suas são as gemas que jazem no fundo da Terra e o ouro que é belo na mão, não menos do que as muralhas das montanhas e as bacias do mar.

Bablon, Ninwi, Trui, Rûm Babilônia, Nínive, Troia, Roma. Uma nota sobre *Bablon* afirma: "*Bablon* era uma cidade dos Homens, e mais corretamente seria *Babilônia*, mas tal é o nome dado pelos Gnomos como eles agora o usam e o receberam de tempos de outrora."

Bad Uthwen Ver *Via de Escape*.

Baía de Feéria Uma grande baía do lado leste de Aman.

Balar, Ilha de Ilha que ficava ao largo da Baía de Balar. Ver *Círdan, o Armador*.

Balcmeg Um Orque morto por Tuor.

Balrogs "Demônios com açoites de chama e garras de aço."

Batalha das Lágrimas Inumeráveis Ver a nota adicional na p. 275.

Bauglir Um epíteto frequentemente acrescentado a *Morgoth*, traduzido como "o Opressor".

Beleg Um grande arqueiro de Doriath e amigo íntimo de Túrin, a quem ele matou na escuridão, achando que fosse um inimigo.

Belegaer Ver *Grande Mar*.

Beleriand* A grande região noroeste da Terra-média, estendendo-se das Montanhas Azuis, no leste, e abrangendo todas as terras do interior ao sul de Hithlum e as costas ao sul de Drengist.

Beren Homem da Casa de Bëor, amante de Lúthien, que tirou a Silmaril da coroa de Morgoth. Morto por Carcharoth, o lobo de Angband; somente ele, entre os Homens mortais, retornou dentre os mortos.

A Bigorna Martelada Emblema do povo do Martelo da Ira em Gondolin.

Bragollach Forma curta de *Dagor Bragollach*, "a Batalha da Chama Repentina", na qual o Cerco de Angband terminou.

Bredhil Nome gnômico de Varda (também Bridhil).

Brethil* A floresta entre os rios Teiglin e Sirion.

Brithiach* O vau que passava o Sirion e levava a Dimbar.

Brithombar* O mais setentrional dos Portos das Falas.

Bronweg Nome gnômico de *Voronwë*.

Celegorm Filho de Fëanor, cognominado o Alvo.

Cidade de Pedra Gondolin. Ver *Gondothlim*.

Cinturão de Melian Ver *Melian*.

Círdan, o Armador Senhor da Falas (as costas do oeste de Beleriand); com a destruição dos Portos naquela região por

Morgoth depois da Batalha das Lágrimas Inumeráveis, Círdan escapou para a Ilha de Balar e a região das Fozes do Sirion e continuou a construir navios. Esse é o mesmo Círdan, o Armador, que aparece em *O Senhor dos Anéis* como senhor dos Portos Cinzentos no fim da Terceira Era.

Cirith Ninniach A "Fenda do Arco-Íris". Ver *Cris-Ilfing*.

Coração-Pequeno Elfo de Tol Eressëa que contou o conto original d'*A Queda de Gondolin*. Ele é descrito assim nos *Contos Perdidos*: "Tinha um rosto vincado e olhos azuis de grande divertimento, e era muito esguio e pequeno, nem se podia dizer se tinha cinquenta anos ou dez mil", e diz-se também que ele devia seu nome "à juventude e maravilhamento de seu coração". Nos *Contos Perdidos*, ele tem muitos nomes élficos, mas *Ilfiniol* é o único que aparece neste livro.

Cranthir Filho de Fëanor, cognominado o Moreno; o nome foi alterado para Caranthir.

Cris-Ilfing "Fenda do Arco-Íris": a ravina pela qual fluía o rio vindo do Lago Mithrim. Nome substituído por *Kirith Helvin* e, finalmente, por *Cirith Ninniach*.

Crissaegrim* Os picos montanhosos ao sul de Gondolin, onde ficavam os ninhos de Thorondor, o Senhor das Águias.

Cristhorn Nome élfico da *Fenda das Águias*. Substituído por *Kirith-thoronath*.

Cuiviénen As "águas do despertar" dos Elfos no Leste mais distante da Terra-média: "um lago escuro em meio a imensas rochas, e a torrente que alimenta aquela água cai lá por uma fenda profunda, um fio pálido e delgado".

Curufin Filho de Fëanor, cognominado o Matreiro.

Damrod e Díriel Irmãos gêmeos, os mais novos entre os filhos de Fëanor; os nomes depois foram alterados para Amrod e Amras.

Dimbar* A terra entre os rios Sirion e Mindeb.

Dior O filho de Beren e Lúthien e dono da Silmaril que obtiveram; conhecido como "Herdeiro de Thingol"; foi pai de Elwing, morto pelos filhos de Fëanor.

Doriath* A grande região florestada de Beleriand, governada por Thingol e Melian. O Cinturão de Melian deu origem ao nome mais tardio, *Doriath* (*Dor-iâth* "Terra da Cerca").

Dor-lómin* "A Terra das Sombras": região no sul de Hithlum.

Dor-na-Fauglith A grande planície do norte, coberta de grama, chamada de Ard-galen; completamente destruída por Morgoth, recebeu o nome de Dor-na-Fauglith, traduzido como "a terra sob cinza sufocante".

Dramborleg O machado de Tuor. Uma nota sobre esse nome diz: "*Dramborleg* significa 'Pancada-Afiada', e esse era o machado de Tuor, que era pesado e contundia como uma maça e rasgava como uma espada."

Drengist Um longo estreito do mar que penetrava as Montanhas Ecoantes. O rio vindo de Mithrim que Tuor seguiu através da Fenda do Arco-Íris acabaria por levá-lo ao mar por aquela rota, "mas Tuor agora estava amedrontado com a fúria das águas estranhas, mudou de direção rumo ao sul, e assim não chegou às longas praias do Estreito de Drengist" (p. 151).

Duilin Senhor do povo da Andorinha em Gondolin.

Dungortheb Forma mais curta de *Nan Dungortheb*, "o vale da morte horrenda", entre Ered Gorgoroth, as Montanhas do Terror, e o Cinturão de Melian, protegendo Doriath no norte.

Eärámë "Ala de Águia", navio de Tuor.

Eärendel (forma mais tardia: *Eärendil*), "Meio-Elfo": o filho de Tuor e Idril, filha de Turgon; pai de Elrond e Elros. Ver nota adicional na p. 276.

Echoriath Ver *Montanhas Circundantes*.

Ecthelion Senhor do povo da Fonte em Gondolin.

Edain Os Homens das Três Casas dos Amigos-dos-Elfos.

Egalmoth Senhor do povo do Arco Celestial em Gondolin.

Eglarest* O Porto sul da Falas.

Eldalië "Povo dos Elfos", nome que é equivalente a *Eldar*.

Eldar Em escritos mais antigos, o nome *Eldar* significava os Elfos da grande jornada a partir de Cuiviénen, que eram divididos em três hostes: ver *Elfos-da-luz*, *Elfos-profundos* e *Elfos-do-mar*: sobre esses nomes, ver a marcante passagem de *O Hobbit* citada na p. 279. Depois disso, o termo podia ser usado como algo distinto de *Noldoli*, e o idioma dos Eldar seria diferente do gnômico (a língua dos Noldoli).

Elemmakil Elfo de Gondolin, capitão da guarda do portão externo.

Elfinesse Termo inclusivo para designar todas as terras dos Elfos.

Elfos-cinzentos Os Sindar. Esse nome foi dado aos Eldar que permaneceram em Beleriand e não avançaram mais para o Oeste.

Elfos-da-luz Um nome da primeira hoste dos Elfos durante a grande jornada a partir de Cuiviénen. Ver *Quendi* e a nota adicional na p. 279.

Elfos-do-mar Nome da terceira hoste dos Elfos na grande jornada a partir de Cuiviénen. Ver *Teleri* e a nota adicional na p. 279.

Elfos-profundos Um nome da segunda hoste dos Elfos na grande jornada. Ver *Noldoli, Noldor* e a nota adicional na p. 279.

Elrond e Elros Os filhos de Eärendel e Elwing. Elrond escolheu pertencer aos Primogênitos; ele era o mestre de Valfenda e guardião do anel Vilya. Elros foi contado entre os Homens e tornou-se o primeiro Rei de Númenor.

Elwing Filha de Dior, desposou Eärendel; mãe de Elrond e Elros.

Eöl O "Elfo escuro" da floresta que apanhou Isfin; pai de Maeglin.

Ered Wethrin (forma anterior: *Eredwethion*) Montanhas de Sombra ("As muralhas de Hithlum"). Ver a nota adicional *Montanhas de Ferro* na p. 274.

O Espada-Negra (Mormegil) Um nome dado a Túrin por conta de sua espada, Gurthang ("Ferro da Morte").

Os Exilados Os Noldor rebelados que retornaram à Terra-média, vindos de Aman.

*Falas** A costa do oeste de Beleriand, ao sul de Nevrast.

Falasquil Uma cava das costas do mar onde Tuor habitou por um tempo. Tratava-se claramente de uma baía pequena,

LISTA DE NOMES

marcada sem nome específico em um mapa feito por meu pai, no longo estreito (chamado de Drengist) disposto para o leste, para Hithlum e Dor-lómin. Diz-se que a madeira para o navio de Eärendel, Wingilot (Flor-de-espuma), teria vindo de Falasquil.

Falathrim Os Elfos telerin da Falas.

Fëanor O filho mais velho de Finwë; criador das Silmarils.

Fenda das Águias No extremo sul das Montanhas Circundantes, em torno de Gondolin. O nome élfico é *Cristhorn*.

Finarfin O terceiro filho de Finwë; pai de Finrod Felagund e Galadriel. Permaneceu em Aman depois da fuga dos Noldor.

Finduilas Filha de Orodreth, Rei de Nargothrond depois de Finrod Felagund. *Faelivrin* foi um nome dado a ela; o significado é "o brilho do sol nas lagoas de Ivrin".

Fingolfin O segundo filho de Finwë; pai de Fingon e Turgon; Alto Rei dos Noldor em Beleriand, morto por Morgoth em combate singular nos portões de Angband (descrito n'*A Balada de Leithian*, em *Beren e Lúthien*).

Fingolma Antigo nome de Finwë.

Fingon O filho mais velho de Fingolfin; irmão de Turgon; Alto Rei dos Noldor depois da morte de Fingolfin, morto na Batalha das Lágrimas Inumeráveis.

Finn Forma gnômica de Finwë.

Finrod Felagund Filho mais velho de Finarfin; fundador e Rei de Nargothrond, daí seu nome *Felagund*, "escavador de cavernas". Ver *Inglor*.

Finwë Líder da segunda hoste (os Noldoli) na grande jornada a partir de Cuiviénen; pai de Fëanor, Fingolfin e Finarfin.

Fionwë Filho de Manwë; capitão da hoste dos Valar na Grande Batalha.

A Flor Dourada Nome de uma das gentes dos Gondothlim.

A Fonte Nome de uma das gentes dos Gondothlim. Ver *Ecthelion*.

Galdor O pai de Húrin e Huor. Ver *Tuor*.

Galdor Senhor do povo da Árvore em Gondolin.

Gar Ainion "O Lugar dos Deuses" (*Ainur*) em Gondolin.

Gelmir e Arminas Elfos noldorin que se encontraram com Tuor no Portão dos Noldor quando estavam em seu caminho para Nargothrond para avisar Orodreth (o segundo rei, que sucedeu a Felagund) sobre o perigo que o reino corria, a respeito do qual não falaram a Tuor.

O Gelo Pungente No extremo norte de Arda havia um estreito entre o "mundo ocidental" e a costa da Terra-média, e em um dos relatos o "Gelo Pungente" é descrito assim:

> Através daqueles lugares as águas frígidas do Mar Circundante [ver *Mares de Fora*] e as ondas do Grande Mar do Oeste correm juntas, e há vastas brumas de frio mortal, e as correntes do mar estão cheias de colinas de gelo que se chocam e do roçar do gelo submerso. Esse estreito era chamado de Helkaraksë.

Glamhoth Orques; traduzido como "a hoste bárbara", "hostes do ódio".

Glaurung O mais famoso de todos os dragões de Morgoth.

Glingol e Bansil As árvores dourada e prateada nas portas do palácio do Rei em Gondolin. Originalmente elas eram mudas antigas das Duas Árvores de Valinor antes que Melko e Tecelã-de-Treva as destruíssem, mas mais tarde a história passou a dizer que elas eram imagens feitas por Turgon em Gondolin.

Glithui* Um rio que descia das Ered Wethrin, tributário do Teiglin.

Glorfalc "Fenda Dourada": o nome que Tuor deu à ravina através da qual corria o rio que nascia no Lago Mithrim.

Glorfindel Senhor do povo da Flor Dourada em Gondolin.

Gnomos Essa foi a tradução inicial do nome dos Elfos chamados *Noldoli* (mais tarde, *Noldor*). Para uma explicação desse uso de "Gnomos", ver *Beren e Lúthien*. A língua deles era o gnômico.

Gondolin* Para o nome, ver *Gondothlim*. Para os outros nomes, ver p. 52.

Gondothlim O povo de Gondolin; termo traduzido como "os que habitam na pedra". Outros nomes com formas aparentadas são *Gondobar*, "Cidade de Pedra", e *Gondothlimbar*, "Cidade dos Que Habitam na Pedra". Ambos os nomes são incluídos nos Sete Nomes da Cidade citados para Tuor pela guarda no portão de Gondolin (p. 52). O elemento *gond* quer dizer "pedra", como em *Gondor*. A palavra *Gondolin* foi interpretada, na época da composição dos *Contos Perdidos*, como "Pedra da Canção", o que significaria, segundo o texto, "pedra esculpida e erigida com grande beleza". Uma interpretação posterior foi "a Pedra Oculta".

Gondothlimbar Ver *Gondothlim*.

Gorgoroth Forma mais curta de *Ered Gorgoroth*, as Montanhas do Terror. Ver *Dungortheb*.

Gothmog Senhor de Balrogs, capitão das hostes de Melkor; filho de Melkor, morto por Ecthelion.

A Grande Batalha A batalha que transformou o mundo e finalmente derrubou Morgoth, trazendo o encerramento da Primeira Era. Também se pode dizer que ela encerrou os Dias Antigos, pois "na Quarta Era, as Eras mais antigas eram muitas vezes chamadas de *Dias Antigos*, mas aquele nome era dado propriamente apenas aos dias antes que fosse lançado fora Morgoth" (*O Conto dos Anos*, apêndice de *O Senhor dos Anéis*). É por isso que Elrond diz, no grande conselho em Valfenda: "Minha memória alcança *até mesmo os Dias Antigos*. Eärendil me gerou, ele que nasceu em Gondolin antes de sua queda."

Grande Mar* O Grande Mar do Oeste, cujo nome era *Belegaer*, que estendia-se das costas ocidentais da Terra-média até as costas de Aman.

Grande Serpe de Angband Ver *Glaurung*.

Gwindor Elfo de Nargothrond, apaixonado por Finduilas.

O Habitante das Profundezas Ulmo.

Hador Ver *Tuor*. A Casa de Hador era a chamada a Terceira Casa dos Edain. Seu filho Galdor era o pai de Húrin e Huor.

A Harpa Nome de uma das gentes dos Gondothlim.

Haudh-en-Ndengin "A Colina dos Mortos": um grande teso no qual foram sepultados todos os Elfos e Homens que morreram na Batalha das Lágrimas Inumeráveis. Ficava no deserto de Anfauglith.

Hendor Serviçal de Idril que carregou Eärendel durante a fuga de Gondolin.

Hisilómë Versão do nome gnômico *Hithlum* na língua dos Eldar.

Hísimë O décimo primeiro mês, correspondente a novembro.

Hithlum* A grande região, cujo nome é traduzido como "Terra da Bruma", "Bruma do Crepúsculo", que se estendia para o norte a partir da grande muralha das Ered Wethrin, as Montanhas de Sombra; no sul daquela região ficavam Dor-lómin e Mithrim. Ver *Hisilómë*.

Huor Irmão de Húrin, marido de Rían e pai de Tuor; morto na Batalha das Lágrimas Inumeráveis. Ver a nota adicional *Húrin e Gondolin* na p. 271.

Húrin O pai de Túrin Turambar e irmão de Huor, pai de Tuor; ver a nota adicional *Húrin e Gondolin* na p. 271.

Idril Chamada de *Celebrindal*, "Pé-de-Prata", filha de Turgon. Sua mãe era Elenwë, que pereceu na travessia do Helcaraxë, o Gelo Pungente. Em uma anotação muito tardia, conta-se que "o próprio Turgon chegara perto da morte nas águas terríveis quando tentou salvá-la, bem como sua filha Idril, a quem a quebra do gelo traiçoeiro lançara no mar cruel. Idril ele salvou, mas o corpo de Elenwë ficou coberto do gelo que caíra". Idril era a esposa de Tuor e a mãe de Eärendel.

Ilfiniol Nome élfico de *Coração-Pequeno*.

Ilha Solitária Tol Eressëa: uma grande ilha no Oceano do Oeste, de onde se via ao longe as costas de Aman. Para as versões antigas de sua história, ver p. 28.

Ilkorindi, Ilkorins Elfos que nunca viveram em Kôr (Valinor).

Ilúvatar O Criador. Os elementos que formam a palavra são *Ilu*, "o Todo, o Universo"; e *atar*, "pai".

Infernos de Ferro Angband. Ver a nota adicional *Montanhas de Ferro* na p. 274.

Inglor Nome antes empregado para designar Finrod Felagund.

LISTA DE NOMES

Ingwë Líder dos Elfos-da-luz na grande jornada a partir de Cuiviénen. Conta-se no *Quenta Noldorinwa* que "ele entrou em Valinor e se senta aos pés dos Poderes, e todos os Elfos reverenciam seu nome, mas nunca voltou às Terras de Fora".

Isfin Irmã do Rei Turgon, mãe de Maeglin, esposa de Eöl.

Ivrin A lagoa e as quedas d'água sob Ered Wethrin, onde nascia o rio Narog.

Kôr O monte em Valinor, do qual se via a Baía de Feéria, onde foi construída a cidade élfica de Tûn, mais tarde chamada de Tirion; também usado como nome da própria cidade. Ver *Ilkorindi*.

Laurelin O nome da Árvore Dourada de Valinor.

Legolas Verdefolha Um Elfo da Casa da Árvore em Gondolin, dotado de extraordinária visão noturna.

Lestenses Nome dado aos Homens que vieram a Beleriand depois dos Edain; lutaram dos dois lados na Batalha das Lágrimas Inumeráveis e receberam Hithlum de Morgoth, onde oprimiram os remanescentes do Povo de Hador.

Linaewen A grande lagoa em Nevrast "nas partes baixas da região".

Lisgardh "A terra dos juncos nas Fozes do Sirion." Ver *Arlisgion*.

Lorgan Chefe dos Lestenses em Hithlum, escravizou Tuor.

Lórien Os Valar Mandos e Lórien eram chamados de irmãos e levavam o nome de *Fanturi*. Mandos era *Nefantur* e Lórien, *Olofantur*. Tal como no caso de Mandos, Lórien era o nome de sua habitação, mas também era usado como seu nome próprio. Ele era "o mestre de visões e sonhos".

Lothlim "Povo da Flor": o nome assumido pelos fugitivos de Gondolin em suas habitações nas Fozes do Sirion.

Lug Um Orque morto por Tuor.

Maglor Filho de Fëanor, chamado o Magno, um grande cantor e menestrel.

Maidros Filho mais velho de Fëanor, cognominado o Alto.

Malduin* Um tributário do Teiglin.

Malkarauki Nome élfico dos *Balrogs*.

Mandos A habitação, pela qual ele próprio é sempre chamado, do grande Vala Námo. Apresento aqui o retrato de Mandos no texto breve do *Valaquenta*:

[Mandos] é o guardião das Casas dos Mortos e convoca os espíritos dos que foram assassinados. Não esquece nada e conhece todas as coisas que hão de ser, salvo apenas aquelas que ainda cabem à liberdade de Ilúvatar. Ele é o Sentenciador dos Valar, mas pronuncia suas sentenças e seus julgamentos apenas a pedido de Manwë. Vairë, a Tecelã, é sua esposa, ela que tece todas as coisas que já existiram no Tempo em suas tapeçarias de histórias, e os Salões de Mandos, que sempre se alargam conforme as eras passam, estão revestidos delas.

Ver *Lórien*.

Manwë O líder dos Valar e esposo de Varda; Senhor do reino de Arda. Ver *Súlimo*.

Mares de Fora Cito aqui uma passagem de um texto chamado *Ambarkanta* ("Forma do Mundo"), dos anos 1930, provavelmente posterior ao *Quenta Noldorinwa*: "À volta de todo o mundo estão as Ilurambar, ou Muralhas do Mundo [usei "a Muralha final" no "Prólogo", p. 26] ... Elas não podem ser vistas, nem podem ser atravessadas, salvo pela Porta da Noite. Dentro dessas Muralhas, a Terra está englobada: acima, abaixo e por todos os lados está *Vaiya*, o Oceano Envolvedor [que é o *Mar de Fora*]. Mas esse é mais como mar debaixo da Terra e mais como ar acima da Terra. Em *Vaiya* abaixo da Terra habita Ulmo."

No Conto Perdido d'*A Vinda dos Valar*, Rúmil, que conta a história, diz: "Para além de Valinor nunca vi nada nem ouvi, salvo que por certo há lá as águas escuras dos Mares de Fora, que não têm marés, e elas são muito frescas e ralas, pois que nenhum barco consegue navegar em seu seio nem peixe nadar em suas profundezas, salvo os peixes encantados de Ulmo e sua carruagem mágica."

O(s) Mar(es) do Oeste Ver *Grande Mar*.

O Martelo da Ira Nome de uma das gentes dos Gondothlim.

LISTA DE NOMES

Meglin (posteriormente, *Maeglin*) Filho de Eöl e Isfin, irmã do Rei Turgon; traiu Gondolin diante de Morgoth, a mais infame das traições da história da Terra-média; foi morto por Tuor.

Meleth Ama de Eärendel.

Melian Uma Maia da companhia do Vala Lórien em Valinor, que veio à Terra-média e se tornou a Rainha de Doriath. "Ela desferiu seu poder" [conforme contado nos *Anais Cinzentos*, ver p. 209] "e cercou toda aquela região em volta com um muro invisível de sombra e embaraçamento: o Cinturão de Melian, que ninguém dali por diante podia atravessar contra a vontade dela ou a do Rei Thingol." Ver *Thingol* e *Doriath*.

Melko (forma posterior: *Melkor*) "Aquele que se ergue em poder"; o nome do grande Ainu maligno antes que se tornasse "Morgoth". "O mais poderoso daqueles Ainur que adentraram o Mundo era, em seu princípio, Melkor. [Ele] não é mais contado entre os Valar, e seu nome não é falado sobre a Terra." (Do texto chamado *Valaquenta*.)

Menegroth* Ver *Mil Cavernas*.

Mil Cavernas Menegroth, os salões ocultos de Thingol e Melian.

Minas do Rei Finrod A torre (Minas Tirith) construída por Finrod Felagund. Era uma grande torre de vigia que ele erigiu em Tol Sirion, a ilha do Passo do Sirion que se tornou, depois de ser capturada por Sauron, *Tol-in-Gaurhoth*, a Ilha dos Lobisomens.

Mithrim* O grande lago no sul de Hithlum, e também a região na qual ficavam ele e as montanhas a oeste.

Moeleg Forma gnômica de Melko, que os Gnomos não pronunciavam, chamando-o de Morgoth Bauglir, o Terrível e Sombrio Poder.

Montanhas/Montes Circundantes. As montanhas que circundavam a planície de Gondolin. Nome élfico: *Echoriath*.

Montanhas de Ferro "Montanhas de Morgoth" no extremo Norte. Mas a ocorrência do nome no texto do "Conto Original" (p. 46) deriva de um momento anterior no qual o termo *Montanhas de Ferro* era aplicado à serra mais tarde chamada de

Montanhas Sombrias (Ered Wethrin): ver a nota adicional *Montanhas de Ferro* na p. 274. Alterei o texto da p. 46 nesse ponto.

Montanhas de Sombra* Ver *Ered Wethrin*.

Montanhas de Trevas As Montanhas de Ferro.

Montanhas de Turgon Ver *Echoriath*.

Montanhas de Valinor A grande cadeia de montanhas que foram erguidas pelos Valar quando chegaram a Aman. Também chamadas de *Pelóri*, estendiam-se em um vasto crescente de norte a sul, não muito longe da costa leste de Aman.

Montanhas Ressoantes de Lammoth* As Montanhas Ressoantes (Ered Lómin) formavam a "muralha oeste" de Hithlum; Lammoth era a região entre essas montanhas e o mar.

Monte de Vigia Ver *Amon Gwareth*.

Morgoth Esse nome ("o Inimigo Sombrio", entre outras traduções) só ocorre uma única vez nos *Contos Perdidos*. Foi aplicado a ele pela primeira vez por Fëanor, depois do roubo das Silmarils. Ver *Melko* e *Bauglir*.

Mundo de Fora, Terra de Fora As terras a leste do Grande Mar (Terra-média).

Nan-tathrin* Nome élfico da *Terra dos Salgueiros*.

Nargothrond* A grande cidade-fortaleza subterrânea no rio Narog, em Beleriand Ocidental, fundada por Finrod Felagund e destruída pelo dragão Glaurung.

Narog* Rio que nascia no lago de Ivrin, sob Ered Wethrin, e corria para o Sirion na Terra dos Salgueiros.

Narquelië O décimo mês, correspondente a outubro.

Nessa Uma "Rainha dos Valar", irmã de Vána e esposa de Tulkas.

Nevrast* A região a sudoeste de Dor-lómin onde Turgon habitou antes de sua partida para Gondolin.

Ninniach, Vale de O local da Batalha das Lágrimas Inumeráveis, citado apenas aqui com esse nome.

Nirnaeth Arnoediad A Batalha das Lágrimas Inumeráveis. Muitas vezes chamada de "as Nirnaeth". Ver a nota adicional na p. 275.

Noldoli, Noldor As formas mais antigas e posterior do nome da segunda hoste dos Elfos na grande jornada a partir de Cuiviénen. Ver *Gnomos, Elfos-profundos*.

Nost-na-Lothion "O Nascimento das Flores", festival de primavera em Gondolin.

Orcobal Um grande campeão dos Orques, morto por Ecthelion.

Orfalch Echor A grande ravina das Montanhas Circundantes a partir da qual se chegava a Gondolin.

Oromë Um dos Valar, filho de Yavanna, renomado por ser o maior de todos os caçadores; apenas ele e Yavanna, entre os Valar, vinham por vezes à Terra-média nos Dias Antigos. Montado em Nahar, seu cavalo branco, liderou os Elfos na grande jornada a partir de Cuiviénen.

Orques Em nota sobre a palavra, meu pai escreveu: "Um povo arquitetado e trazido à existência por Morgoth para fazer guerra a Elfos e Homens; às vezes traduzido como 'Gobelins', mas eles eram de estatura quase humana." Ver *Glamhoth*.

Ossë Ele é um Maia, vassalo de Ulmo, e é descrito assim no *Valaquenta*:

Ele é mestre dos mares que banham as costas da Terra-média. Não vai às profundezas, mas ama os litorais e as ilhas, e regozija-se nos ventos de Manwë, pois na tempestade ele se deleita e ri em meio ao rugido das ondas.

Othrod Um senhor dos Orques, morto por Tuor.

Palisor A terra distante no Leste da Terra-média onde os Elfos despertaram.

Palúrien Um nome de Yavanna; ambos os nomes muitas vezes aparecem juntos. O termo *Palúrien* foi substituído mais tarde por *Kementári*; ambos os nomes têm significados como "Rainha da Terra", "Senhora da Vasta Terra".

Peleg, filho de Indor, filho de Fengel Peleg era o pai de Tuor na sua genealogia original. Ver *Tunglin*

Pelóri Ver *Montanhas de Valinor*.

Penlod Senhor dos povos do Pilar e da Torre de Neve em Gondolin.

O Pilar Nome de uma das gentes dos Gondothlim. Ver *Penlod*.
Planície Guardada Tumladen, a planície de Gondolin.
Poderosos do Oeste Os Valar.
A Porta da Noite Ver o verbete *Mares de Fora*. No texto conhecido como *Ambarkanta* que citei aqui, conta-se também o seguinte a respeito de *Ilurambar*, as Muralhas do Mundo, e *Vaiya*, o Oceano Envolvedor ou o Mar de Fora:

> No meio de Valinor está Ando Lómen, a Porta da Noite Atemporal que vaza as Muralhas e se abre para o Vazio. Pois o Mundo está disposto em meio a Kúma, o Vazio, a Noite sem forma ou tempo. Mas ninguém pode atravessar o abismo e o cinturão de Vaiya e chegar àquela Porta, salvo os grandes Valar apenas. E eles fizeram aquela Porta quando Melko foi sobrepujado e lançado na Escuridão de fora, e a porta é guardada por Eärendel.

Portão dos Noldor Ver *Annon-in-Gelydh*.
Porto-cisne A principal cidade dos Teleri (Elfos-do-mar), na costa norte de Kôr. Em élfico, *Alqualondë*.
Portões do Verão Ver *Tarnin Austa*.
O Povo Oculto Ver *Gondothlim*.
Profecia de Mandos Ver nota adicional na p. 278.

Quendi Nome antigo de todos os Elfos, com o significado "Aqueles que têm vozes"; mais tarde, o nome da primeira das três hostes da grande jornada a partir de Cuiviénen. Ver *Elfos-da-luz*.

O Rei Oculto Turgon.
O Reino Abençoado Ver *Aman*
O Reino Oculto Gondolin.

Rían Esposa de Huor, mãe de Tuor; morreu em Anfauglith depois da morte de Huor.
O Rio Seco O leito do rio que antigamente fluía das Montanhas Circundantes para se juntar ao Sirion, formando a entrada para Gondolin.

Rog Senhor do povo do Martelo da Ira em Gondolin.

Salgant Senhor do povo da Harpa em Gondolin. Descrito como "um covarde".

Sempre-em-mente Flor branca que desabrochava continuamente.

Senhor das Águas Ver *Ulmo*.

Senhores do Oeste Os Valar.

Sentença de Mandos Ver nota adicional na p. 278.

Silpion A Árvore Branca. Ver *Árvores de Valinor* e *Telperion*.

Sindar Ver *Elfos-cinzentos*.

Sirion* O Grande Rio que nascia em Eithel Sirion ("Poço do Sirion") e, dividindo a Beleriand Ocidental da Oriental, desaguava no Grande Mar na Baía de Balar.

Sorontur "Rei das Águias". Ver *Thorondor*.

Súlimë O terceiro mês, correspondente a março.

Súlimo Esse termo, que se refere a Manwë como deus do vento, aparece junto com o nome dele com muita frequência. Ele é chamado de "Senhor dos Ares", mas apenas uma vez aparece o que seria uma tradução específica de *Súlimo*: "Senhor do Alento de Arda". Entre as palavras aparentadas estão *súya*, "soprar", e *súle*, "sopro".

Taniquetil A mais alta das Pelóri (as Montanhas de Valinor) e a mais alta montanha de Arda, sobre a qual Manwë e Varda tinham sua morada (Ilmarin).

Taras Grande montanha no promontório ocidental de Nevrast, sob a qual ficava Vinyamar.

Tarnin Austa "Os Portões do Verão", um festival em Gondolin.

Taur-na-Fuin* "Floresta da Noite", antes chamada *Dorthonion*, "Terra dos Pinheiros"; o grande planalto coberto de matas no norte de Beleriand.

Tecelã-de-Treva Ver *Ungoliant*.

Teiglin* Um tributário do Sirion, que nascia nas Ered Wethrin.

Teleri A terceira hoste dos Elfos na grande jornada a partir de Cuiviénen.

Telperion Nome da Árvore Branca de Valinor.

Terra das Sombras Ver *Dor-lómin*.

Terra dos Salgueiros* A bela terra onde o rio Narog desaguava no Sirion, ao sul de Nargothrond. Seus nomes élficos eram *Nan-tathrin*, "Vale-dos-Salgueiros", e *Tasarinan*. Em *As Duas Torres* (Livro 3, capítulo 4), quando Barbárvore estava carregando Merry e Pippin para a floresta de Fangorn e se pôs a cantar para eles, suas primeiras palavras foram:

> Em meio aos salgueiros de Tasarinan caminhei na Primavera. Ah! A visão e o aroma da Primavera em Nan-tasarion!

Terras de Cá Terra-média.

Terras de Fora As terras a leste do Grande Mar (Terra-média).

Thingol Um líder da terceira hoste dos Elfos (Teleri); seu nome nos textos mais antigos era *Tinwelint*. Nunca chegou a Kôr, mas se tornou o Rei de Doriath, em Beleriand.

Thorn Sir Curso d'água com uma queda abaixo de Cristhorn.

Thornhoth "O povo das Águias".

Thorondor "Rei das Águias", nome gnômico do eldarin *Sorontur*, forma anterior: *Thorndor*.

Timbrenting Nome de Taniquetil em inglês antigo.

A Torre da Neve Nome de uma das gentes dos Gondothlim. Ver *Penlod*.

Torrente-das-Águias Ver *Thorn Sir*.

A Toupeira Uma Toupeira negra era a insígnia de Meglin e de sua casa.

Tulkas Desse Vala, "o maior em força e feitos de valentia", diz-se o seguinte no *Valaquenta*:

> Ele veio por último a Arda, para auxiliar os Valar nas primeiras batalhas com Melkor. Deleita-se na luta corpo a corpo e nos desafios de força e não cavalga montaria alguma, pois consegue correr mais do que todas as coisas que têm pés, e é incansável. Dá pouco ouvido ao passado ou ao futuro e não é de valia alguma como conselheiro, mas é um amigo firme.

Tumladen "Vale de lisura", a "Planície Guardada" de Gondolin.

Tûn A cidade élfica de Valinor. Ver *Kôr*.

Tunglin "O povo da Harpa"; em um texto antigo e logo abandonado de *A Queda de Gondolin*, esse era o nome dado ao povo que vivia em Hithlum depois da Batalha das Lágrimas Inumeráveis. Tuor era daquele povo (ver *Peleg*).

Tuor Tuor era um descendente (bisneto) do renomado Hador Lórindol ("Hador Cabeça-Dourada"). Na *Balada de Leithian* diz-se de Beren:

> Foi Beren sempre destemido:
> por resistente foi havido
> e fala a gente do seu nome
> prevendo que depois renome
> *mais do que áureo Hador faz...*

Fingolfin deu a Hador o senhorio de Dor-lómin, e seus sucessores tornaram-se a Casa de Hador. O pai de Tuor, Huor, foi morto na Batalha das Lágrimas Inumeráveis, e sua mãe, Rían, morreu de tristeza. Huor e Húrin eram irmãos, filhos de Galdor de Dor-lómin, filho de Hador; e Húrin era o pai de Túrin Turambar; assim, Tuor e Túrin eram primos de primeiro grau. Mas só uma vez eles se encontraram, e não reconheceram um ao outro conforme passavam: isso está contado n'*A Queda de Gondolin*.

Turgon O segundo filho de Fingolfin, fundador e rei de Gondolin, pai de Idril.

Turlin Nome que foi usado brevemente para designar o personagem *Tuor*.

Uinen "Senhora dos Mares"; uma Maia, esposa de Ossë. Isto é o que se diz dela no texto chamado *Valaquenta*:

> [Seu] cabelo jaz espalhado por todas as águas sob o céu. Todas as criaturas que vivem nas torrentes salgadas ela ama, e todas as algas que ali crescem; a ela gritam os marinheiros, pois consegue lançar calma sobre as ondas, refreando a selvageria de Ossë.

Uldor, o maldito Líder entre certos Homens que se mudaram para o Oeste da Terra-média, aliou-se de modo traiçoeiro a Morgoth na Batalha das Lágrimas Inumeráveis.

Ulmo O texto a seguir é tirado do retrato do grande Vala, o qual é "próximo em poder a Manwë", no texto chamado *Valaquenta*, um relato de cada um dos Vala.

[Ulmo] mantinha toda Arda no pensamento e não tem necessidade de qualquer lugar para repousar. Além do mais, não ama caminhar sobre a terra e raramente vai se vestir em um corpo à maneira de seus pares. Se [Homens ou Elfos] o contemplavam, ficavam cheios de grande assombro, pois o surgir do Rei do Mar era terrível, como uma onda montante que avança para a terra, com elmo escuro de crista de espuma e cota de malha luzindo entre prata e sombras de verde. As trombetas de Manwë soam fortes, mas a voz de Ulmo é tão profunda quanto o fundo do oceano que só ele já viu.

Entretanto, Ulmo ama tanto Elfos quanto Homens e nunca os abandonou, nem mesmo quando jaziam sob a ira dos Valar. Por vezes, ele vem sem ser visto às costas da Terra-média, ou passa muito para o interior subindo estreitos do mar e ali faz música em suas grandes trompas, as Ulumúri, que são feitas de concha branca; e aqueles a quem chega aquela música ouvem-na sempre em seus corações, e a saudade do mar nunca os deixa mais. Mas Ulmo fala mormente àqueles que habitam na Terra-média com vozes que são ouvidas apenas como a música da água. Pois todos os mares, lagos, rios, fontes e nascentes estão sob seu governo, de modo que os Elfos dizem que o espírito de Ulmo corre em todas as veias do mundo. Assim notícias chegam a Ulmo, até mesmo nas profundezas, de todas as necessidades e tristezas de Arda.

Ulmonan Os salões de Ulmo no Mar de Fora.

Ungoliant A grande aranha, chamada de Tecelá-de-Treva, que habitava em Arvalin. Eis o que diz sobre Ungoliant no *Quenta Noldorinwa*:

> Lá [em Arvalin], em segredo e desconhecida, habitava Ungoliant, Tecelá-de-Treva, em forma de aranha. Não se conta de onde ela é, da escuridão de fora, talvez, que jaz além das Muralhas do Mundo [ver *Mares de Fora*].

Valar Os poderes regentes de Arda, às vezes chamados apenas de "os Poderes". No princípio havia nove Valar, conforme afirmado no *Esboço*, mas Melkor (Morgoth) deixou de ser contado entre eles.

Valinor A terra dos Valar em Aman. Ver *Montanhas de Valinor*.

Valmar A cidade dos Valar em Valinor.

Vána Uma das "rainhas dos Valar", esposa de Oromë, chamada de "a Sempre-Jovem".

Varda Esposa de Manwë, com quem ela habita em Taniquetil, maior das Rainhas dos Valar, criadora das estrelas. Em gnômico seu nome era *Bredhil* ou *Bridhil* (pág. X).

A Via de Escape O túnel sob as Montanhas Circundantes que levava à planície de Gondolin. Nome élfico: *Bad Uthwen*.

Vinyamar* A casa de Turgon em Nevrast, sob o Monte Taras, antes de sua partida para Gondolin.

Voronwë Elfo de Gondolin, único marinheiro a sobreviver da tripulação dos sete navios enviados ao Oeste por Turgon depois das Nirnaeth Arnoediad, guiou Tuor até a cidade oculta. O nome significa "resoluto".

Wingelot "Flor-de-Espuma", o navio de Eärendel.

Yavanna Depois de Varda, Yavanna era a maior das Rainhas dos Valar. Era "a que Oferta os Frutos" (significado de seu nome) e "amante de todas as coisas que crescem na terra". Yavanna trouxe à existência as Árvores que davam luz a Valinor, crescendo perto dos portões de Valmar. Ver *Palúrien*.

Ylmir Forma gnômica do nome *Ulmo*.

NOTAS ADICIONAIS

Ainur

O nome *Ainur*, traduzido como "os Sacros", deriva do mito da Criação do Mundo de meu pai. Ele estabeleceu a concepção original desse mito, de acordo com uma carta de 1964 (da qual citei uma passagem na p. 23), quando, em Oxford, ele estava "empregado na equipe do então ainda incompleto grande Dicionário", de 1918 a 1920. "Em Oxford", continua a carta, "escrevi um mito cosmogônico, 'A Música dos Ainur', definindo a relação do Uno, o Criador transcendental, com os Valar, os 'Poderes', os angelicais Criados-primeiro e a parte desses na organização e realização do Plano Primordial".

Talvez pareça uma digressão excessiva passar do conto da Queda de Gondolin para o mito da Criação do Mundo, mas espero que logo fique claro por que a faço.

A concepção central do "mito cosmogônico" está explicitada no título: *A Música dos Ainur*. Foi só nos anos 1930 que meu pai compôs uma versão posterior, o *Ainulindalë* (A Música dos Ainur), cujo conteúdo segue de perto o texto original. É dessa versão que retirei as citações no breve relato que se segue.

O Criador é Eru, o Uno, também e mais frequentemente chamado de Ilúvatar, ou seja, "o Pai de Tudo", do Universo. Conta-se nessa obra que, antes de tudo o mais, ele criou os Ainur, "que eram os rebentos de seu pensamento e estavam com ele antes do Tempo. E ele lhes falou, propondo-lhes temas de música. E eles cantaram diante dele, cada um sozinho, enquanto o resto escutava. Esse foi o princípio da Música dos Ainur, pois Ilúvatar convocou a todos e declarou a eles um tema poderoso, do qual deviam fazer em harmonia e juntos uma Grande Música".

Quando Ilúvatar levou essa grande música ao fim, fez saber os Ainur que ele, sendo o Senhor de Tudo, tinha transformado tudo o que eles cantaram e tocaram; tinha feito aquilo ter seu ser, ganhar forma e realidade, tal como as tinham os próprios Ainur. Ele então levou-os para fora, para a escuridão.

Mas, quando chegaram ao meio do Vazio, contemplaram uma visão de incomparável beleza, onde antes tinha havido vácuo. E Ilúvatar disse: "Eis vossa música! Pois por minha vontade ela tomou forma, e agora mesmo a história do mundo está principiando."

Termino este relato com uma passagem de grande significado para este livro. Há uma conversa entre Ilúvatar e Ulmo acerca do reino do Senhor das Águas. Depois, temos:

> E, enquanto Ilúvatar falava a Ulmo, os Ainur contemplaram o desenrolar do mundo, e o princípio daquela história que Ilúvatar lhes propusera como tema de canção. Por causa da memória de sua conversa com Ilúvatar, e do conhecimento que cada um tem da música que tocou, os Ainur conhecem muito do que há de vir, e poucas coisas são imprevistas para eles.

Se compararmos essa passagem com a antevisão de Ulmo acerca de Eärendel, que eu caracterizei (p. 217) como "miraculosa", parece que Ulmo estava olhando para o passado mais distante para saber com certeza o que o futuro próximo estava trazendo.

Resta ainda mais um aspecto dos Ainur que precisa ser notado. Para citar mais uma vez o *Ainulindalë*, conta-se que:

> Enquanto observavam, muitos ficaram enamorados da beleza do mundo e enlevados com a história que lá acontecia, e houve inquietação entre eles. Assim veio a acontecer que alguns tinham ainda sua morada com Ilúvatar, para além do mundo... Mas outros, e entre eles estavam muitos dos mais sábios e belos dos Ainur, suplicaram a licença de Ilúvatar para entrar no mundo e habitar lá, e puseram sobre si a forma e a vestimenta do Tempo...
> Então aqueles que o desejaram desceram e entraram no mundo. Mas esta condição Ilúvatar impôs, que o poder deles deveria, dali por diante, estar contido no mundo e a ele atado e fraquejar com ele, e seu propósito quanto a eles depois disso Ilúvatar não revelou.
> Assim os Ainur vieram ao mundo, eles a quem chamamos os Valar, ou os Poderes, e habitaram em muitos lugares: no firmamento, ou nas profundezas do mar, ou sobre a Terra, ou em Valinor, nas fronteiras da Terra. E os quatro maiores eram Melko e Manwë e Ulmo e Aulë.

Depois disso vem o retrato de Ulmo apresentado em *A Música dos Ainur* (p. 220).

Segue-se dos parágrafos anteriores que o termo *Ainur*, singular *Ainu*, pode ser usado no lugar de *Valar*, *Vala* vez por outra: como em "mas os Ainur puseram em seu coração" (p. 43).

Devo acrescentar, finalmente, que nesse esboço da Música dos Ainur omiti deliberadamente um elemento importante da história da Criação: o papel imenso e destrutivo desempenhado por Melko/Morgoth.

Húrin e Gondolin

Essa história encontra-se no texto relativamente tardio que meu pai chamou de *Anais Cinzentos* (ver p. 209). Ele conta que Húrin e seu irmão Huor (pai de Tuor) "foram ambos lutar contra os Orques, até mesmo Huor, pois não podia ser impedido, embora tivesse só treze anos de idade. E, estando com uma companhia que se desgarrou do resto da tropa, foram perseguidos até o vau de Brithiach; e lá teriam sido capturados ou mortos, se não fosse pelo poder de Ulmo, que ainda era forte no Sirion. Graças a isso uma bruma ergueu-se do rio e escondeu-os de seus inimigos, e eles escaparam para Dimbar e vagaram nos montes sob as muralhas íngremes das Crissaegrim. Lá Thorondor os observou e enviou duas Águias que os tomaram consigo e levaram-nos para além das montanhas, até o vale secreto de Tumladen e a cidade oculta de Gondolin, que nenhum outro homem ainda vira".

O Rei Turgon acolheu-os, pois Ulmo lhe aconselhara a tratar bem os da casa de Hador, da qual ajuda havia de vir a ele em sua necessidade. Habitaram em Gondolin por um ano, e diz-se que nesse tempo Húrin veio a saber algo dos conselhos e propósitos de Turgon, pois o rei tinha por eles grande estima e desejava mantê-los em Gondolin. Mas eles desejavam retornar para sua própria gente e partilhar as guerras e pesares que agora a assolavam. Turgon cedeu ao desejo deles e disse: "Pelo caminho que viestes tendes licença para partir, se Thorondor o quiser. Entristeço-me com essa separação, mas, em pouco tempo, como o medem os Eldar, podemos nos encontrar de novo."

A história termina com as palavras hostis de Maeglin, que se opunha grandemente à generosidade do rei em relação a eles. "A lei tornou-se menos severa do que outrora," disse ele, "ou então nenhuma escolha ser-vos-ia dada que não ficar aqui até o fim de vossas vidas." A isso Húrin respondeu que, se Maeglin não confiava neles, podiam fazer juramentos; e juraram nunca revelar os conselhos de Turgon e a manter em segredo tudo o que tinham visto no reino dele.

Anos depois, Tuor disse a Voronwë, quando estavam à beira do oceano em Vinyamar (p. 166): "Mas no que tange ao meu direito de buscar Turgon: sou Tuor, filho de Huor, e parente de Húrin, cujos nomes Turgon não esquecerá."

A QUEDA DE GONDOLIN

Húrin foi capturado vivo na Batalha das Lágrimas Inumeráveis. Morgoth ofereceu-lhe a liberdade, ou então poder como o maior dos capitães de Morgoth, "se somente revelasse onde Turgon tinha sua fortaleza". Essa proposta Húrin recusou cara a cara com Morgoth, com o máximo de ousadia e escárnio. Então Morgoth o pôs em um lugar alto nas Thangorodrim, sentado em uma cadeira de pedra, e disse a Húrin que, vendo com os olhos de Morgoth, ele haveria de observar as más sinas daqueles que amava e que nada lhe escaparia. Húrin suportou isso por vinte e oito anos. Ao fim desse tempo, Morgoth o soltou. Fingiu que agira por piedade a um inimigo completamente derrotado, mas mentia. Tinha outro propósito maligno; e Húrin sabia que Morgoth era incapaz de piedade. Mas aceitou sua liberdade. Na extensão dos *Anais Cinzentos* em que sua história é contada, chamada "As Andanças de Húrin", ele chegou enfim às Echoriath, as Montanhas Circundantes de Gondolin. Mas não conseguiu achar o caminho adiante e postou-se finalmente em desespero "diante do silêncio severo das montanhas... Subiu por fim uma grande pedra e, abrindo os braços, olhando na direção de Gondolin, chamou com grande voz: 'Turgon! Húrin vos chama! Ó Turgon, não ouvireis em vossos salões ocultos?' Mas não houve resposta, e tudo o que ele ouviu foi o vento na relva seca... Contudo, houve ouvidos que ouviram as palavras que Húrin disse, e olhos que bem perceberam seus gestos, e relatos de tudo isso chegaram logo ao Trono Escuro no Norte. Então Morgoth sorriu e soube agora claramente em qual região Turgon habitava, embora, por causa das Águias, nenhum espião dos seus ainda viesse à vista da terra detrás das montanhas circundantes".

Então aqui, mais uma vez, encontramos a percepção cambiante de meu pai sobre como Morgoth descobriu onde ficava o Reino Oculto (ver pp. 122-123). A história no presente texto claramente diverge da que consta do *Quenta Noldorinwa* (p. 137), em que a traição de Maeglin, feito prisioneiro pelos

Orques, é contada desta forma clara: "ele comprou sua vida e liberdade revelando a Morgoth o local de Gondolin e as vias pelas quais poderia ser achada e assediada. Grande, de fato, foi o regozijo de Morgoth..."

A história, de fato, creio eu, estava agora dando um passo adiante à luz do fim da passagem apresentada acima, na qual os gritos de Húrin revelam o local de Gondolin "para o regozijo de Morgoth". Isso pode ser visto com base no que meu pai acrescentou a esse ponto do manuscrito:

> Mais tarde, quando capturado, Maeglin quis comprar sua libertação com traição, Morgoth deve responder rindo e dizendo: "Notícias velhas não compram nada. Já sei disso, não me cegam facilmente!". Então Maeglin foi obrigado a oferecer mais — a solapar a resistência de Gondolin.

Montanhas de Ferro

À primeira vista, parecia que nos textos mais antigos *Hisilómë* (*Hithlum*) era uma região distinta da Hithlum mais tardia, já que ficava *além* das Montanhas de Ferro. Concluí, entretanto, que se tratava simplesmente de uma mudança de nomes e essa é certamente a verdade da questão. Conta-se em determinada passagem dos *Contos Perdidos* que, depois da fuga de Melko de seu aprisionamento em Valinor, ele fez para si "novas habitações naquela região do Norte onde ficam as Montanhas de Ferro, mui altas e terríveis de se ver", e também que Angband ficava sob as raízes das fortalezas mais setentrionais das Montanhas de Ferro; essas montanhas eram assim chamadas por causa dos "Infernos de Ferro" sob elas.

A explicação é que o nome "Montanhas de Ferro" era originalmente aplicado à serra depois chamada de "Montanhas Sombrias" ou "Montanhas de Sombra", *Ered Wethrin*. (Pode ser que, enquanto essas montanhas eram consideradas como uma cadeia contínua, a extensão delas ao sul, as muralhas sul e leste de Hithlum, passaram a ser distinguidas por nome dos terríveis picos ao norte acima de Angband, os mais poderosos deles sendo as Thangorodrim.)

Infelizmente, não consegui alterar a lista de nomes no verbete *Hisilómë* em *Beren e Lúthien*, que afirma que aquela região deve seu nome "ao escasso sol que espia acima das Montanhas de Ferro a leste e a sul dela". Na p. 46 do presente texto, substituí "de Ferro" por "Sombrias".

Nirnaeth Arnoediad: A Batalha das Lágrimas Inumeráveis

Diz o *Quenta Noldorinwa*:

> Ora, é preciso contar que Maidros, filho de Fëanor, percebeu que Morgoth não era invulnerável depois dos feitos de Huan e Lúthien e da destruição das torres de Thû [Tol Sirion, Ilha dos Lobisomens, mais tarde > Torre de Sauron], mas que haveria de destruí-los a todos, um a um, se não formassem de novo uma liga e conselho. Essa foi a União de Maidros, sabiamente planejada.

A batalha gigantesca que se seguiu foi a mais desastrosa da história das guerras de Beleriand. Referências às Nirnaeth Arnoediad abundam nos textos, pois Elfos e Homens foram completamente derrotados, e veio a cabo a ruína dos Noldor. Fingon, rei dos Noldor, filho de Fingolfin e irmão de Turgon, foi morto e seu reino deixou de existir. Mas um evento muito notável, no começo da batalha, foi a intervenção de Turgon, rompendo a barreira de Gondolin: esse evento é contado assim nos *Anais Cinzentos* (a respeito do qual ver "A Evolução da História", p. 209):

> Para júbilo e assombro de todos ali, houve um soar de grandes trombetas e então marchou para a guerra uma hoste inesperada. Esse era o exército de Turgon que saía de Gondolin, uma força

de dez mil, com cota de malha luzente e longas espadas, e eles se postaram no sul, guardando os passos do Sirion.

Também está nos *Anais Cinzentos* uma passagem muito notável a respeito de Turgon e Morgoth.

Mas um pensamento perturbava Morgoth profundamente e arruinava seu triunfo: Turgon, a quem ele mais desejava capturar, escapara da rede. Pois Turgon vinha da grande casa de Fingolfin e era agora por direito Rei de todos os Noldor, e Morgoth temia e odiava muitíssimo a casa de Fingolfin, porque tinham escarnecido dele em Valinor e tinham a amizade de Ulmo, e por causa dos ferimentos que Fingolfin lhe dera em combate. Além disso, outrora seu olhar pousara em Turgon, e uma sombra escura caíra-lhe no coração, prevendo que, em algum dia ainda oculto pelo destino, de Turgon haveria de lhe vir a ruína.

As Origens de Eärendel

O texto que se segue é derivado de uma longa carta escrita por meu pai em 1967 sobre o tema da construção de nomes em sua história e sobre a adoção de nomes externos a essa história.

Ele afirmou logo de cara que o nome *Eärendil* (a forma posterior) tinha sido derivado, muito claramente, da palavra do inglês antigo *éarendel* — uma palavra que ele sentia ter uma beleza peculiar naquela língua. "Além disso" (continuou ele) "sua forma sugere fortemente que em origem foi um nome próprio e não um substantivo comum." A partir da análise de formas aparentadas em outras línguas, ele considerava certo que o termo pertencesse a um mito astronômico, sendo o nome de uma estrela ou grupo de estrelas.

"Na minha opinião", escreveu ele, "os usos em inglês antigo parecem indicar claramente que era uma estrela que anunciava o amanhecer (ao menos na tradição inglesa): isto é, aquela que agora chamamos de *Vênus* — a estrela d'alva tal como pode ser vista reluzindo brilhantemente na aurora, antes do nascer do Sol propriamente dito. De qualquer modo, é como o compreendi. Antes de 1914, escrevi um 'poema' sobre Eärendel que lançava seu navio como uma centelha brilhante dos portos do Sol. Adotei-o em minha mitologia — na qual ele se tornou uma figura principal como um marinheiro e eventualmente como uma estrela anunciadora e um sinal de esperança aos homens. *Aiya Eärendil Elenion Ancalima*, 'salve, Eärendel, a mais brilhante das Estrelas' é remotamente derivada de Éala Éarendel engla beorhtast."

De fato, era uma derivação remota. Essas palavras em inglês antigo foram tiradas do poema *Crist*, o qual, nesse ponto, diz o seguinte: *éala! Éarendel engla beorhtas ofer middangeard monnum sended.*[13] Mas, por mais extraordinário que pareça à primeira vista, com as palavras élficas *Aiya Eärendil Elenion Ancalima,*[14] citadas por meu pai nessa carta, ele estava se referindo a uma passagem no capítulo *A Toca de Laracna* em *O Senhor dos Anéis*. Conforme Laracna se aproximava de Sam e Frodo na escuridão, Sam gritou: "O presente da Senhora! O vidro-de-estrela! Uma luz para você em lugares escuros, ela disse que era para ser. O vidro-de-estrela!" Impressionado com seu próprio esquecimento, "lentamente a mão de Frodo foi até seu peito, e lentamente ele ergueu alto o Frasco de Galadriel"... "A escuridão recuou diante dele, até que parecia brilhar no centro de um globo de cristal cheio de ar, e a mão que o segurava luzia com fogo branco."

"Frodo olhou em assombro para esse presente maravilhoso que por tanto tempo carregava, sem adivinhar seu valor e sua potência completos. Pouco se lembrara dele no caminho, até chegarem ao Vale Morgul, e nunca o tinha usado por medo de

---

[13] "Salve, Earendel, mais brilhante dos anjos, sobre a Terra-média enviado aos homens." [N. T.]
[14] "Salve, Eärendil, mais brilhante das estrelas!" [N. T.]

sua luz reveladora. *Aiya Eärendil Elenion Ancalima!*, gritou, e não sabia o que tinha dito; pois parecia que outra voz falara através da sua, impassível diante do ar imundo da cova."

Na carta de 1967, meu pai prosseguiu dizendo que "o nome não podia ser simplesmente adotado dessa forma: ele tinha de ser acomodado à situação linguística élfica, ao mesmo tempo em que um lugar para essa pessoa era criado nas lendas. Disso, há muito tempo na história do 'élfico', que após muitos começos experimentais na mocidade estava começando a tomar uma forma definida à época da adoção do nome, eventualmente surgiu o radical de élfico comum AYAR 'mar', aplicado primeiramente ao Grande Mar do Oeste e ao elemento verbal (N)DIL, que significa 'amar, ser devotado a'. Eärendil tornou-se um personagem na primeira das principais lendas a ser escrita (1916-17)... Tuor foi visitado por Ulmo, um dos maiores Valar, o senhor dos mares e das águas, e enviado por ele a Gondolin. A visita pôs no coração de Tuor um desejo insaciável pelo mar, daí a escolha do nome para seu filho, ao qual esse desejo foi transmitido".

A Profecia de Mandos

No trecho do *Esboço da Mitologia* apresentado no "Prólogo", conta-se (p. 35) que, conforme os Noldoli navegavam de Valinor em sua rebelião contra os Valar, Mandos enviou um emissário, o qual, falando de um penhasco elevado conforme passavam, advertiu-os para que retornassem e, quando recusaram, pronunciou a Profecia de Mandos acerca do destino deles nos dias que viriam. Apresento aqui uma passagem que contém um relato dessa cena. O texto é a primeira versão d'*Os Anais de Valinor* — a última versão são os *Anais Cinzentos* (ver "A Evolução da História", p. 209). Essa versão mais antiga pertence ao mesmo período que o *Quenta Noldorinwa*.

> Eles [os Noldoli que tinham partido] chegaram a um lugar onde uma rocha elevada fica acima das costas, e lá estava

Mandos — ou seu mensageiro —, e ele pronunciou a Sentença de Mandos. Pelo fratricídio ele amaldiçoou a casa de Fëanor e, em menor grau, todos os que a seguissem ou tivessem parte em sua empresa, a menos que retornassem para receber a Sentença e o perdão dos Valar. Mas, se não o fizessem, então má fortuna e desastre cairiam sobre eles, e sempre por traição de parente contra parente, e seu juramento voltar-se-ia contra eles, e uma medida da mortalidade iria visitá-los, pois seriam facilmente mortos com armas, ou tormentos, ou tristezas, e no fim desvaneceriam e feneceriam diante da raça mais jovem. E muito mais ele previu obscuramente e depois se cumpriu, advertindo-os de que os Valar cercariam Valinor para evitar seu retorno.

Mas Fëanor endureceu seu coração e seguiu em frente, e assim também, embora com relutância, fez o povo de Fingolfin, sentindo-se forçado por seu parentesco e temendo a condenação dos Deuses (pois nem todos os da casa de Fingolfin eram livres de culpa pelo fratricídio).

Ver também as palavras de Ulmo a Tuor em Vinyamar, UV, p. 160.

Os Três Clãs dos Elfos em O Hobbit

Em *O Hobbit*, não muito longe do fim do Capítulo 8, "Moscas e Aranhas", ocorre esta passagem:

> O povo que festejava eram os Elfos-da-floresta, é claro... Eles diferiam dos Altos-elfos do Oeste e eram mais perigosos e menos sábios. Pois a maioria deles (junto com sua parentela espalhada pelas colinas e montanhas) descendia das tribos antigas que nunca foram para Feéria, no Oeste. Para lá os Elfos-da-luz e os Elfos-profundos e os Elfos-do-mar foram e ali viveram por eras e se tornaram mais belos e mais sábios e estudados, e inventaram sua magia e sua arte sagaz para a criação de coisas belas e maravilhosas, antes que alguns voltassem ao Vasto Mundo.

Essas últimas palavras referem-se aos Noldor rebeldes que deixaram Valinor e, na Terra-média, passaram a ser conhecidos como os Exilados.

Breve Glossário
de termos
Obsoletos, Arcaicos
e Palavras Raras

affray ataque, confronto, refrega
ambuscaded que caiu em *ambuscade* [emboscada], emboscado
ardour ardor, calor ardente (de hálito)
argent argêntea, prateada ou brilhante como prata
astonied forma mais antiga de *astonished* [espantado, assustado]
bested em desvantagem [também escrito *bestead*]
blow florescer
boss centro abaulado de um escudo
broidure bordado
burg burgo, uma cidade murada
byrnie couraça, cota de malha
car carruagem
carle camponês ou serviçal, servo
chrysoprase crisoprásio, uma pedra preciosa verde-amarelada
conch concha usada como instrumento musical ou de chamamento
cravenhood covardia [uso aparentemente exclusivo aqui]
damascened incrustado ou ornamentado com ouro ou prata
descry divisar, avistar

GLOSSÁRIO

diapered repleto, com padrões em formato de losango
dight adornado
drake draco, dragão; inglês antigo *draca*
emprise empresa
fain de bom grado
fell (1) fero, cruel, terrível; (2) montanha, monte
glistering cintilante
greave grevas, armadura para a canela
hauberk armadura defensiva, túnica longa de cota de malha
illfavoured de má aparência, feio
kirtle túnica, vestimenta que vai até os joelhos ou que passa deles
lappet pequeno pedaço de uma vestimenta
leaguer/-ed [terras] sitiadas
lealty fidelidade, lealdade
let permitia (se a ocasião permitia; mandara fazer)
malachite malaquita, um mineral verde
marges margens ou bordas
mattock picareta, enxada, ferramenta agrícola de duas pontas
mead campina
meshed enredado inextricavelmente
plash impacto, barulho da água
plenished abastecidos
puissance poderio, força
reck cuidar, pensar em
rede alvitre, conselho
repair ir frequentemente a
repast comida; refeição, repasto, banquete
rowan sorva
ruth pena, tristeza, pesar, angústia
sable negra
scathe agravo, ferimento
sojourned permaneceu
sward gramado
swart moreno

tarry/-ied   demorava-se
thrall/thralldom   escravo/escravidão
twain   dois
vambrace   avambraço, armadura para o antebraço
weird   sorte, destino
whin   urze
whortleberry   arando, mirtilo
writhen   forjado, retorcido, disposto em espirais

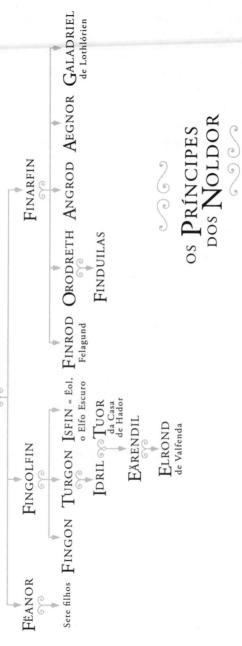

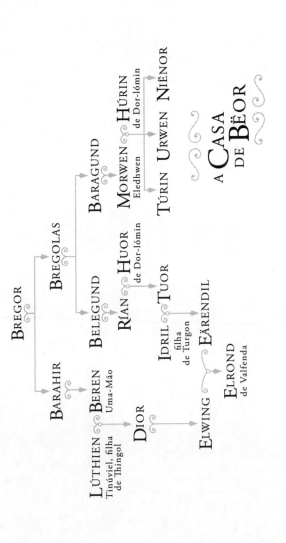

Este livro foi impresso em 2022, pela Leograf,
para a HarperCollins Brasil. A fonte usada no
miolo é Garamond corpo 11.
O papel do miolo é pólen soft 80 g/m².